Virgil W. Foutz

TATANKA

Die Rückkehr der Pferde

Aus dem Englischen

von Elisabeth Spang

Thienemann

Für Barbara,
wie immer,
meine Frau und beste Freundin

Im Gedenken an meinen Großvater Jesse Jerome Foutz
(1887–1943)

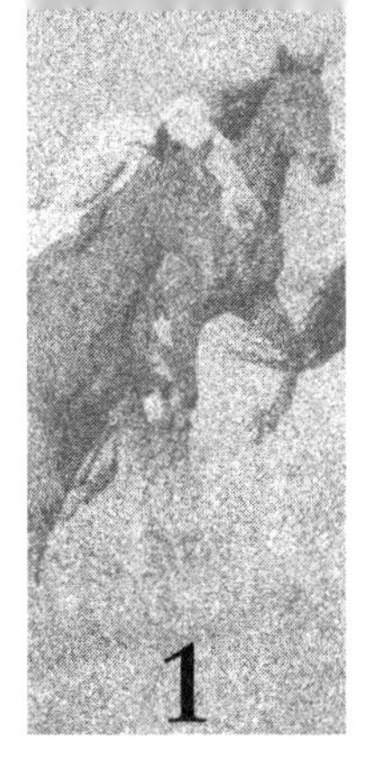

1

Es war nun beinahe ein Jahr her, dass sie sein Dorf besucht hatte. Jeden Tag während des vergangenen Mondes hatte er auf sie gewartet – auf einer Felsnase aus Basalt, ein Überbleibsel einer thermischen Hebung, die knapp tausend Jahre zuvor durch einen Vulkanausbruch entstanden war. Der Vulkan hatte einen flüssigen Lavastrom ausgespien, der am Rand des tiefen Tales hinabgeflossen war, um dann unvermittelt innezuhalten und sich in die Erdoberfläche zurückzuziehen. Was nach dem Abkühlen davon übrig geblieben war, war eben diese Felserhebung, auf der er nun stand. Von hier aus hatte er ungehinderten Ausblick über das weite, nahezu baumlose Tal. Little Raven musste sich mit aller Kraft gegen den Wind stemmen, damit seine schmale kleine Gestalt nicht von dem Felsen geweht wurde, der sein Dorf vor den scharfen Böen aus dem Nordwesten schützte. Nach unten hin hatte er gute Sicht auf die Tipis, die zwischen dem mitten durch das Tal fließenden klaren Bach und seinem Felsen standen.

Er zählte sechs große Tipis, etwa dreimal so hoch wie sein Vater, und sieben kleinere, die etwa halb so groß waren. Die größeren Tipis waren in lockerer Form eines Halbkreises angeordnet, der an die gebogenen Hörner eines Bisons erinnerte. Die offene Seite zeigte nach Osten in Richtung des Baches, wobei die beiden größten Tipis die

Spitzen der Hörner bildeten. Die kleineren Tipis standen in beliebiger Anordnung innerhalb und außerhalb des Halbkreises verstreut. In der Mitte lag die Grand Lodge, die große Hütte. Alle Eingänge wiesen nach *wiyohiyanpa takiya*, nach Osten, wo sich Großvater Sonne erhebt.

Er erspähte sein eigenes Tipi, es gehörte zu den kleineren, und dachte daran, wie schön es doch wäre, mit einer großen Familie in einem großen Tipi zu leben, anstatt allein mit seinen Eltern. Es wäre gut, Brüder zu haben – vielleicht auch ein oder zwei Schwestern. Dann hätte er jemanden zum Spielen. Weil er hinkte und viel kleiner und schmächtiger war als die anderen Jungen, musste er abseitsstehen, wenn sie etwas unternahmen, was Körperkraft erforderte wie etwa Bogenschießen oder Laufspiele. Es war nicht so, dass sie vorsätzlich auf ihm herumhackten oder ihn hänselten. Sie lachten ihn auch nicht aus, wenn es ihm schwerfiel, die Bogenschnur zu spannen, aber er sah ja ihre Blicke, bevor sie die Köpfe abwandten. Und wenn Mannschaften aufgestellt wurden, wurde er jedes Mal als Letzter gewählt.

Seine Mutter hatte ihm erzählt, als er ein kleines Kind gewesen sei, habe die Eule seinen Namen gerufen. Doch sein Vater hatte ihn in die Schwitzhütte gebracht und der Schamane hatte die heilenden Gesänge angestimmt. Danach war er lange Zeit krank gewesen, hatte sich aber wieder erholt. Während er daniederlag, waren die anderen Jungen gewachsen.

»Daran liegt es, dass du kleiner bist«, hatte seine Mutter gesagt, »aber da du noch lebst, obwohl die Eule deinen Namen gerufen hat, musst du ein wirklich starkes Herz haben.«

Sein bester Freund Laughing Badger spielte oft mit ihm. Die beiden älteren Brüder von Laughing Badger jedoch nahmen Little Raven nicht mit, wenn sie etwas vorhatten. Sie sagten dann: »Das wäre zu schwierig für dich«, oder erfanden andere Gründe. Manchmal durfte aber sogar Badgers kleinerer Bruder mitmachen. Dann ging Little Raven immer los und spielte für sich, er sei Tatanka, der Spirit Walker.

Little Raven sah die Pferde zu beiden Seiten des Baches grasen. In einer Herde zählte er beinahe fünfzig Tiere. Sie waren mit Laufleinen an Pfosten gebunden, damit sie beisammenblieben und sich nicht über das ganze Tal verteilten. Ihr Anblick erinnerte ihn an die von Okiyáka Ooyáke erzählte Geschichte, wie Tatanka den Atsinas geholfen hatte, den Sahiyelas auf deren Pferden zu entfliehen.

Jeden Tag kletterte Little Raven auf den Felsen und hielt nach Okiyáka Ooyáke Ausschau. So wie die anderen ihn ansahen, dachten sie bestimmt, er sei *witkó*. Aber er war nicht närrisch. Irgendetwas sagte ihm, dass die Geschichtenerzählerin bald käme. Obwohl die Kletterei anfangs sehr anstrengend für ihn war, freute er sich mittlerweile darauf. Vielleicht, weil er jedes Mal hoffte, an diesem Tag sähe er sie zurückkehren. Überrascht stellte er nach knapp einem Monat des Felsenkletterns fest, dass seine Arme und Beine allmählich stärker wurden. Dann beschlichen ihn Zweifel. Vielleicht war er doch *witkó* und sie würde gar nicht kommen. Vielleicht glaubte er nur, dass sie zurückkehrte, um ihre Geschichten zu erzählen, weil er sich so danach sehnte, ihr zu lauschen.

Als er gerade wieder hinabklettern wollte, zog etwas bei den Pferden seine Aufmerksamkeit auf sich. Irgendetwas war anders als sonst, nur wusste er nicht genau, was. Er dachte schon, er habe sich geirrt, und war im Begriff, den Blick abzuwenden, als er entdeckte, was ihm aufgefallen war: Zwischen den Pferden bewegte sich etwas. Er beschirmte seine Augen seitlich mit den Händen, um sie vor dem Wind zu schützen, da konnte er es erkennen. Jemand machte sich an einem der Pferde zu schaffen.

Es war ihm ein Rätsel, wo der Eindringling hergekommen war. Wenige Augenblicke zuvor war er noch überzeugt gewesen, dass sich kein Mensch dort unten befand. Vielleicht wollte jemand die Pferde stehlen! Er hob die Hände über den Kopf, um Dorfbewohnern, die ihn vielleicht sehen könnten, ein Zeichen der Warnung zu geben. Doch niemand bemerkte sein Winken. Also hielt er verzweifelt die Hände seitlich an den Mund, damit seine Stimme über größere Entfernung zu hören war. Aber noch ehe seinem Mund ein Ton entwichen war, stutzte er und hielt inne. Hoffentlich hatte er noch niemanden auf sich aufmerksam gemacht. Nun wusste er, wer da bei den Pferden war.

Eilig kletterte er den Felsen hinab, in Gedanken bei dem, was er bei den Pferden beobachtet hatte. Auf halbem Wege erreichte er die schwierigste Stelle des Abstiegs. Das Gesicht zum Felsen gewandt begann er, sich ein kurzes, nahezu senkrechtes Gefälle hinabzuhangeln. Der scharfkantige Basalt bot Händen und Füßen guten Halt, doch ein einziger Ausrutscher könnte einen knapp fünfzig Meter tiefen Fall und damit den sicheren Tod bedeuten.

Dieser Abschnitt sah so schwierig aus, dass er beim ersten Versuch, den Felsen zu erklimmen, Angst bekommen und beinahe aufgegeben hatte. Nun fürchtete er sich kaum noch beim Klettern. Ohne dass es ihm aufgefallen wäre, nahm mit jedem Tag, an dem er zu dem Aussichtspunkt hinauf- und wieder hinabgeklettert war, seine Geschicklichkeit zu und seine Furcht ab, sodass ihm der Abstieg nun schon fast selbstverständlich geworden war. Er belastete die Finger und die Zehen des rechten Fußes und setzte den linken Fuß nach unten auf einen schmalen, mit Flechten bewachsenen Sims. Als er dann das Gewicht auf den linken Fuß verlagerte, rutschte er an den Flechten ab, beide Füße lösten sich vom Felsen und er hing nur noch mit der Kraft seiner Finger an der Wand.

Mehr erstaunt über die Stärke seiner Muskeln als bange vor dem Fall zog er sich mit den Armen am Felsen hoch und fand mit den Füßen sicheren Halt, um weiter nach unten zu klettern. Vor Begeisterung über seine neu gewonnene Kraft wäre er noch einmal fast abgestürzt, als er den Fels hinabkletterte, so schnell es ging. Dann rannte er eilig zu den Pferden. Bei der Herde angekommen, keuchte er schwer und war schweißgebadet. Doch obwohl es ihn erschöpft hatte, war es ein gutes Gefühl, dass er es geschafft hatte, die ganze Strecke in einem Stück zu rennen. Ihm fiel auf, dass er zum ersten Mal ohne Unterbrechung so weit hatte rennen können. Auf halbem Wege hatte sein schwaches Bein zwar zu schmerzen begonnen, doch er hatte sich gezwungen weiterzulaufen und je näher er der Herde gekommen war, umso weniger hatte es ihm ausgemacht.

Als er zwischen den Pferden hindurchging, fiel ihm auf, dass er nicht mehr so stark hinkte. Einige Tiere hoben in seiner Nähe die Ohren, drehten sie nervös in seine Richtung und blähten die Nüstern. Als sie seinen Geruch witterten, senkten sie ihre Köpfe. Sie erkannten den schmächtigen Jungen, der oft seine Zeit bei ihnen verbrachte, und grasten weiter. Der unverwechselbare Geruch der verschiedenen Pferde hatte auf Little Raven eine beruhigende Wirkung. Sie waren seine besonderen Freunde; sie akzeptierten ihn so, wie er war, und machten sich nicht über ihn lustig. Er hatte sich ein Spiel ausgedacht, um seinen Geruchssinn auf die Probe zu stellen. Auch jetzt schloss er die Augen, wie so oft, wenn er bei den Pferden war. Im Vorbeigehen tätschelte er sie am Hals oder kraulte sie am Kopf und nannte jedes bei seinem Namen. Als ein Graufalber ihn erkannte, blieb er stehen, rieb seinen Hals und flüsterte ihm etwas ins Ohr. Kaum aber war er an dem Graufalben vorbeigegangen, blieb er wie angewurzelt stehen. Unmittelbar vor ihm stand Okiyáka Ooyáke.

»Heca Čík'ala! Ich habe dich erwartet«, sagte sie zu ihm. »Du bist ja beachtlich schnell gerannt!«

Little Raven, der nicht recht wusste, ob er nun vom Rennen so außer Atem war oder infolge der unerwarteten Begegnung mit der Geschichtenerzählerin, antwortete: »*Uncí!*«, denn viele nannten sie Großmutter. »Ich wusste, dass du kommen würdest!«

Noch immer keuchend und ohne sich zu wundern, woher die blinde, einhundertundein Jahr alte Geschichtenerzählerin wissen konnte, dass er es war, fragte er mit mühsam bezähmter Vorfreude: »Wirst du uns eine Geschichte erzählen?«

»*Tákoja*, mein Enkel, das ist einer der Gründe, aus denen ich gekommen bin«, antwortete sie. »Aber erst einmal könntest du mir helfen, *šúnkawakán* den Schweiß abzuwischen.«

Sie pflückte eine Handvoll langes, trockenes Gras, faltete das Büschel und rieb ihr Pferd damit ab. »Hier, nimm es doppelt, so wie dies hier, und reib sie damit ab, angefangen beim Kopf, dann den Leib entlang und zuletzt die Beine hinunter.«

Als Little Raven begann, gemeinsam mit ihr das Pferd zu striegeln, fuhr sie fort:

»Wenn wir von *šúnkawakáns* Kopf ausgehend in diese

Richtung streichen, fördert das die Durchblutung ihrer Beine und belebt die Muskeln. Nachdem sie mich auf einem langen Ritt getragen hat, sollte ich mich erkenntlich zeigen. Ihr den Schweiß abzuwischen, hilft ihr, gesund zu bleiben.«

Aufmerksam lauschte Little Raven ihren Worten und wunderte sich, warum sie für das Tier keinen richtigen Namen, sondern den Lakota-Ausdruck für Pferd gebrauchte, *šúnkawakán* hieß genau genommen großer Hund. Aber er sagte nichts.

Als sie mit *šúnkawakán* fertig waren, sagte Okiyáka Ooyáke: »Komm, *tákoja*, nun wollen wir zu deinem Dorf gehen.« Sie erweckte den Anschein, sehen zu können, weil sie zu spüren vermochte, was sie umgab.

Als man die uralte Lakota auf die Tipis zukommen sah, hallten Rufe durch die Siedlung: »Okiyáka Ooyáke! Okiyáka Ooyáke!« Die freudige Begeisterung spiegelte sich auch in Little Ravens Gesicht, als er und die Geschichtenerzählerin Hand in Hand das Dorf betraten, so als sei die alte Frau ganz auf den kleinen, schmächtigen Jungen neben sich angewiesen.

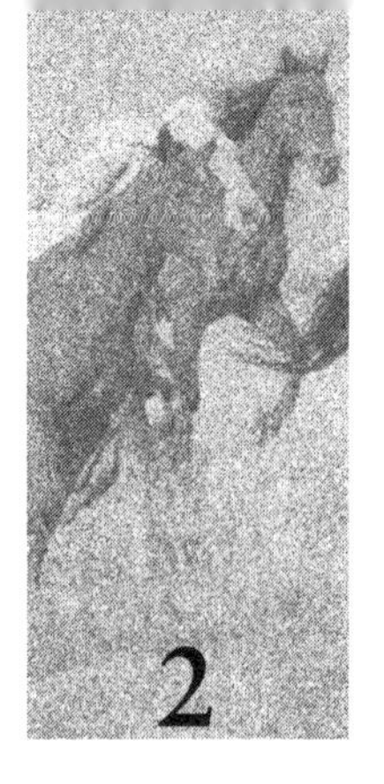

2

Ehrfürchtig warteten sie. Es waren Kinder mit ihren Müttern da und Mütter mit ihren Müttern. Auch Jünglinge und alte Krieger warteten. Man wusste nie, wann sie kommen würde, aber wenn sie da war, wollten alle ihr zuhören.

Nur der kleine verkrüppelte Junge, den man Heca Čík'ala nannte, hatte gewusst, dass Okiyáka Ooyáke käme. Wie war es möglich, dass der kleine hinkende Knabe so etwas wusste? Nicht einmal Hoká Hóta, Grey Badger, ihr Schamane, der die heilenden Lieder sang, hatte es gewusst.

Die Leute fragten sich, wie das möglich war. Manche hatten schon gedacht, Little Raven sei *witkó*, weil er jeden Tag die Felsen hinaufkletterte, um nach ihr Ausschau zu halten. Infolge ihrer Ankunft merkten sie nun allerdings, dass er nicht *witkó* war – man sah es an ihren Blicken. Doch wieso hatte er von ihrem Kommen gewusst?

Bevor sie Gelegenheit hatten, weiter darüber nachzudenken, trat Stille ein, denn Okiyáka Ooyáke betrat die große Hütte. Selbst die kleinen Kinder wussten offenbar, dass man aufmerksam zuhörte, um kein einziges Wort zu verpassen, wenn die Geschichtenerzählerin das Dorf besuchte. Obwohl sie blind war, hatte man nie gesehen, dass jemand sie führte. Sie bewegte sich langsam, aber stets ohne Zögern. Nun ging sie neben Little Raven, die Hand auf seiner Schulter, und er geleitete sie zu der Rückenlehne aus Weidenzweigen, die mit der weichen Haut des Schwarzhorns bespannt war, ein Geschenk des großen Tieres der Prärie.

Okiyáka Ooyáke setzte sich vor die Rückenlehne auf den Boden. Und wie sie es immer tat, zog sie ihre Mokassins aus mit den Worten: »Um in Einklang mit der Natur zu leben, bade täglich in den ehrwürdigen Fluten und lass deine bloßen Füße unsere ehrwürdige Mutter Erde berühren. Es wird helfen, deine Gedanken zu sammeln ... denn das ist *wákan.*«

Der Stammesführer Cetan Ska, White Fox, wartete, bis sie sich vor der niedrig umsäumten Feuerstelle niedergelassen hatte, dann hielt er ein Stückchen Schwarzhorn an den heiligen Feuerhalter. Als es zu glimmen begann, nahm er es heraus. Dann schob er es unter einen kleinen Haufen trockener Pappelholzspäne und blies in die Glut, bis sie rot aufleuchtete und ein Holzspan Feuer fing. Als die Flammen aufloderten, fügte er Scheite vom heiligen Holz der Cottonwood-Pappel und der Schwarzkiefer hinzu. Bald breitete sich der Duft in der Hütte aus; der heilige Rauch zog an den erwartungsvoll Dasitzenden vorbei und stieg durch die Rauchöffnung zum Urgroßvater Himmel empor.

Ihre Geschichten handelten von den Völkern: wer sie waren, woher sie kamen und warum sie hier lebten. Sie gehörte zur alten Generation der Geschichtenerzähler, die nur aus dem Gedächtnis von den Sitten, der Religion und würdigen Lebensweise der Lakota berichtete. Manches, was sie erzählte, hatte man schon einmal gehört, doch wenn sie davon sprach, lauschte man, als wäre es das erste Mal.

Die meisten Geschichten waren voller Humor. Manche waren ernst. Die Geschichtenerzählerin brachte die Zuhörer zum Schmunzeln und zum Lachen. Sie brachte ihre Augen zum Leuchten. Manchmal brachte sie die Leute auch zum Weinen. Ihr Wissen umfasste weit mehr als die hundert Winterzählungen ihres Lebens. Die Leute lauschten aufmerksam, denn ihnen war klar, dass sie ihre Geschichten womöglich nicht noch einmal hören würden. Ihnen war bewusst, dass man aus ihren Worten vieles lernen konnte. Sie war die altehrwürdige Okiyáka Ooyáke, die große Geschichtenerzählerin der Lakota.

Man fragte sich, woher sie solche Energie hatte, denn sie war weit gereist an jenem Tag. Aus Hochachtung war man bedacht, sie nicht zu stören. Geduldig warteten alle und hofften, sie würde bald weitersprechen, denn man wurde ihrer Worte niemals überdrüssig.

Gegenwärtig schienen die Falten aus dem Gesicht der alten Geschichtenerzählerin zu verschwinden, so als würden ihre Gedanken sie in ein anderes Zeitalter zurückversetzen.

Dann begannen ihre Mundwinkel sich in der Andeutung eines Lächelns nach oben zu ziehen, das jedoch gleich wieder verschwand, als sie mit schmerzerfülltem Gesicht trocken und hart hustete. Als der Hustenanfall vorüber war, zog Okiyáka Ooyáke die Schwarzhorn-Robe fester um ihre schmalen Schultern und lehnte sich gegen die Rückenstütze.

Mit durch das Dorf hallender, klarer und eindringlicher Stimme sang sie die heiligen Lieder. Danach ruhte sie wieder an der Rückenlehne und blickte in Richtung der goldenen Flammen, die um die Pappelholzscheite in der Feuerstelle tanzten.

Sie schwieg. Dann beugte Okiyáka Ooyáke sich vor und lächelte, als sei ihr etwas Schönes eingefallen. Wie bei ihrem letzten Besuch war es Little Raven, an den sie ihre Worte richtete.

»*Tákoja*«, sagte sie, und während ihr Geist alles um sie

herum aufzunehmen schien, starrten ihre blinden Augen ins Feuer. »Ich habe vieles erzählt: über den heiligen Lebensbaum, die vier Windrichtungen, die weiße Büffelfrau und die heilige Büffelkalb-Pfeife. Aber es gibt da noch eine Geschichte, auf die du wartest. Ist es nicht so?«

»*Han*, Großmutter! Ja«, antwortete Little Raven aufgeregt und seine Stimme war so leise, dass nur die dicht neben ihm Sitzenden ihn verstehen konnten. Weil er befürchtete, sie habe ihn nicht gehört, setzte er noch einmal zur Antwort an, doch peinlicherweise kam nur »*ha-ha-ha-n*« heraus und es klang eher so, als wolle er sich räuspern.

Vereinzeltes Kichern wurde im Keim erstickt, als Okiyáka Ooyáke von der anderen Seite der Hütte her antwortete: »Wie es sich gehört, hast du nicht um die Geschichte gebeten, die du am liebsten hören möchtest. Das ist gut. Du hast Geduld gelernt. Mit Geduld lernst du auch Ausdauer. Und mit Ausdauer wirst du lernen, ein Krieger zu sein.«

Mehrere Knaben und sogar einige Erwachsene sahen einander an, als wollten sie fragen: »Wie sollte das zugehen? Wie könnte aus Little Raven ein Krieger werden? Er ist zu klein und zu schwach und außerdem hat er ein verkrüppeltes Bein. Aus ihm wird niemals ein Krieger.«

Okiyáka Ooyáke las ihre Gedanken und lächelte, sagte aber nichts. Die Fähigkeit, die Gedanken der Leute zu lesen oder in die Zukunft zu schauen, war ihr nicht in die Wiege gelegt worden. Sie war in ihrem fünften Sommer zu ihr gekommen, dem Sommer, in dem sie ihr Augenlicht verlor.

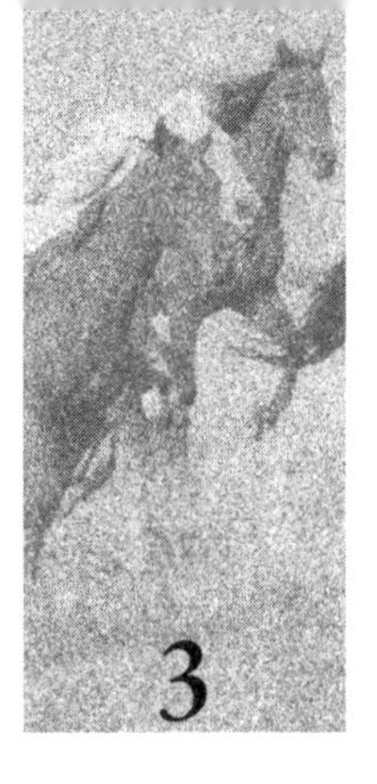

3

Sie liebte es über alles, auf ihrem Pferd *Wawóyuspa Tehmúng'a* zu reiten. Sie hatte ihn Fly Catcher genannt, weil er die Angewohnheit hatte, immer nach den Fliegen zu schnappen, die um seinen Kopf summten. Am Tag des Unfalls hatte ihr Vater ihr auf den Rücken von Fly Catcher geholfen und ihr eingeschärft: »Bleib in Sichtweite der Tipis und reite nicht in die Nähe der Felsen unter der *pajóla*, der Spitzkuppe, wo Bruder *Sintéhla*, die Klapperschlange, sich sonnt.«

Wie bei vielen kleinen Kindern, denen man etwas verbietet, wurde sie durch die Worte ihres Vaters magnetisch genau zu dem hingezogen, wovor sie gewarnt worden war. Für Pispiza, Präriehund, wie sie als Kind geheißen hatte, bevor sie zur Geschichtenerzählerin wurde und man sie Okiyáka Ooyáke nannte, sollte dieser Ungehorsam jedoch ihr ganzes Leben unwiderruflich verändern.

Kaum war sie am Fuße des Felsenturms angekommen, als ihr Pferd vor einer Klapperschlange scheute. Sie stürzte hart von seinem Rücken und fiel mit dem Kopf auf einen Stein. Das Aufschlagen ihres Schädels raubte ihren Augen die Sehfähigkeit. Doch im Gegenzug gewann sie etwas ganz Besonderes. Sie brauchte einige Zeit, um den Kummer und die Verzweiflung über den Verlust ihres Augenlichts zu bewältigen. Aber schließlich lernte sie die Gabe zu schätzen, die sie an jenem Tag stattdessen erhalten hatte. Sie entwickelte nicht nur die Fähigkeit, sich von den Dingen in ihrer Umgebung ein Bild zu machen und sie zu ertasten, sie konnte auch die Gedanken der anderen erspüren, ja sogar die Gedanken von Tieren in ihrer Nähe. Allerdings hatte sie auch noch eine weitere Gabe erhalten, eine Gabe, die ihr Schwierigkeiten bereitete. Sie musste erst lernen, mit ihren Visionen dessen, was die Zukunft bringen würde, umzugehen.

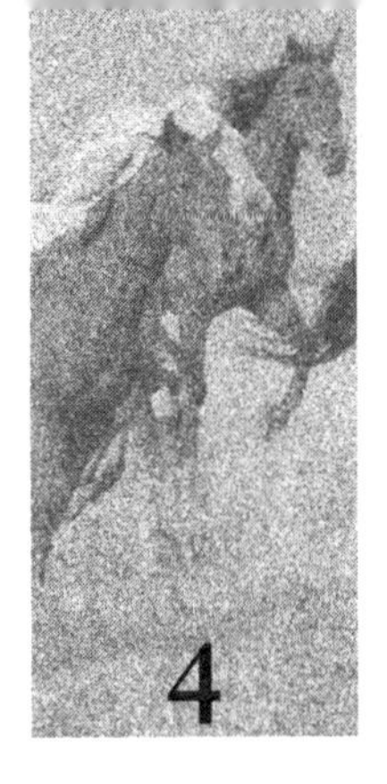

4

Okiyáka Ooyáke sagte: »Mein Gedächtnis ist nicht mehr so gut, wie es einmal war« und fügte nach einem Moment des Zögerns hinzu: »War es die Geschichte von dem Krieger Tatanka, den man Spirit Walker nannte?«

Nachdem er so geduldig darauf gewartet hatte, von Tatanka zu hören, und schon befürchtete, Okiyáka Ooyáke hätte ihr Versprechen, bei ihrem nächsten Besuch mehr von dieser Legende zu erzählen, womöglich vergessen, konnte sich Heca Čík'ala nicht länger beherrschen. Mit freudig funkelnden Augen rief er aus: »*Han! Han! Uncí!*«

Als ihm dann aber bewusst wurde, wie laut er geantwortet, ja beinahe geschrien hatte: »Ja, ja, Großmutter, erzählst du uns diese Geschichte zu Ende?«, lief Little Raven rot an und versuchte, in der Menge der Dorfbewohner unterzutauchen.

Okiyáka Ooyáke wurde erneut von diesem trockenen Husten geschüttelt. Dann antwortete die alte Geschichtenerzählerin mit klarer, wohlklingender Stimme, der man ihr Alter nicht anhörte: »Wie ich schon sagte, ich werde alt und vergesslich. Es gibt mehr als eine Legende über Spirit Walker. Welche Geschichte hatte ich euch erzählt?«

Niemand meldete sich zu Wort, denn sie wussten, dass die Frage an den kleinen Jungen mit dem Hinkefuß gerichtet war. Niemand hatte ihm bislang viel Beachtung geschenkt. Er fand das auch besser so. Es war auch ohne sonderlich aufzufallen schon schlimm genug, bei den Tätigkeiten der anderen Jungen körperlich nicht mithalten zu können.

»Mein Enkel«, sagte sie mit einem freudigen Aufblitzen in den Augenwinkeln, denn wenn ihre Fähigkeit, in die Zukunft zu sehen, sie nicht trog, würden die Umsitzenden dem schüchtern vor ihr hockenden kleinen lahmen Jungen eines Tages noch voller Ehrfurcht begegnen.

Sie rief seinen Namen. Little Raven spürte, wie sich alle Blicke auf ihn richteten. Selbst wenn manche ihn nicht sehen konnten, so wandten sich doch ihre Gedanken ihm zu und das war noch schlimmer. Warum hatte er das Wort ergriffen? Wenn er nichts gesagt hätte, würden ihn jetzt nicht alle anstarren. So ging es ihm auch oft, wenn er versuchte, mit den anderen Jungen zu spielen und sein Bein nicht richtig mitmachte. Sie lachten ihn nicht aus, wenn er Schwierigkeiten hatte, aber er spürte, was sie dachten. Manchmal wünschte er, sie würden etwas sagen, dann könnte er zumindest versuchen sich zu verteidigen und sich dazu äußern. Aber dann würde er nur stottern. Er stotterte ja immer.

Nein. Das stimmte nicht. Wenn er darüber nachdachte, dann hatte er im Gespräch mit Okiyáka Ooyáke nicht ein einziges Mal gestottert. Bei ihrem letzten Besuch war es ebenso gewesen. Das waren die einzigen Gelegenheiten, bei denen er nicht stotterte: wenn er mit der Geschichtenerzählerin sprach.

»Heca Čík'ala?«

Wieder hörte er sie seinen Namen rufen.

Dieses Mal antwortete er. »Großmutter, du hast uns erzählt, wie Tatanka Bright Heart aus den Händen der Atsinas befreite, nachdem sie die *Palouses* gestohlen hatten … und wie er sie ins Tal des Bären brachte, wo Mahtociqala Bright Heart vor dem C-c-carcajou gerettet hat … und dann sind Mahtowin und Tacincala gekommen.«

Heca Čík'ala unterbrach sich, um tief Luft zu holen, dann fuhr er fort: »*Uncí*, du wolltest uns erzählen, was geschah, nachdem sie das Tal des Bären verlassen hatten, um die Appaloosas in Bright Hearts Dorf zurückzubringen.«

Scheinbar tief in Gedanken versunken saß die alte Geschichtenerzählerin still an der mit Schwarzhornhaut bespannten Rückenlehne. Sie saß so lange einfach nur da und schien ins Feuer zu starren, dass Heca Čík'ala glaubte, nun sei sie wohl wirklich eingeschlafen. Dann, ohne Vorwarnung, sprach sie unvermittelt weiter, als hätte sie gar keine Pause gemacht.

»Ich habe euch von dem Lakota-Krieger Tatánka Nájin, Standing Bull, erzählt, der auch Spirit Walker genannt wurde. Alle Stämme in der näheren Umgebung der Shining Mountains kannten ihn unter dem einen oder anderen Namen. Die Siksikas, Kainahs und Atsinas nannten ihn Spirit Walker, bei den Assiniboines war er bekannt als Hides-in-the-Air, die Shoshonen sprachen von ihm als Comes-in-the-Night und bei den Navajo sowie Nez Percé hieß er *Iktomi* oder Coyote Trickster. Man erzählte sich viele Geschichten über ihn, manche schaudernd, manche ehrfürchtig, meistens jedoch mit Hochachtung und einem humorvollen Augenzwinkern. Wie es bei Legenden so ist, waren viele dieser Geschichten übertrieben und dichteten ihm geradezu übernatürliche Fähigkeiten an. Dennoch glaube ich, dass in dieser Legende viel Wahres enthalten ist.

***

Im Sommer des Jahres 1789 kam Alexander Mackenzie auf der Suche nach der sagenumwobenen Wasserstraße zur Westküste Nordamerikas an den Atlantischen Ozean. In seiner Begleitung befand sich auch ein schottischer Abenteurer namens Jock McLeod.

Als Mackenzies Trupp zu dem abgelegenen Pelzhandels-Fort der North West Company beim Athabasca-See im heutigen West-Kanada zurückkehrte, zog McLeod auf eigene Faust los, um die südlich gelegene Bergwelt zu erkunden. Zweieinhalb Jahre später, nachdem er den größten Teil der Rocky Mountains und weite Landstriche im Südwesten erkundet hatte, ritt McLeod mit einem frisch erlegten Wapiti-Hirsch auf dem Rücken seines Packpferdes in ein Dorf voll hungriger Lakota-Indianer. Er war einen Meter fünfundneunzig groß und wog etwa hundertzehn Kilo, er trug einen Vollbart, der ebenso rot war wie seine langen Zottelhaare, und war der größte Mensch, den diese Lakota-Sioux je gesehen hatten. Auch war er der erste Weiße, der in ihr Dorf kam.

Am 20. Juli 1793 waren Jock McLeod und seine schöne achtzehnjährige Ehefrau Running Antelope mit dabei, als Alexander Mackenzie schließlich als erster Weißer über die Nordwest-Passage den Pazifischen Ozean erreichte. Running Antelope war die erste Lakota, die den Pazifischen Ozean sah. Und sie war schwanger. Acht Monate später, am 9. März 1794, gebar sie in einem Lakota-Tipi am nördlichen Flussarm des Platte River einen Sohn mit schwarzen Haaren und blauen Augen. Sie nannten ihn Tatánka Nájin.

Als erwachsener Krieger war Tatanka eine eindrucksvolle Erscheinung. Er trug das lange schwarze Haar in einem Zopf, der weit auf seinen Rücken herabhing. Die markante Nase, die hohen Wangenknochen und die dunkle

Haut hatte er von seiner Lakota-Mutter – die leuchtend blauen Augen und das gewinnende Lächeln von seinem schottischen Vater.

Tatanka war gut einen Meter achtzig groß. Er bewegte sich so leichtfüßig und geschmeidig wie ein Reh, was über seine außerordentliche Körperkraft leicht hinwegtäuschen konnte. Sein lose fallendes ledernes Jagdhemd verdeckte zwar seinen muskulösen Oberkörper, nicht aber seinen wohlgestalteten Körperbau. Sein Lakota-Name war Tatánka Nájin, Standing Bull, mit englischem oder *wašiçŭn*-Namen hieß er Sean McLeod. Doch bei den meisten Stämmen in den Shining Mountains und im westlichen Teil der *Great Plains* war er als Spirit Walker bekannt, denn man erzählte sich, wie ein Geist könne er – ungesehen und ungehört – ein Lager betreten und verlassen.

Seine Fähigkeit, sich lautlos und unbeachtet fortzubewegen, war mehr Kunst als Können. Er hatte dieses Geschick während unzähliger Übungsstunden bei seinem Onkel Eagle Catcher entwickelt. Zudem hatte er unter Anleitung eines alten Mönches namens Yong Tong, dem er bei einem dortigen Aufenthalt mit seinen Eltern in der malaysischen Küstenstadt Malakka begegnet war, die Kampfkunst der Shaolin erlernt.

Tatanka bewegte sich so unmerklich, dass die meisten es gar nicht wahrnahmen. Nur ein Shaolin-Mönch hätte erkannt, dass seine Bewegungen denen der seit mehr als tausend Jahren unterrichteten buddhistischen Selbstverteidigungstechnik entsprachen.

Tatanka hatte geübt seine Füße so zu setzen, dass er sich bis auf Wurfweite, manchmal sogar auf Reichweite an wilde Tiere heranschleichen konnte. Er vermochte nach Art der Bären seine Hand langsam über den Rand eines großen, unter Wasser liegenden Felsbrockens gleiten zu lassen und eine Forelle aus dem Bach zu fangen. Von all jenen, deren Kunst der Tarnung und Lautlosigkeit gerühmt wurde, reichte keiner an Tatanka heran. Den Mitbewohnern seines Dorfes war es oft so vorgekommen, als sei er im einen Moment gar nicht da und stünde im nächsten Augenblick plötzlich neben einem. Manche vermuteten, er habe übernatürliche Kräfte, und begannen, ihn Spirit Walker zu nennen.

* * *

Ich habe euch erzählt, dass er ein Leben selbst gewählter Einsamkeit führte, nachdem seine Frau von einer Gruppe Weißer brutal vergewaltigt, gefoltert und sterbend liegen gelassen worden war. Dann sah er eines Tages auf der Jagd eine Schar Atsinas über die Shining Mountains von einem schwierigen Raubzug bei den Nez Percé zurückkommen. Sie führten eine Beute mit sich, die seinem Alleinsein ein Ende setzen und sein Leben verändern sollte. Zusammen mit vierzig Appaloosas hatten die Pferdediebe ein Mädchen gefangen genommen. Dass sie ihre schöne Gefangene schwer misshandelten, veranlasste Tatanka, die vierzig Pferde zu stehlen und Bright Heart zu befreien.

Es ist eine Geschichte für sich, wie Tatanka die Atsinas im Schutze eines Schneesturms an der Nase herumführte und ihnen Fallen stellte, um sie auf falsche Fährten zu lenken; wie er ihrer Verfolgung entging und die Gefangene in sein verborgenes Tal brachte und wie die beiden sich im Lauf dieser Reise immer mehr zueinander hingezogen fühlten.

Ihr wisst bereits von ihrer Liebe und den vielen Wendungen, die sie nahm. Tatanka hatte es nie für möglich gehalten, über seine geliebte Morning Dove hinwegzukommen.

Bright Heart, die Tatanka schon liebte, bevor es ihr bewusst wurde, dachte zunächst, Tatanka sei verheiratet, und gab sich alle Mühe, Abstand zu halten und ihn möglichst wenig zu beachten. Ihr wisst auch, wie sie reagierte, als sie erfuhr, dass er in Wirklichkeit Witwer war, und natürlich auch, wie Tatanka ihr seine Liebe erklärte und Bright Heart bat, mit ihrem Vater, Häuptling Bear Heart, sprechen und um ihre Hand anhalten zu dürfen. Sie planten in Bright Hearts Heimat zu ziehen, aber ach, Tatanka hatte so manche Schwächen – eigentlich viele, wie alle von uns –, und eine davon war, dass er sich zu viele Gedanken machte und zu wenig auf sein Gefühl verließ. Was, wenn Bright Heart, jung wie sie war, nur aus Dankbarkeit über ihre Rettung von ihm eingenommen war und sagte, dass sie ihn liebte? Tatanka wagte nicht, auf seine und Bright Hearts Liebe zu vertrauen, und ging auf Abstand …«

Hingerissen lauschten alle und hofften, sie würde nun weiter von Tatanka und Bright Heart erzählen, aber Okiyáka Ooyáke neckte sie: »Ihr erinnert euch sicher auch an diesen bösen Menschen namens Marcus und seinen schwachsinnigen Gefährten, den Riesen Zed, die Morning Dove gefoltert und getötet hatten und nun zurückgekehrt waren. Dann war da noch der Trapper Frenchie, der Mahtowin rettete und auch deren Tochter Tacincala, die sich in ihn verliebte … und außerdem der legendäre *Mountain Man* oder Gebirgsmann Jeremiah ›Whispering‹ Johnson, Mahtowins Mann und Tatankas Freund.«

Geduldig warteten die Zuhörer.

»Ihr solltet auch von Tatankas Jugend erfahren, von der Zeit, bevor er ein Krieger wurde … aber zuerst will ich euch von der Rückkehr der Appaloosas erzählen.«

Und nun lächelten alle.

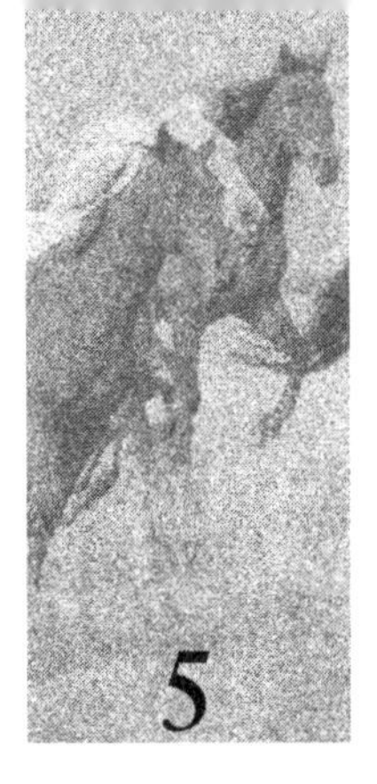

5

Von seinem hoch oben an einer kahlen Felswand gelegenen Horst aus beobachtete ein Weißkopfseeadler die sich weit unter ihm bewegenden Vierbeiner. Die hintereinander dahinziehenden Appaloosas sahen aus wie gefleckte Ameisen, die den schneebedeckten Gebirgspass der Absaroka Range in den Rocky Mountains im heutigen westlichen Wyoming überquerten.

Ihr Weg führte über jene Kontinentalplatte, deren hoher Grat die Wasserscheide Nordamerikas bildet. Auf der Seite, die unsere fünf Reiter mit der Pferdeherde bergan stiegen, floss das Wasser nach Osten zur südlichen Gabelung des Shoshone River und dann in den Big Horn, ehe es in den Yellowstone und schließlich in den Missouri River mündete, um über den großen Mississippi weiter in den Golf von Mexiko zu strömen. Die Gewässer westlich des Passes mündeten in den Snake River, durchquerten dann das heutige Idaho und wurden in Washington zum Columbia River, der in den Pazifischen Ozean floss.

Auf der Ostseite des Passes hatte das schnell dahinströmende Wasser eine tiefe, enge Schlucht gegraben. In der südlichen Klamm, links von den Reisenden, ragte über dem reißenden Fluss eine gut dreihundert Meter hohe senkrechte Wand auf. Tannen und Fichten wuchsen dort auf dem Boden eines steil ansteigenden Hanges. Weiter oben an der Baumgrenze wurzelten verkrüppelte Bergkiefern in Spalten felsigen Gerölls, das sich bis auf eine Höhe von mehr als dreitausend Meter über dem Meeresspiegel in die klare Gebirgsluft erhob. Auf der gegenüberliegenden Seite des Baches im Norden lag am oberen Rand der senkrechten Wand von etwa zweihundertfünfzig Metern Höhe ein gefährlich schmaler Sims, den die Reiter nun überquerten. Über Hunderte von Jahren hinweg waren Stücke von Kalkstein und Schiefer von dem abgeflachten Gipfel abgebrochen, den Hang hinabgerutscht und hatten eine steile Geröllhalde geformt, die an dem Felsvorsprung über der Klamm endete. Oberhalb des Gerölls bildete der knapp hundert Meter hohe Gipfelfelsen eine unüberwindbare Trennwand nach Norden, sodass der schmale Sims für Reisende den einzig möglichen Durchgang bot.

Am Kopf der Reihe bewegten sich der trittsichere Pinto und der dunkelhäutige Reiter, als seien sie miteinander verschmolzen. Der Hengst drehte inzwischen nicht mehr furchtsam die Ohren nach hinten wie bei dem Sahiyela-Krieger, dem er gestohlen worden war. Der Schwarz-Weiße wusste, dass er von seinem neuen Reiter keine Misshandlungen zu erwarten hatte.

Von der Anstrengung, sich durch fast einen halben Meter Neuschnee einen Weg über den Gebirgspass zu bahnen, keuchte der Pinto und sein Fell war schaumbedeckt. Da Tatanka die nachfolgenden Pferde hinter sich beim Einatmen der dünnen Bergluft schnauben hörte, schlussfolgerte er, dass der Hengst am Ende seiner Kräfte sein müsse. Er versuchte ihn zur Seite zu lenken und sagte: »Lass Jeremiahs Falben eine Weile die Spur treten. Er hat es bis jetzt leicht gehabt, weil er hinter uns den von dir freigeräumten Weg nehmen konnte.« Doch der Pinto zog mit dem Kopf wieder zurück und ging weiter, als wolle er sagen: »Ich lasse keinen anderen vor mir hergehen!«

Tatanka hatte den Eindruck, dass Wase oder Face Paint, wie er den Schecken wegen der schwarz-weißen Zeichnung seines Kopfes nannte, die Vorstellung, ein anderes Pferd bahne ihm den Weg durch den Schnee, beleidigend fand.

Tatanka zögerte, den schmalen Felsabsatz zu überqueren.

Der Pfad, dem sie folgten, war der einzige Weg, der zu Pferd über den Pass führte. Tatanka wusste, jeder Versuch, die steile Geröllhalde oberhalb des Simses zu überqueren, könnte darin enden, dass Pferd und Reiter das lose Gestein hinabrutschten und in den Abgrund gerissen wurden. Die einzige Möglichkeit hinüberzukommen, führte über den schmalen Felsvorsprung. Als er diese Stelle in der Vergangenheit passiert hatte, war sie trocken und tückisch gewesen. Nun, mit Schnee bedeckt, war der Sims noch sehr viel gefährlicher. Schnee auf den Hochgebirgspässen war seine größte Sorge gewesen, als er beschlossen hatte, Bright Heart und die Herde gestohlener Appaloosas in ihr Nez-Percé-Dorf zurückzubringen.

Als sie vor zwei Tagen in einen Schneesturm geraten waren, hatte Tatanka daran gedacht, umzudrehen und in sein Tal zurückzukehren. Doch sein Entschluss war bei der Erinnerung an Bright Hearts freudigen Blick ins Wanken geraten, als er ihr erklärt hatte, sie würden die gestohlenen Appaloosas in ihr Dorf zurückbringen ... und dass er ihren Vater bitten wolle, sie heiraten zu dürfen. Die Erinnerung an ihren Gesichtsausdruck trübte nicht nur sein Sicherheitsdenken, sondern ließ ihn auch fälschlicherweise ihren Blick hinterfragen. Er fürchtete, sie freute sich vielleicht mehr darüber nach Hause zurückzukehren, als über seinen Heiratsantrag.

Nun, kurz vor dem höchsten Punkt des Passes, war Tatanka der Meinung, sie würden es schaffen. Ein kurzes Wegstück, bevor sie den ausgesetzten Sims hinter sich hatten, zügelte er Wase.

Er wandte sich um, damit die Hinteren ihn sehen konnten, und gab Jeremiah ein Zeichen, dass er anhielt, um das vor ihm liegende Wegstück zu überprüfen. Tatanka ließ den Pinto einfach mit herabhängendem Zügelband an Ort und Stelle stehen bleiben und bedeutete Bright Heart, die nun direkt hinter ihm ritt, sie solle ebenfalls absteigen. Beim Blick bergab zu Tacincala, Mahtowin und Jeremiah, die dafür sorgten, dass die Pferde in einer Reihe beisammenblieben, sagte er: »So weit auseinandergezogen müssten wir schreien, um einander zu verstehen, und das könnte die Pferde scheu machen. Verwende also nur Handzeichen, bis wir alle über diesen Engpass gebracht haben.«

Als er den fragenden Ausdruck in ihren schönen dunklen Augen sah, merkte er, wie sehr ihre Blicke ihn immer verunsicherten. Ohne jede Absicht und ohne sich dessen bewusst zu sein, hatte sie sein ganzes Leben verändert. Nach dem selbst gewählten Exil in dem abgeschiedenen Tal war er nun verliebt und fühlte sich wieder lebendig. Er wusste, ein Teil seines Herzens würde die Liebe bewahren, die er für Morning Dove gefühlt hatte. Doch Bright Heart hatte ihm zu der Erkenntnis verholfen, dass seine Frau es nicht gewollt hätte, wenn er in seinem Schmerz gefangen blieb. Es war richtig von ihm, erneut zu lieben.

In der Hoffnung, Bright Heart wegen des bevorstehenden Übergangs zu beruhigen, sagte er zu ihr: »Wir werden diese Stelle durchaus überqueren können.« Weil er aber befürchtete, dass sie wegen seiner Beschwichtigung vielleicht unvorsichtig werden könnte fügte er hinzu: »Wenn ich drüben bin und dir ein Zeichen gebe, schickst du Wase los. Wenn er hinübergegangen ist, werden die anderen Pferde folgen. Schick etwa zehn Pferde und komm dann selbst nach.«

Er hielt einen Moment inne, dann ergänzte er: »Gib acht, dass du in der Spur bleibst und dich vom Abgrund fernhältst. Geh zu Fuß und führ dein Pferd. Ich habe dich reiten sehen. Auf dem Rücken von Apash Wyakaikt bist du wie mit ihr verwachsen. Doch wenn Flint Necklace auf dem Schnee ausrutscht, könnte sie durch dein Gewicht den Halt verlieren und abstürzen. Es ist sicherer, wenn du sie leitest. Gib den anderen ein Zeichen, damit sie es ebenso machen, bevor du losgehst.«

Er zauderte, als ringe er um eine Entscheidung, dann trat er einen Schritt auf sie zu. Ihre Blicke tanzten vor Freude, als er näher kam und seine Hand auf ihren Arm legte. *Endlich*, dachte sie, *endlich nimmt er mich in die Arme!* Bright Hearts Herz klopfte so laut, dass sie überzeugt war, er könne es hören, und weil sie nervös von einem Fuß auf den anderen trat, entstand eine Lücke zwischen ihnen.

In der Annahme, sie sei absichtlich einen Schritt zurückgetreten, wandte Tatanka sich um und begann den schmalen Felsvorsprung zu überqueren, indem er einen Pfad durch den Schnee auf dem am wenigsten ausgesetzten Teil des schmalen Übergangs trat. In Gedanken war er bei Bright Heart und der Frage, wie die Herde sicher über diesen Engpass zu führen sei, sodass er beim Weg durch den immer tiefer werdenden Schnee seiner eigenen Sicherheit nicht die gleiche Aufmerksamkeit schenkte wie sonst.

Zwei Tage zuvor, bei Ausbruch des Schneesturms, war der Wind durch das Tal gefegt und hatte Schneewehen am höchsten Punkt des Passes aufgetürmt. Je weiter Tatanka voranschritt, umso tiefer wurde der Schnee. Bald reichte er mehr als kniehoch über seine pelzgesäumten Mokassins aus Schwarzhornhaut, die Bright Heart für ihn gemacht hatte, während er den Atsinas gefolgt war. In seine alten Wintermokassins hatte er Löcher gelaufen, sodass die neuen bei seiner Rückkehr eine freudige Überraschung für ihn gewesen waren. Und das war nicht das Einzige, was sie für ihn gemacht hatte. Die Fellweste, die sie aus der Haut eines Dickhornschafs für ihn angefertigt hatte, hielt ihn in der kalten Luft schön warm.

Er blickte zu ihr zurück. Sie sah so zuversichtlich und unbefangen aus zwischen ihren Appaloosas; und wunderschön. Er fragte sich erneut, ob nicht sein Wunsch, sie zu heiraten, ihn dazu trieb, unter diesen wirklich ungünstigen Bedingungen weiterzuziehen. Sie wirkte so glücklich. Also verwarf er alle Gedanken an eine Umkehr.

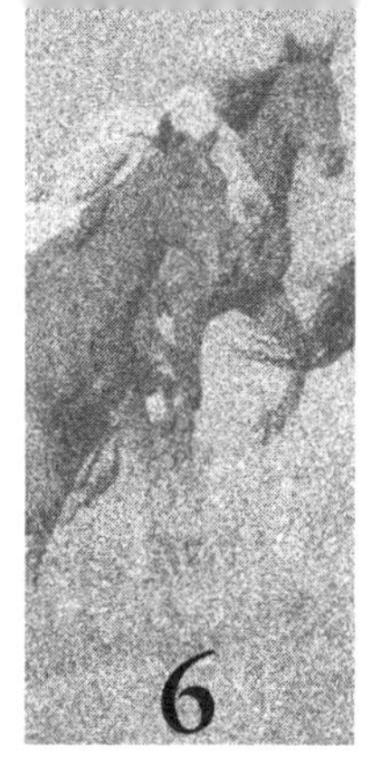

6

Bright Heart beobachtete, wie Tatanka durch den Schnee watete, der ihm inzwischen bis zu den Schenkeln reichte. Je weiter er sich auf dem gefährlichen Engpass von ihr entfernte, umso mehr war sie überzeugt, dass er sie eben hatte umarmen wollen. Sie wünschte, er würde umkehren und zurückkommen; sie schalt sich selbst zum wiederholten Mal, dass sie zurückgewichen war, als er auf sie zugekommen und sie an ihrem Arm genommen hatte. Er hatte sie kaum berührt, doch sie spürte noch immer ein Prickeln an der Stelle.

Tacincala hatte ihr erzählt, dass manche ihn Spirit Walker nannten. Vielleicht, dachte sie, hatte nicht nur seine Art sich fortzubewegen, sondern auch seine Berührung etwas Übersinnliches.

Seit dem Tag, an dem er ihr seine Liebe erklärt und sie in den Armen gehalten hatte, hatte er sie nicht mehr angefasst. Selbst damals, erinnerte sie sich, hatte sie die Umarmung herbeigeführt, indem sie auf seine Liebeserklärung hin die Arme um seinen Hals geschlungen und ihr Gesicht an seine Brust gedrückt hatte.

Tatanka seinerseits fiel es schwer, seine Gefühle für sie nicht allzu offensichtlich zu zeigen. Wann immer sie einander nahe waren, verspürte er eine starke körperliche Anziehungskraft. Wenn sie in seine Nähe kam, merkte er, wie er aus unerfindlichen Gründen den Atem anhielt. Er war überzeugt, dass sie das heftige Pochen seines Herzens hätte hören müssen. Eine begehrenswertere Frau als diese schöne Nez Percé konnte er sich nicht vorstellen. Aber sie war noch so jung und hatte eben erst die schreckliche Erfahrung der Entführung durch die Atsinas hinter sich. Er wagte nicht, seinen Gefühlen freien Lauf zu lassen und ihr zu zeigen, was er für sie empfand. Ob es ein Fehler gewesen war, ihr zu sagen, dass er sie liebte? Sie war unerfahren und leicht zu beeindrucken. Er wollte, dass sie sich ihrer Gefühle sicher war. Dass sie ihn nicht nur zu lieben glaubte, weil er sie gerettet hatte.

Manchmal fragte er sich allerdings, ob sein Entschluss, seine Gefühle für sie zu verbergen, nicht mehr mit dem Bedürfnis zu tun hatte, sich selbst zu schützen, als mit Respekt vor ihr. Es war ihm schwergefallen, den Schutz der Abgeschiedenheit und Einsamkeit nach dem Verlust von Morning Dove aufzugeben. Er wollte sich nicht Hals über Kopf in Bright Heart verlieben, denn sie könnte nach der Rückkehr zu ihrem normalen Leben ja herausfinden, dass es nicht Liebe, sondern nur Dankbarkeit war, was sie für ihn empfand.

Für Bright Heart hingegen war seine Zurückhaltung sehr verwirrend. Sie wusste nicht, was sie davon halten sollte. Nachdem sie beide ihre Gefühle füreinander so lange unterdrückt hatten, war es fast ein Schock gewesen zu erfahren, dass er sie liebte und ihren Vater um die Erlaubnis bitten wollte, sie zu heiraten.

Es war ihr schwergefallen, ihre Gefühle für ihn im Zaum zu halten, als sie geglaubt hatte, er sei verheiratet. Nachdem sie dann herausgefunden hatte, dass er ungebunden war und sie liebte, musste sie noch mehr darum ringen, ihre

Gefühle für ihn zu bezähmen. Sie war noch nie einem Mann mit solch magnetischer Anziehungskraft begegnet wie Tatanka. Die Botschaft ihres Herzens war eindeutig, doch ihre Erziehung und die Werte der Nez Percé geboten etwas anderes. Sie hatte höchsten Respekt vor ihren Eltern und hatte immer ihr Möglichstes getan, um dem zu entsprechen, was von ihr erwartet wurde. Manchmal fand sie das schwierig, denn sie war die Tochter des legendären Nez-Percé-Häuptlings Bear Heart und die Erwartungen an sie waren in der Tat sehr hoch.

Oh, aber die körperliche Anziehung war so stark! Sie war siebzehn und zum ersten Mal verliebt. Ihre Gefühle gerieten in Aufruhr, wann immer er in ihre Nähe kam. Es fiel ihr schwer, die Gedanken auf das zu richten, was sie gerade tat. Ohne bestimmten Grund fielen ihr Dinge herunter und sie vergaß, warum sie eine Tätigkeit begonnen hatte. Sie war in die Hütte gegangen, um den Wasserkrug zu holen und ihn zu füllen, und wusste dann nicht mehr, warum sie in die Hütte gekommen war. Im einen Moment war sie froh gewesen, dass die anderen bei ihnen waren. Im nächsten Augenblick hatte sie gewünscht, Tatanka und sie wären noch immer allein miteinander im Tal. Sie wusste auch jetzt nicht, was sie machen sollte. Wie sich herausstellte, hätte sich nicht viel geändert, wenn sie allein gewesen wären.

Am Abend, bevor sie in ihre Heimat aufgebrochen waren, hatte Tatanka den drei Frauen für den köstlichen Eintopf gedankt; der wunderbare Geruch, bei dem einem das Wasser im Mund zusammenlief, hatte noch immer die Hütte erfüllt. Auf dem Weg zum Ausgang war er stehen geblieben und hatte zu Bright Heart gesagt: »Das Brot war köstlich. Ich könnte davon essen, bis ich nicht mehr durch diese Tür passe. Doch da wir am Morgen aufbrechen, bevor der Großvater sich erhebt und uns den Weg erhellt, will ich nun Gute Nacht sagen.«

Bright Heart war beglückt gewesen, dass er vor allen anderen ihr Brot gelobt hatte. Insbesondere vor Tacincala, denn sie war noch immer nicht sicher, ob die hübsche golduägige Lakota sich nicht auch zu Tatanka hingezogen fühlte. Für sein Kompliment hatten sich all ihre Mühen – die Rohrkolben-Samen ausfindig zu machen, zu rösten und auf dem flachen *Metate*-Stein zu mahlen – gelohnt. Das Aroma der frisch gerösteten Samen und das knackende Geräusch, als sie diese zu Mehl verarbeitete, hatte sie an zu Hause erinnert. Sie vermisste ihre Familie und ihre Freunde – doch sie wusste auch, mit wem sie den Rest ihres Lebens verbringen wollte.

Sie hatte ihm nach draußen folgen wollen, um abseits der anderen mit ihm sprechen zu können. Doch es war ihr gegenüber den anderen in der Hütte zu offensichtlich vorgekommen, unmittelbar nach ihm hinauszugehen. Außerdem hatte sie genügend Teig für zwei weitere Brotfladen zubereitet, die sie unbedingt noch fertigbacken wollte.

In der Absicht, das Brot am folgenden Tag als Wegzehrung mitzunehmen, hatte sie die Oberfläche zweier flacher Steinplatten mit einer kleinen Menge übrig gebliebenen Mehls eingerieben, damit nichts haften blieb. In zwei runden flachen Fladen breitete sie den Teig auf den Steinen aus und ließ ihn nahe am Feuer aufgehen. Später rückte sie die Brote näher an die niedrige Feuerstelle, um den aufgegangenen Teig zu backen.

Ungeduldig wartete sie darauf, dass das Brot auf der dem Feuer zugewandten Seite bräunte, um es dann zu drehen, damit die andere Seite gebacken würde. Sobald das Brot fertig war, nahm sie die Fladen zum Abkühlen von dem heißen Stein. Bemüht beiläufig nahm sie den Wassertopf, der noch halb voll war, und ging mit den Worten »Ich hole frisches Wasser« zur Tür, was niemanden zu täuschen vermochte. Wenn sie später daran zurückdachte, spürte sie das Blut in ihren Kopf steigen.

Als sie die Tür erreicht hatte, war sie überzeugt gewesen, man hörte ihr Herz klopfen, so laut hatte es in ihren Ohren geklungen. Ohne zu wissen, was sie sagen oder tun wollte, war sie aus der Hütte getreten. Von Tatanka aber war keine Spur zu sehen. Seltsamerweise war sie erleichtert gewesen.

Er hingegen hatte sich am Rand der Pferdeherde in das Schwarzhornfell gewickelt, in dem er schlief, seit Bright Heart in das Tal gekommen war. Dann hatte er den Geruch des Pinto erkannt, noch ehe dieser vom Grasen zu ihm herüberkam, seine kalte Nase an Tatankas Rücken drückte und ihn spielerisch schubste und zwickte. Der Lakota-Krieger erkannte das Kneifen des misshandelten Hengstes als Zeichen der Zuneigung, hatte ihm den Kopf gekrault und gesagt: »Nun hast du dir also endlich eine Meinung über mich gebildet.« Dann hatte er seine Schwarzhorn-Robe zurechtgezogen und ihm empfohlen: »Es könnte eine Weile dauern, bis du wieder solches Gras wie dies hier bekommst, also friss dich satt und weck mich, falls der Carcajou wiederkommt.«

Als Tatanka im Lauf der folgenden Tage weiterhin seine Schwarzhorn-Robe genommen und abseits des Lagerfeuers bei den Pferden geschlafen hatte, war Bright Hearts anfängliche Erleichterung allmählich in Enttäuschung umgeschlagen. Auch wenn sie nicht sicher war, was sie dann täte, wünschte sie dennoch, er würde sie darum bitten, sich zu ihm zu legen. Nachdem sie mehrere Tage unterwegs gewesen waren, wurde ihr klar, dass sich zwischen ihnen im Hinblick auf die Nächte seit ihrer Ankunft in seiner Hütte nichts geändert hatte.

Sie dachte schon: *Er fühlt sich wohl nicht zu mir hingezogen.* Doch tief im Inneren hoffte sie, dass er sich aus Respekt von ihr fernhielt, und nicht aus Gleichgültigkeit. Verunsichert fühlte sie sich abwechselnd mal unattraktiv, mal einfach nur verwirrt. Langsam fragte sie sich: *Liebt er mich denn wirklich?* Sie versuchte ihn zu verstehen, doch dadurch bekam sie noch größere Hemmungen als er, ihre Gefühle zu zeigen. Sie versuchte ihr Verletztsein zu überspielen, indem sie sich distanziert gab. Sie wollte, dass er für sie ebenso empfand wie sie für ihn, und sehnte sich schmerzlich nach Gewissheit, dass er sie wirklich liebte.

Obwohl Bright Hearts Reserviertheit durch sein Verhalten ausgelöst worden war, durchschaute Tatanka nicht, was er angerichtet hatte. Im Beisein der anderen verhielt sie sich freundlich und zugewandt, wenn sie mit ihm allein war hingegen kühl und abweisend. Tatanka fragte sich, ob das wohl auch nach ihrer Heirat so bleiben würde? Er hatte geglaubt, sie fühle sich zu ihm ebenso hingezogen wie er sich zu ihr. Nun war er unsicher geworden. *Habe ich mich vielleicht geirrt? Haben sich ihre Gefühle geändert, da sie nun in ihre Heimat zurückkehrt?*

Am liebsten hätte er Bright Heart jedes Mal, wenn er in ihre Nähe kam, umarmt. Nie hätte Tatanka es für möglich gehalten, für eine andere Frau als Morning Dove so zu empfinden.

Bright Heart bemerkte immer wieder, wie er sie ansah, und sagte sich dann: *Er liebt mich nicht wirklich. Er hat nur Mitleid mit mir. Ich sehe es an seinem Blick, wenn er meint, ich wüsste nicht, dass er mich anschaut – bestimmt vergleicht er mich mit seiner Frau und wünscht sich, sie wäre an meiner Stelle. Er begehrt mich nicht – andernfalls würde er es doch zeigen.*

***

Als sie nun zu Bright Hearts Dorf unterwegs waren, begann Tatanka sich Sorgen zu machen, ob ihr Vater ihm wohl gestatten würde, sie zu heiraten. Immer wieder war er in Zweifel versunken, unsicher, wie sein Angebot aufgenommen werden würde. Dann aber schüttelte er den Kopf und sagte zu sich selbst: *Ich sollte mich besser auf den Weg konzentrieren. Anstatt an mich selbst zu denken, habe ich auf mehr als fünfzig Pferde und vier Mitmenschen zu achten. Ich muss aufmerksam sein, denn es ist schon einige Zeit her, dass ich diesen Weg zuletzt gegangen bin.* Waziyata, *der weiße Riese, wird bald zurückkehren und nicht jeder, dem wir begegnen, wird uns freundlich gesinnt sein, zumal diese vielen Pferde eine große Versuchung darstellen.*

Da er im Hinblick auf die Anzahl der Pferde, mit denen er ihrer Familie Ehre erweisen wollte, nicht kleinlich wirken wollte, scheute er sich noch immer, Bright Heart nach den Bräuchen der Nez Percé zu fragen. Wären es genug? Hätte er hundert Pferde gehabt, hätte er mit Freuden alle gegeben, um ihrem Vater zu zeigen, wie sehr er sie achtete und liebte.

Wenn Bright Heart gewusst hätte, dass er beabsichtigte, mit seinen übrigen Pferden auch Face Paint herzuschenken, wäre ihr klar geworden, wie viel sie ihm bedeutete. Er hatte ihr erzählt: »Wase überrascht mich jedes Mal, wenn ich ihn reite. Ich konnte noch keine Schwäche an ihm entdecken, was auch immer ich von ihm verlange. Noch nie habe ich ein Pferd von solcher Ausdauer und Trittsicherheit geritten.

So wie er sich in den Bergen bewegt, muss er ein Bruder von *hecinhskayapi*, dem Dickhornschaf, sein. Ich glaube, ich sollte dem Sahiyela-Krieger, von dem ich ihn geborgt habe, für solch ein Pferd danken.«

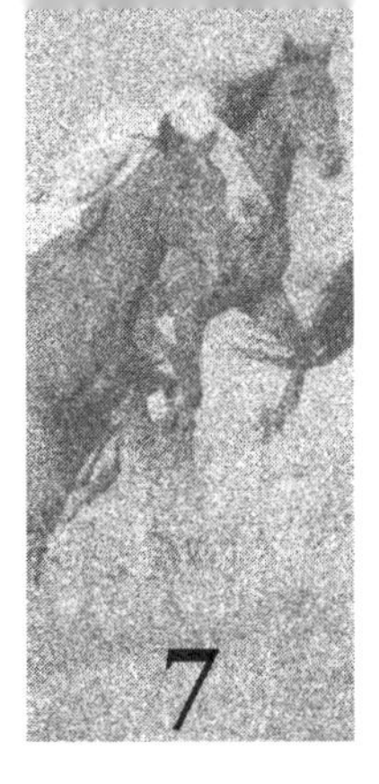

7

Während Tatanka einen Pfad durch den knietiefen Schnee trampelte, war er sich bewusst, dass er bei einem einzigen Fehltritt Hunderte von Metern tief in den Tod stürzen könnte. Zwischen der steilen Geröllhalde zu seiner Rechten, die sich bis zum Grat der Schlucht zog, und dem senkrecht in die Klamm abfallenden Felssturz zu seiner Linken blieb ihm nur wenig Bewegungsspielraum. Je weiter er voranging, umso deutlicher wurde, dass der Schnee auf der Felsnase um ein Vielfaches höher lag als auf dem schräg geneigten Geröll.

Als er den tiefsten Abschnitt zur Hälfte durchquert hatte, reichte ihm der Schnee fast bis zur Brust und er musste fest nach vorne drücken, um sich einen Weg hindurchzubahnen. Er hatte erwogen, auf Wase zu reiten und ihn weiter den Pfad räumen zu lassen. Als er jedoch die Schneewehe erkannte, hatte er es sich anders überlegt. Er hielt es für sicherer, zu Fuß weiterzugehen. Er sah, wo der Wind den Schnee so rasch aufgetürmt hatte, dass er über die Felskante hinaushing und der Weg dadurch stellenweise sehr viel breiter erschien, als er in Wirklichkeit war. Immer wieder musste er sich ermahnen, sich rechts und von der Schneewehe fernzuhalten, die ein gutes Stück weit im freien Raum schwebte, darunter nichts als das tosende Wasser in der Tiefe.

Etwa fünfzehn Meter, bevor der ausgesetzte Sims überwunden war, wandte Tatanka sich um und wollte Bright Heart winken, sie solle Wase herüberschicken. Er hob die Hand, änderte dann aber seine Meinung und beschloss, den Weg bis zum Ende zu ebnen. »Nicht ungeduldig werden«, ermahnte er sich selbst. »Besser den ganzen Pfad freimachen. Wenn ein Pferd erst einmal losgegangen ist, kann es nicht mehr umkehren. Der Felsvorsprung ist zu schmal, um die Richtung zu wechseln.«

Bright Heart sah Tatanka den Arm heben und dachte, er wolle ihr bedeuten, sie solle den Pinto losschicken. Als er den Arm dann aber wieder senkte, war sie verwirrt. Sollte sie Wase nun hinüberschicken oder nicht? Tatanka ging weiter und sie wartete einen Moment, weil sie dachte, er würde sich umdrehen und noch einmal winken. In der Annahme, Tatanka wolle, dass sie ihm nun nachfolgten, blickte sie den Weg zurück, um den anderen drei entlang des Zuges der hintereinandergehenden Pferde verteilten Reitern ein Zeichen zu geben. Im ersten Drittel der Reihe unter sich sah sie Tacincala, die schöne goldäugige Lakota, auf die sie so eifersüchtig gewesen war. Ein weiteres Drittel des Weges bergab war Tacincalas Mutter Mahtowin. Und am Ende der Reihe ritt der grauhaarige Trapper Jeremiah, der sowohl auf die Pferde als auch auf seine Frau und seine Tochter achtgab.

Tatanka hatte zu Bright Heart gesagt: »Mit dem alten Halunken als Schlusslicht kann sich uns nicht mal eine Feldmaus unbemerkt auf Schussweite nähern. Selbst die Blackfoot sind vernünftig genug, ihm aus dem Weg zu gehen. Und das schon, wenn er gute Laune hat.«

Wenn sie Tatanka und den legendären weißen Mann, den die anderen Trapper und auch die Lakota, die ihn in ihren Stamm aufgenommen hatten, »Whispering Johnson« nannten, so miteinander reden und scherzen hörte, war die gegenseitige Hochachtung der beiden Männer deutlich zu spüren.

Bright Heart wollte den Nachfolgenden Zeichen geben. Da sie aber immer noch nicht sicher war, ob Tatanka ihr das wirklich signalisiert hatte, schaute sie in der Hoffnung auf ein weiteres Zeichen noch einmal in seine Richtung. Er war verschwunden.

***

Tatanka begann an seiner Entscheidung, die Gruppe über dieses gefährliche schneebedeckte Wegstück zu führen, zu zweifeln. Er wandte sich um, blickte zu Bright Heart zurück und wollte ihr bedeuten, dass er umkehre. Dann überlegte er es sich jedoch anders und zwang sich, weiter durch den tiefen Schnee zu waten.

Ging er weiter, weil es nur noch ein kleines Stück war, ehe der Weg breiter wurde und sich vom Abgrund zur Linken entfernte? Oder tat er es aus dem selbstsüchtigen Verlangen, Bright Heart zu gefallen? Er wusste es nicht. Ebenso wenig wusste er, was sie wirklich fühlte und warum sie sich so sehr darauf freute, in ihr Dorf zurückzukehren.

Seine Gedanken kreisten um Bright Heart. Er tat einen kräftigen Schritt, ohne zu wissen, dass ein Stück Felsen weggebrochen war, seit er diesen Pass zuletzt überquert hatte. Die Schneewehe vor ihm ließ nicht erahnen, dass nichts als Luft darunter war, und so sackte er dort, wo einst ein Stück Felsen gewesen war, durch den Schnee in die Tiefe.

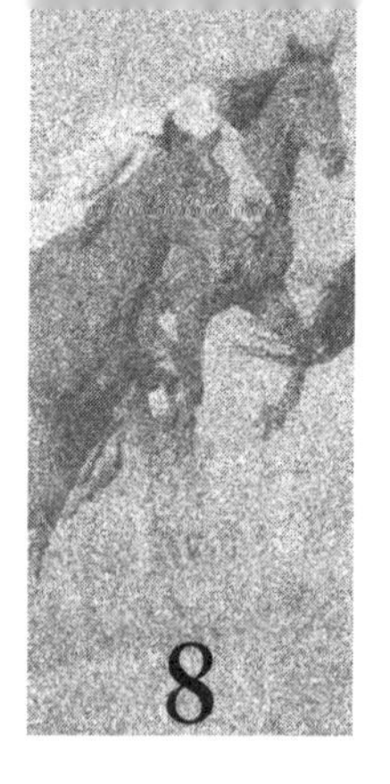

8

Die Wärme genießend sonnte sich ein kleines rundohriges Tier in der späten Herbstsonne. Zwischen den Felsen kaum sichtbar glich der Nager eher einer Ratte als seinem Verwandten, dem Hasen. Aufgeschreckt aus einem Nickerchen zwischen Erntegängen, in denen er trockene Pflanzen als Wintervorrat sammelte, stieß der pelzige Kerl drei scharfe Pfiffe aus, um die Eindringlinge von seinem Aufenthaltsort abzulenken.

Die drei herannahenden Reiter arbeiteten sich durch die Überreste einer Lawine, die den alten Weg aus dem engen, zwischen steilen Hängen gelegenen Tal versperrten. Als ob ein Riese Stöckchen und Kieselsteine verstreut hätte, lagen einst hohe und majestätische Nadelbäume umgestürzt zwischen Granitblöcken, die fast doppelt so groß waren wie die Reiter auf ihren Pferden.

Nur der in Hirschleder gekleidete Mann an der Spitze wusste, wo sich der Pika oder auch Pfeifhase versteckte. Er nickte dem tapferen kleinen Tier zu und hob den linken Vorderhuf seines Pferdes, um einen kurzen Blick darunter zu werfen. Unbeobachtet hob er an mehreren Stellen ein wenig Erde auf, wo andere Pferde einen schlammigen Abschnitt des Weges überquert hatten, der gerade zu trocknen begann. Er rollte jeweils eine Handvoll Erde zusammen, schnupperte daran und ließ dann die zerdrückten Krümel zwischen seinen Fingern hindurchrieseln. Als er wieder aufsaß, wusste Frenchie, dass in letzter Zeit drei Reitertrupps diesen Weg entlanggekommen waren. Aus der Tiefe der Spuren schloss er auf fünfunddreißig Reiter und knapp doppelt so viele schwer beladene Packpferde. Der größte Trupp von etwa zwanzig Reitern war vor zwei Wochen hier durchgezogen, die anderen beiden Gruppen während der vergangenen Woche. Sechs Reiterspuren waren erst zwei Tage alt. Als er sich wieder aufs Pferd schwang, sagte er: »Ja, Beau, sieht so aus, als erwartet uns Gesellschaft da vorne.« Zu den beiden Männern hinter sich sagte er nichts.

Er hatte zugestimmt, Marcus und dessen Leute durch die Shining Mountains, wie die Rockies von den Lakota genannt wurden, zu Ashleys Wintercamp zu führen. Beim Blick zurück auf das seltsame Paar wunderte er sich, was Ashley mit diesen Leuten zu tun haben mochte. Der Einzige aus der ursprünglichen Gruppe, der überhaupt etwas taugte, war ein Mann namens Dan. Frenchie hoffte, Dan würde sich den anderen gegenüber durchsetzen und die beiden Frauen beschützen, falls die Männer sie einholten. Wieder einmal fragte er sich, ob er das Richtige getan hatte. Er hatte Marcus von der Verfolgung Mahtowins und Tacincalas abbringen wollen, indem er ihm erklärte, wenn er nicht mit ihm käme, müsse er sich den Weg durch die Berge alleine suchen. Er hatte nicht damit gerechnet, dass Marcus sechs seiner Männer zurückließ, um die beiden Indianerinnen zu verfolgen.

Er tätschelte Beau, seinem Rappen, den Hals und sagte: »Abgesehen von Dan ist doch nicht einer von denen imstande, mit beiden Händen auch nur *son cul*, seinen eigenen Arsch, zu finden. Hingegen müsste selbst ein Greenhorn der Fährte folgen können, die diese zwei da hinterlassen.« Der kräftige Franzose gab dem schwarzen Hengst noch einen liebevollen Klaps und meinte: »Aber solange sie die Frauen nicht finden, kann uns das ganz egal sein. Nicht wahr, mein schwarzer *magnifique* Beau!«

Die Reiter vor ihm hatten zahlreiche Irrwege eingeschlagen, um sich einen Weg durch die Überreste der alten Lawine zu bahnen; nun wirkte es wie ein undurchdringliches Labyrinth voller Sackgassen. Frenchie gab dem Hengst freien Lauf und ließ ihn sich selbst einen Pfad durch die Trümmer suchen. Einst waren sie unter mehr als fünfzehn Metern Schnee begraben gewesen, nun waren zwischen den umgestürzten Bäumen nur noch wenige vereiste Schneeflecken zu sehen. Der hochbeinige Rappe arbeitete sich durch die fast hundert Meter breite Straße der Zerstörung wie eine trittsichere Bergziege. Als er einen letzten großen Felsblock umrundet hatte, blieb der Hengst abrupt stehen. Direkt vor ihm versperrten zwei umgestürzte Gelbkiefern den Weg. Die Lawine hatte sie kopfüber aufgetürmt, sodass sie überkreuz lagen. So bildeten sie eine anderthalb Meter hohe Schranke über die ganze Breite des engen Tals.

»Und wie willst du uns aus diesem Schlamassel wieder herausführen, in das du uns da hineingeritten hast? Du bist mir ja wirklich ein feiner Kundschafter!«, sagte Marcus in einem Tonfall, der eher wie ein Jammern klang als wie das beabsichtigte zornige Knurren. Marcus ärgerte sich maßlos, dass Frenchie scheinbar immer völlig ungerührt blieb, wenn er mit dem französischen Scout schimpfte.

Es schien eine Möglichkeit zu geben, um die gefallenen Bäume herumzugehen. Doch dann spürte der Franzose, wie sein Hengst sich anspannte. Er wusste genau, was das Pferd vorhatte, und sagte: »Du willst ihnen wohl zeigen, wie du springen kannst, wie?« Dann beugte er sich nach vorne, verlagerte sein Gewicht mehr auf Beaus Vorderbeine, gab ihm einen Klaps auf den Hals und sagte: »Also, mein *magnifique* Beau, wenn du glaubst, du schaffst das, dann lass die mal sehen, wie du fliegen kannst.«

Die beiden Reiter hinter ihm hielten ruckartig an, als sie sahen, wie der Rappe drei Schritte Anlauf nahm, um über die Baumstämme zu springen. »Zed, schau mal! Der blöde Franzmann will sich den Hals brechen. Gleich sind wir unseren Scout los ...« Marcus war noch mitten im Satz, als er und der Riese sahen, wie der schwarze Hengst das Hindernis übersprang. Einen Moment lang saßen sie mit offenen Mündern auf ihren Pferden. Dann fragte Marcus, dessen ungeheuerlicher Hintern seitlich über den Sattel quoll: »Hast du das gesehen, Zedekia?«

Mit dem Rücken zu dem Franzosen, damit der ihn nicht hören konnte, fügte er etwas leiser hinzu: »Was für ein Pferd! Wir werden diesen verdammten Frenchie beseitigen und sein Pferd behalten. Ich kenne einen Pferdezüchter, der für so einen Hengst eine Menge Geld bezahlt. Dieses herrliche Tier ist mindestens ebenso wertvoll wie die Appaloosas, die wir den Nez Percé zu stehlen gedenken. Weder dieser hinterwäldlerische französische Froschfresser noch diese ignoranten Wilden haben solch wertvolle Tiere verdient. Sie sollten Leuten gehören, die ihren Wert zu schätzen wissen. Mein lieber Mann, wenn wir die Pferde erst mal zurück in den Osten gebracht haben, werden sie uns reicher machen, als du dir in deinen wildesten Träumen vorstellen kannst.« Als er den verständnislosen Gesichtsausdruck des Riesen sah, ergänzte er: »Zumindest eine Zeit lang«, wohl wissend, dass Zed die unterschwellig enthaltene Drohung nicht verstand.

Trotz all seiner schlechten Seiten kannte sich Marcus mit Pferden gut aus. In seiner Jugend hatte er mit Pferderennen zu tun gehabt. Er war nicht immer fett und übergewichtig gewesen, sondern als Teenager im Gegenteil recht mager. Gierig nach Geld und dem, was er »ein gutes Leben« nannte, hatte er sich bei einem reichen Rennpferdezüchter verdingt. Marcus hatte als Stallknecht angefangen. Doch stets auf leichtere Arbeit aus, überredete er bald den Trainer, es ihn mit der Schulung einiger Rennpferde versuchen zu lassen. Dank seiner leichten Gestalt und seines guten Gleichgewichtssinns war er ein Naturtalent und die Arbeit mit den Pferden gefiel ihm.

Dann brach sich ein Jockey bei einem Rennen ein Bein, als sein Pferd von einem außen laufenden Tier an die Brüstung gedrängt wurde. Der Mann war aber noch für ein zweites Rennen gemeldet. Das war Marcus' große Chance. Der Trainer ließ ihn als Ersatzmann reiten. Marcus gewann das Rennen und wurde zum Jockey.

Eine Zeit lang lief alles gut. In den meisten Rennen erreichte er Sieg oder Platz. Dann trat eines Tages ein Mann mit einem Angebot an Marcus heran: Man würde ihm zehn Dollar bezahlen, wenn er sein Pferd gerade so weit zurückhielt, dass es nur Zweiter wurde. Danach wurde Marcus bald diktiert, wann er gewinnen und wann er verlieren sollte. Die Begeisterung am Reiten schwand, das Geld, das man ihm bezahlte, entschädigte ihn allerdings dafür. Aber das war nun schon lange her.

Der Riese neben Marcus ließ das Pferd, auf dem er ritt, vergleichsweise winzig erscheinen, seine Füße hingen unterhalb der Steigbügel nicht weit über dem Boden. Er hatte langes verfilztes Haar und ein schmieriger Bart hing auf sein fleckiges Hirschleder-Jagdhemd herab. Das lange Gewehr, quer über den Rist seines Pferdes gelegt, sah in seinen riesigen Pratzen wie ein Spielzeug aus.

»Will Marcus Frenchie loswerden?« Aus so einem großen Körper kommend, wirkte die hohe Piepsstimme völlig fehl am Platz. »Soll Zed für Marcus den Frenchie totschießen?«, fragte er und wollte schon das Gewehr hochnehmen.

Gelegentlich überraschte die schrille Stimme Marcus noch immer. Es war kaum zu glauben, dass sie dem Riesen gehörte.

»Nein, Zedekia, nicht jetzt. Wir müssen warten, bis er uns zu Ashleys Camp geführt hat. Wenn wir erst einmal eine ausreichende Anzahl von Trappern angeheuert haben, um die Nez Percé zu überfallen und ihre Appaloosas zu stehlen, dann ja, dann kannst du ihn töten.«

Marcus wusste Zeds Bärenkräfte zu schätzen. Seine Geduld wurde von dem schwerfällig denkenden Riesen jedoch oft arg strapaziert. Ihm war klar, dass man Zed Erklärungen und Anweisungen Schritt für Schritt erteilen musste, und er fügte hinzu: »Ashley ist als gerechter und ehrlicher Mann bekannt, der einen Trupp treuer Trapper befehligt. Also werden wir versuchen, die freien Trapper zu verdingen, und wenn der Lohn, den wir zu zahlen bereit sind, einige der anderen überzeugen sollte, so sei es. Schließlich dreht sich alles in der Welt ums Geld. In der Liebe und beim Geschäft ist alles erlaubt. Und wir bieten immer hohe Summen, denn es kostet uns ja nichts, viel zu bieten, wenn die Entlohnung auf einem ganz anderen Blatt steht.«

Zed wandte sich dem fetten Mann mit einem bewundernden Blick zu, der an Verehrung grenzte. Meistens verstand er nicht ganz, was Marcus meinte, aber die Art, wie Marcus etwas sagte, gab ihm ein gutes Gefühl. So hatte niemand zuvor mit ihm gesprochen – so als ob er klug wäre. Hätte er die Bedeutung von Marcus' Worten erfasst, wäre selbst er vor dessen Niedertracht zurückgeschreckt und der Absicht, die Trapper mit dem Tod zu entlohnen.

»Zedekia, der Lohn für unseren französischen Freund wird darin bestehen, dass du ihn in Stücke reißt. Und zwar schön langsam.«

Der Ausdruck in Marcus' Augen hätte die meisten Männer nervös gemacht. Wie sein Blick wohl auf den Franzosen gewirkt hätte, wenn der ihn gesehen hätte?

Marcus ritt näher an das Hindernis heran und sagte: »Wie sollen wir deiner Meinung nach an diesen Bäumen vorbeikommen? Ich habe dich angeheuert, damit du uns zu Ashleys Camp bringst, und nicht, damit wir in diesem gottverlassenen Tal stecken bleiben.«

Der französische Scout wendete seinen schwarzen Hengst in Richtung Canyon und ritt an, dann wandte er sich im Sattel halb um und sah zurück, als versuchte er, eine Entscheidung zu treffen. Er steckte seitlich zwei Finger in den Mund und stieß scharf die Luft aus, sodass ein lautes Pfeifgeräusch ertönte. Sofort trotteten seine beiden Packpferde vorwärts, bis sie die Schranke aus Baumstämmen erreichten, dann wieherten sie. Er pfiff noch einmal kurz.

Die Packpferde wandten sich links und folgten den Fährten an den umgestürzten Gelbkiefern entlang, die kahl waren, abgesehen von einigen Zweigen, die einst die Baumkrone gebildet hatten. Am Ende der Bäume drängten sich die Packpferde durch die wenigen restlichen, von der Lawine nicht abgebrochenen Zweige, wendeten und folgten den Hufspuren zwischen den Bäumen in die entgegengesetzte Richtung. Der führende Graufalbe blieb einen Moment stehen, um den ihm zur Verfügung stehenden Platz abzuschätzen, dann zwängte er sich zwischen den hochstehenden Wurzelballen und der steilen Felswand hindurch.

Nachdem sie das Hindernis überwunden hatten, warfen beide Pferde die Hinterhufe hoch, trotteten zu dem Rappen hinüber und wieherten leise vor Freude, weil sie das labyrinthische Dickicht hinter sich hatten und wieder vereint waren.

»Wenn ihr nischt wollt ganze Winter in diese schöne Tal verbringen, Frenschie empfiehlt, gleische Weg wie Packpferde zu nehmen«, rief der Franzose und ritt weiter.

Ein Blick zurück hätte dem Trapper verraten, welche Gefahr ihm von den beiden seltsamen Gestalten drohte. Marcus' Gesicht zeigte kaum bezähmbare Wut. Allein die Tatsache, dass Marcus nicht in der Lage war, sich in den Bergen zurechtzufinden, hatte Frenchie bislang am Leben erhalten. Als er den Franzosen angeheuert hatte, war Marcus davon ausgegangen, er könne ihn nach der Ankunft in Ashleys Winterlager mit einer kleinen Zulage dazu bewegen, noch weiter ihr Scout zu sein, anstatt den Winter mit Fallenstellen zu verbringen. Aber aufgrund des Ungehorsams und mangelnden Respekts des Führers hatte Marcus es sich anders überlegt und wollte ihn nach Erreichen des Lagers nicht länger beschäftigen. Als Marcus um den letzten umgestürzten Baum herumgeritten war, sah er den breitschultrigen Reiter mit seinen beiden Packpferden im Gefolge gerade hinter einer Wegbiegung verschwinden.

Außer Sicht hielt Frenchie an einem ihm bekannten Felsvorsprung an. Er wollte nicht, dass sich das Paar hinter ihm mit dem vor ihnen liegenden Land allzu vertraut machte, und verschaffte sich einen kurzen Überblick. Unter ihm lief die schmale Schlucht, durch die sie gekommen waren, in ein breites Tal mit ebenem Boden aus. Die Aussicht war überwältigend. Die Ebene erstreckte sich über viele Meilen. Farbenfrohe Wiesen voller Herbstblumen, von goldblättrigen Espen gesäumt, durchbrachen wie ein gemaltes Mosaik die bewaldete Landschaft.

Am Rand des Tales standen hohe, schlanke Drehkiefern, die von den Stämmen der Plains als Zeltstangen für Tipis verwendet wurden. Weiter oben standen vorwiegend Fichten und Tannen am Fuß der steil ansteigenden Hänge, die sich bis zu einem Kamm von Berggipfeln hinaufzogen. Hoch oben an der Bergwand wuchs dicht am Boden die weißstämmige Kiefer, verbogen und verkrüppelt von Wind und Schnee.

Am Fuß der Berge auf der Ostseite des Tals verlangsamte ein schnell fließender Bach seinen Lauf, wo Biber Dämme gebaut hatten, sodass eine Reihe von Teichen entstanden war. Auf halbem Weg durch das Tal speiste der Bach einen lang gezogenen See auf der Westseite, an dessen Ende er wieder austrat, um dann zur Ostseite zurückzufließen.

Kaum war Frenchie wieder angeritten, als die ihm folgenden Reiter in Sicht kamen. Zornig, dass der Führer nicht auf ihn gewartet hatte, rammte Marcus seinem Pferd die Sporen in die Seiten. Es machte einen Satz nach vorne, als die scharfen Rädchen ihm blutige Wunden schlugen.

Während sie sich dem Franzosen näherten, sagte Marcus zu dem Riesen: »Was wird es mir eine Wonne sein, diesen eingebildeten Mistkerl endlich tot zu sehen.«

Hätte er darüber nachgedacht, hätte er erkannt, dass seine Abneigung gegen den Franzosen auch deshalb so groß war, weil jener die Fassade bürgerlicher Bildung, die Marcus an den Tag legte, offenbar durchschaute. Wenn er sah, wie entspannt Frenchie rittlings auf dem prächtigen Rappen saß, war Marcus eifersüchtig auf dessen augenscheinliche ungezwungene Lässigkeit in einer Umgebung, die ihm selbst so fremd und feindlich erschien. Jedes Mal, wenn er seinen eigenen formlosen Körpers mit dem des Franzosen verglich, empfand er brodelnden Hass.

Frenchie war deutlich größer als Marcus, über einen Meter achtzig, hatte einen kräftigen Brustkorb und die breitesten Schultern, die Marcus je bei einem Mann gesehen hatte. Man sah ihm an, dass er sehr stark war. Sein langes hirschledernes Jagdhemd war einst sehr schön gearbeitet und verziert gewesen; nun war es so abgetragen, dass nur noch wenige der Perlenstickereien und Quillarbeiten aus Stachelschweinborsten zu erkennen waren. Die zerschlissenen Ärmel waren abgeschnitten und gaben lange, muskulöse Arme frei. Frenchies Gesicht jedoch erboste Marcus am meisten. Eine Narbe zog sich von oberhalb seines linken Ohrs bis zum Mundwinkel. Bei den meisten Männern hätte das entstellend gewirkt. Bei Frenchie war wohl eher das Gegenteil der Fall. Die Frauen, denen sie in der Umgebung von St. Louis begegnet waren, schienen sein verwegenes schiefes Grinsen anziehend zu finden. Er hatte gebräunte Haut, hohe Wangenknochen und eine kräftige Nase. Buschige dunkle Locken umrahmten tief liegende Augen in einem trotz der verzogenen Grimasse immer noch gut aussehenden Gesicht. Sein stechender Blick jedoch konnte einen verunsichern. Marcus fiel es schwer, ihn lange direkt anzusehen. Frenchie schien Gedanken lesen zu können, aber was er selbst gerade dachte, wusste man nie so recht. Manchmal hätte man meinen können, einen Hauch von Wärme in seinem Blick aufleuchten zu sehen, doch nur kurz, dann wirkte er wieder kalt, entschlossen und hart.

Frenchie war nicht sein richtiger Name. In seiner Heimat Frankreich hieß er Antoine Berger. Er kam aus gutem Hause und beherrschte mehrere Fremdsprachen. Eine vielversprechende Karriere als Marineoffizier hatte vor ihm gelegen. Doch dann war er nach Amerika geflohen, weil man ihn zu Unrecht beschuldigt hatte, seine Frau ermordet zu haben. In den Staaten gab er sich als Frankokanadier aus und hatte sich zunächst als Gelegenheitsarbeiter verdingt. Er heuerte als Kanufahrer an, um auf Flüssen zu paddeln und Pelztiere zu fangen. Nun trat er als ungebildeter freier Trapper und Kundschafter auf.

Frenchie war sein Spitzname und der einzige Name, unter dem ihn die Leute kannten. Als Marcus in St. Louis einige Trapper nach einem Führer gefragt hatte, der seine Leute durch die Rocky Mountains leiten könne, hatte ein grauhaariger alter *Mountain Man* geantwortet: »Frenchie ist der Kerl, wo du als Scout brauchst.«

Er hatte Marcus zugesagt, seine Leute durch die Shining Mountains bis zum Winterlager von William Ashleys Rocky-Mountain-Pelzhandelsgesellschaft zu führen. Arbeiten würde er aber nicht für ihn. Da Frenchie in Marcus' Augen unter ihm stand, hatte der diesen Worten allerdings keine Beachtung geschenkt.

Der Franzose wirkte geschickt und schien sich in der Wildnis der Berge gut auszukennen. Marcus betrachtete seine breiten Schultern und den kräftigen Rücken, der sich zu schmalen Hüften verjüngte, die Arme, auf denen sich durch jahrelanges Kanupaddeln erworbene Muskeln abzeichneten, und zog eine Grimasse.

Zu dem mächtigen Riesen an seiner Seite gewandt, sagte Marcus: »Ich wünschte, du könntest ihn gleich jetzt auf der Stelle töten ...« Eigentlich hatte er ergänzen wollen: »... allerdings müssen wir damit noch warten, bis er uns zu Ashleys Camp gebracht hat.« Doch ehe er den Satz vollenden konnte, ging Zeds Gewehr schon los.

Zu seinem Entsetzen sah er, wie der französische Scout

von seinem schwarzen Pferd fiel. Blut quoll aus einer Wunde in seinem Rücken, wo ihn die Bleikugel getroffen hatte. Bestürzt über das Geschehen, drehte sich Marcus zu dem dummen Riesen um und schrie: »Warum zum Teufel hast du auf ihn geschossen?« Da sah er Zeds Gesichtsausdruck; er grinste von einem Ohr zum anderen, wie ein kleines Kind, das etwas getan hat, um einem Erwachsenen Freude zu machen, und sagte: »Zed hat den Frenchie totgemacht für Marcus.«

Leise vor sich hin fluchend kletterte Marcus mühsam vom Pferd und schimpfte: »Und wie, du blöder Kerl, sollen wir jetzt den Weg zu Ashleys Camp finden?«

Zed fragte: »Warum Marcus böse auf Zed?«, und seine Miene warnte Marcus, ihn mit Vorsicht zu behandeln.

Wohl wissend, wie leicht der Riese außer sich geriet, wenn man ihn kritisierte, biss sich Marcus, um seine Wut unter Kontrolle zu halten, so fest auf die Lippe, dass sie zu bluten begann. Bei sich dachte er: *Eines Tages werde ich mich auch deiner entledigen.* Doch tief im Innersten wusste er, wie sehr er den einfältigen Riesen benötigte. Nicht nur, damit er die Drecksarbeit übernahm, wenn Marcus jemanden durch Schläge gefügig machen oder vielleicht auch tot sehen wollte, er brauchte auch Zeds fortwährende Bewunderung. Es gefiel ihm, wenn die Leute in seiner Umgebung ihm mit Angst und Ehrfurcht begegneten, weil er über diesen kraftstrotzenden Knecht verfügte.

»Ich bin nicht böse auf dich, mit ›blöder Kerl‹ war dieser Franzose gemeint«, antwortete er und stieß mit dem Fuß gegen dessen bäuchlings daliegenden Körper, um sich zu vergewissern, dass er tot war.

Als er Zeds halb erloschenes Lächeln langsam zurückkehren sah und merkte, dass seine Lüge wirkte, setzte Marcus hinzu: »Allerdings, Zedekia, hätte ich viel lieber gesehen, wie du ihn mit bloßen Händen tötest.«

Marcus hatte sich gefragt, wie der Franzose sich gegen den bärenstarken Riesen wohl geschlagen hätte. Er wusste, wie sagenhaft stark Zed war. Niemand hatte es jemals auch nur annähernd mit ihm aufnehmen können. Doch Marcus hatte auch gehört, dass die Kraft des Franzosen am Flussufer geradezu legendär war. Es wäre ein interessanter Kampf gewesen.

Marcus hakte seine Stiefelspitze unter den am Boden liegenden Scout und versuchte vergeblich, ihn herumzurollen. Zornig versetzte er ihm einen heftigen Tritt in die Seite. Als keine Reaktion erfolgte, knurrte er: »Unser erlauchter französischer Führer ist tot«, und hievte sich mühselig wieder auf sein Pferd. »Jetzt werde ich nie erfahren, wie der Zweikampf ausgegangen wäre«, fügte er hinzu und stieß seinem Pferd die Sporen in die Flanken, sodass erneut das Blut hervorquoll.

In der Annahme, dass Zed ihm wahrscheinlich folgen und die Pferde des Franzosen zurücklassen würde, fuhr er ihn an: »Bring außer unseren Tieren auch den Rappen und die beiden Packpferde mit!«

Der Mann, den man hinter seinem Rücken spöttisch »Fettarsch Marcus« oder häufiger einfach nur »Fettarsch« nannte, ritt, ohne sich noch einmal umzusehen, ins Tal hinab, bis er Zed schreien hörte: »Halt! Verdammt noch mal!« Noch ehe er sich im Sattel umwenden konnte, raste der schwarze Hengst an ihm vorbei, gefolgt von den beiden Packpferden und dem ihnen nachjagenden Riesen.

Von dieser Wendung des Geschehens überrascht, staunte Marcus wieder einmal, wie schnell der Riese sich bewegen konnte, so langsam er auch sprach und dachte. Es sah so aus, als würden die drei Pferde entkommen, bis der Hengst, dessen Vorsprung sich mit jedem Schritt vergrößerte, auf das einzelne Zügelband seiner Hackamore trat. Wäre der Rappe mit dem Hinterfuß daraufgetreten, hätte er das Gleichgewicht vielleicht noch halten können. Doch es war ein Vorderhuf, der auf dem Zügel landete, sodass sein Hals herabgezogen und er kopfüber herumgerissen wurde. Er landete mit dumpfen Aufprall und bekam vorübergehend keine Luft mehr.

Sobald die beiden Packpferde ihren Anführer zu Boden gehen sahen, drosselten sie ihr Tempo, um einen Zusammenprall zu vermeiden. Dadurch konnte Zeds Pferd sie einholen. Als er zu dem hinteren Pferd aufschloss, knallte er ihm die geballte Faust auf den Kopf und warf es zu Boden, dass Hufe und Packsattel nur so herumwirbelten. Ohne stehen zu bleiben, holte er das zweite Packpferd ein und legte es auf dieselbe Weise flach.

Zed packte die Führungsleinen der beiden Packpferde, die Frenchie normalerweise lose an die Sättel band, damit die Pferde frei hinter ihm hergehen konnten. Mit einem heftigen Ruck an ihren Zügeln zerrte der Riese die beiden Packpferde wieder auf die Beine.

Dann führte er die Lasttiere zu dem gestürzten Hengst hinüber. Der Schwarze rappelte sich auf, schüttelte den Kopf und sog lautstark Luft in seine Lungen. Noch ehe der Riese das lose Zügelband zu fassen bekam, holte der große Rappe ein letztes Mal tief Atem, schnaubte, trat mit beiden Hinterbeinen nach dem Zweibeiner aus und verfehlte nur knapp dessen Kopf. Mit einem Satz preschte der Rappe den Canyon hinab und gewann mit jedem Schritt an Geschwindigkeit. Diesmal allerdings neigte er den Hals in einem solchen Winkel zur Seite, dass das Zügelband neben ihm herschleifte und nicht wieder unter seine Hufe geriet. Der Hengst hatte nicht vor, ein zweites Mal darüber zu stolpern.

Zed waren vor Schreck die Leinen der Packpferde aus den Händen gerutscht. Fluchend stand er da, während der Rappe mit seinen beiden Gefährten bergab ins Tal verschwand.

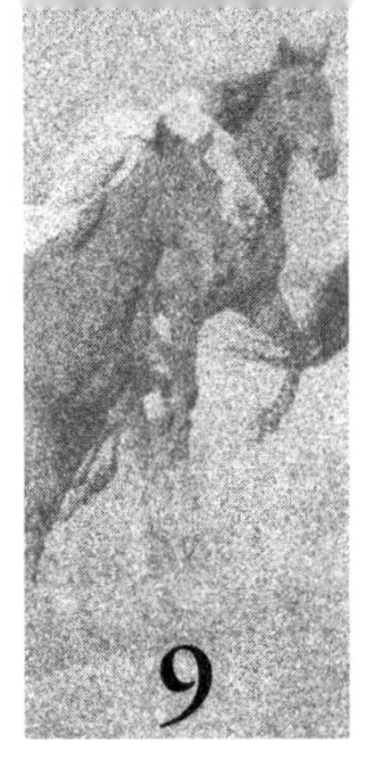

9

Entsetzt sah Bright Heart, dass Tatanka im Abgrund verschwunden war. Mit einem Laut, der eher an ein verwundetes Tier als an den Schrei eines Menschen erinnerte, raste sie den frisch geräumten Pfad entlang. Als sie auf einen lockeren Felsbrocken trat, den sie unter dem Schnee nicht gesehen hatte, glitt sie aus und wäre beinahe selbst über die Kante gefallen. Sie achtete nicht auf ihre eigene Sicherheit, sondern dachte nur an das Schreckliche, das dem Mann zugestoßen war, den sie liebte. Sie rannte, so schnell es der schneebedeckte Pfad erlaubte.

Als sie die Stelle erreicht hatte, wo Tatanka abgestürzt war, konnte sie vor lauter Tränen kaum etwas sehen. Fieberhaft suchend näherte sie sich dem Rand des Schneepfades, voller Furcht, welcher Anblick sich ihr böte.

Ihr war nicht klar, dass der Weg nur halb so breit war, wie er zu sein schien. Von dort, wo Bright Heart stand, schien die Schneewehe Teil des Weges zu sein. Beim nächsten Schritt jedoch erkannte sie, warum Tatanka hier nicht weitergegangen war: Ihr linker Fuß trat durch den Schnee ins Nichts. Als sie dem Tod entgegenzustürzen drohte, ergriffen ihre Finger einen kleinen Felsvorsprung. Gleichzeitig landete ihr rechtes Knie schmerzhaft auf einem hervorstehenden flachen Stein und bremste ihren Fall. Verzweifelt hielt sie sich fest. Das Herz schlug ihr bis zum Hals.

Sie klammerte sich mit aller Kraft an den Vorsprung, und im verzweifelten Versuch, einen sichereren Halt zu finden, zwang sie sich, die linke Hand vom Fels zu lösen und nach oben über die Kante zu greifen. Als sie gerade spürte, wie ihre rechte Hand abzurutschen begann, glitten die Finger der ausgestreckten Linken in eine kleine Felsnische. Mit beiden Händen ziehend brachte sie ihren baumelnden linken Fuß langsam nach oben zu ihrem rechten Knie auf den herausragenden Stein. Mit klopfendem Herzen zog sich Bright Heart wieder hinauf auf den Weg. Ohne auf den Schmerz in ihrem Bein zu achten, ging sie augenblicklich auf Hände und Knie nieder und rutschte vorsichtig vorwärts, um durch die Öffnung, die sie in die Schneewehe getreten hatte, nach unten zu spähen.

Ihr drehte sich der Magen um. Da unten war nichts als eine endlos scheinende kahle Felswand. Sie hatte sich nie sonderlich vor Höhen gefürchtet, doch sie war auch noch nie so nahe am Rand eines so gefährlichen Abgrunds gewesen. Weit unter sich sah sie, wie der von ihr losgetretene Schnee eben erst den Grund der Schlucht erreichte. Ihr wurde übel. Obwohl sie sich lieber abgewendet hätte, zwang sie sich, die Hände zum Kopf zu heben, um die Augen vor dem gleißenden Glitzern des Schnees abzuschirmen.

Bright Hearts Blick war so auf den Boden der Schlucht konzentriert, auf dem Tatankas zerschmetterter Körper irgendwo liegen musste, dass sie an ihre eigene ungesicherte Position gar nicht mehr dachte. Ums Gleichgewicht ringend und mit den Händen die Augen vor dem im Schnee blendenden Sonnenlicht schützend merkte sie, dass sie vornüberkippte. Im Bemühen, die Balance wiederzuerlangen, schwankte sie über dem Abgrund, es kam ihr wie

Ewigkeiten vor. Dann, als sie schon über die Kante zu fallen drohte, zwang sie sich ruhig zu bleiben und senkte langsam die Hände auf den Felsboden, um sich abzustützen.

Ihr Körper begann heftig zu zittern und Tränen strömten aus ihren Augen. Sie dachte bei sich: *Warum habe ich mich gerettet? Es wäre besser gewesen, wenn ich gefallen wäre. Dann wäre ich jetzt bei ihm.* Einen Augenblick lang dachte sie daran loszulassen und dem Mann, den sie liebte, zu folgen. Dann aber fielen ihr ihre Eltern ein und sie wusste, dass sie ihnen so etwas niemals antun könnte. Selbst wenn sie es nie erfahren würden, so könnte sie es doch vor sich selbst nicht verantworten. Ihr fiel ein, was ihre Großmutter einmal gesagt hatte, als sie sich für ihre knotigen, steifen und schmerzenden arthritischen Hände einen Umschlag aus zerdrücktem *toza* oder Balsamwurzel bereitet und Bright Heart sie nach ihren Schmerzen gefragt hatte.

»*Tákoja*, Enkelin, wenn ich *yazon*, Schmerzen fühle, dann weiß ich, dass ich noch am Leben bin. Es ist besser, mit Schmerzen zu leben, als nicht zu leben. Das Heilige Geheimnis wird mir sagen, wenn die Zeit gekommen ist, ohne *yazon* zu sein.«

Ihre Großmutter hatte innegehalten und dann hinzugefügt: »Meine Freundin Running Deer hat nicht die Schmerzen arthritischer Hände. Sie hat auch keine Enkeltochter. Welche von uns ist besser dran? Wenn ich mich entscheiden müsste, zwischen schmerzfreien Händen ohne Enkelin oder schmerzenden Händen mit Enkelin, würde ich den Schmerz und die Enkeltochter wählen.« Und dann hatte ihre Großmutter zu Bright Heart etwas gesagt, das sie erst sehr viel später verstehen sollte.

»Wir können nicht immer entscheiden, *was* wir fühlen. Aber wir können entscheiden, *wie* wir fühlen.«

Zuerst dachte Bright Heart, sie habe ihre Großmutter rufen hören. Dann erkannte sie, dass die Stimme von unten und weiter rechts von ihr kam. Direkt unter der Geröllhalde. Es war Tatankas Stimme. War es die Stimme seines Geistes, die aus dem Abgrund der Schlucht nach ihr rief? Wie hatte Jeremiah ihn genannt? *Spirit Walker*, Geistwanderer? Mahtowin und Tacincala hatten außerdem erzählt, dass andere Stämme ihn für einen Geisterkrieger hielten. War der Krieger, in den sie sich verliebt hatte, ein Geist und kein Mensch? Wenn das so wäre, dann …

Ein erneutes Rufen der Stimme unterbrach ihre Gedanken.

»Bright Heart, bist du das da oben?«

Sie wusste nicht genau, woher seine Stimme kam, als sie antwortete: »Bist du ein Geisterkrieger? Warum hast du zugelassen, dass ich mich in dich verliebe, wenn du ein Geist bist? Warum zeigst du dich nicht? Ich dachte, du wärst abgestürzt und schon tot.«

Mit der Geisterwelt war nicht zu scherzen. Sie fürchtete sich. War er abgestürzt und gestorben und sein Geist sprach nun zu ihr? Sie wusste nicht, was tun.

Mehr als zweihundert Meter über der Erde klammerte sich der Lakota-Krieger an der kahlen Felswand mit den Fingerspitzen ans Leben. Zwei Körperlängen unterhalb des Felsvorsprungs, auf dem Bright Heart kniete, hatte Tatanka es geschafft, an einer schmalen Kante, kaum breiter als seine Finger, Halt zu finden. Die Finger wie eiserne Klauen gekrümmt hatte er sich mit der linken Hand an den Vorsprung gekrallt und sich dabei die Schulter ausgerenkt. Verzweifelt hatte er gerade noch die Finger seiner rechten Hand über die Kante schieben und den Großteil seines Gewichts von der verletzten Schulter auf die andere Seite verlagern können. Unter ihm war nichts als glatter Fels und er bemühte sich vergeblich, mit den Füßen dort Halt zu finden.

Die Stimme von unten klang leicht gequält, doch Tatankas Antwort milderte zumindest Bright Hearts Angst, er könne ein Geist sein. Sie ließ außerdem in keiner Weise den Ernst seiner Lage erkennen.

»Wirst du niemals aufhören, mehr Fragen zu stellen, als ein Mensch in einer Winterzählung beantworten kann? Hör nicht auf all die Geschichten, die Jeremiah erzählt. Ich bin kein Geisterkrieger. Du solltest doch inzwischen wissen, dass man diesem Obergauner kein Wort glauben kann.«

Durch Gedanken an die Geisterwelt ängstlich geworden, wäre Bright Heart fast vor Schreck aus der Haut gefahren, als sie hinter sich eine tiefe Stimme flüstern hörte: »Wurden da eben abfällige Bemerkungen über mich gemacht?«

Noch mehr erschüttert war sie, dass sie den großen Gebirgsmann nicht hatte kommen hören, weil er sich so lautlos angeschlichen hatte. Doch sein Flüstern war es, das sie alarmierte und in die Wirklichkeit zurückbrachte. Tatanka hatte ihr gesagt: »Wenn Jeremiah ›Whispering‹ Johnson flüstert, dann nimm dich lieber in Acht. Denn entweder ist er sehr wütend oder die Lage ist sehr ernst.«

Ein aus Rosshaar gedrehtes Seil ausschüttelnd fuhr der kräftig aussehende weiße Mann die Felswand hinab gerichtet zu flüstern fort. »Wenn mein Leben so am seidenen Faden hinge wie deins, dann wär ich mal lieber vorsichtig, wie ich über andere spreche.«

Nervös beobachtete Bright Heart, wie Jeremiah die Mitte des Rosshaarseils abmaß, das sonst zum Anpflocken der Pferde verwendet wurde. Er nahm das Seil doppelt und band knapp einen halben Meter über der Mitte einen einfachen Knoten. Dann wickelte er das Doppelseil in mehreren Windungen auf. Die beiden losen Enden gab er Bright Heart und sagte: »Halt die hier fest, falls mir das Seil aus der Hand rutschen sollte, wenn ich die Schlinge zu ihm hinunterwerfe.«

Er näherte sich der Stelle, wo Tatanka durch die Schneewehe gefallen war, und sagte zu ihm: »Wegen des überhängenden Schnees kann ich dich nicht sehen, aber dem Klang deiner Stimme nach müsstest du jetzt direkt unter mir sein.«

Dicht an der Öffnung erklärte er Tatanka: »Ich will versuchen, so nah wie möglich heranzukommen, bevor ich …«

Plötzlich rutschte sein Fuß auf dem schneebedeckten Pfad aus und er hätte beinahe das Gleichgewicht verloren, wobei er Schnee und einige lose Steine über die Kante trat.

Tatanka spürte seine Kräfte schwinden, als er den Schotter an sich vorbeifliegen sah, und rief zu Jeremiah hinauf: »Steine habe ich mehr als genug, es wär besser, du würdest stattdessen ein Seil herunterwerfen.«

Tatanka wusste, wenn Jeremiah nicht bald das Seil auswarf, würde die Kraft seiner rechten Hand nicht mehr ausreichen, um dieses zu fangen. Bei vergeblichen Versuchen, mit den Händen einen Halt über sich zu finden, hatte er gemerkt, dass er sein Körpergewicht mit dem verletzten linken Arm allein nicht tragen konnte.

Jeremiah rückte ein wenig von der Kante ab und sagte: »Lass es mich wissen, wenn du das Seil erwischt hast, damit ich mich richtig sichern kann, bevor du heraufkletterst!« Dann warf er die Schlinge in jene Richtung, wo sich Tatanka seiner Vermutung nach an die Felswand klammerte.

Tatanka beobachtete, wie sich das Seil über die Felskante

schlängelte, und das Ende hätte ihn fast am Kopf getroffen. Als das Seil vorbeischwang, war er versucht, mit der rechten Hand nach der Schlinge zu greifen. Er musste sich zwingen, es an sich vorübergleiten zu lassen, denn er wusste, seine verletzte Linke würde vom Felsen rutschen, wenn er mit der Rechten losließe. Die ruckartige Belastung des Seils würde Jeremiah in den Abgrund reißen, wenn er sich noch nicht darauf eingestellt hätte, Tatankas Körpergewicht zu stemmen.

Durch die Schneewehe hing das Seil ein Stück von der Felswand entfernt, wo der Griff seiner Hände sich allmählich lockerte. Tatanka wusste, für ein zweites Auswerfen des Seils würde er sich nicht mehr lange genug halten können, und er sagte zu Jeremiah: »Ich springe gleich nach dem Seil, also sichere dich gut.«

Als Jeremiah antwortete: »Warte, du Jungspund, ich werfe noch mal ...«, unterbrach ihn Tatanka: »Keine Zeit, alter Mann. Mach dich besser bereit, ich rutsche gleich ab.« Weil er aber fürchtete, Jeremiah durch die plötzliche Belastung von der Klippe zu zerren, wodurch Bright Heart und Tacincala mit Mahtowin dann kurz vor Anbruch des Winters allein in den Bergen zurückblieben, fügte er hinzu: »Wenn es nicht klappt, lass das Seil los, bevor es dich in die Tiefe reißt.«

Mit letzter Kraft zog sich Tatanka in eine Position hinauf, aus der er sich von der Wand abstoßen konnte. Er hob den linken Fuß auf eine kleine Einbuchtung, drückte sich vom Felsen ab und versuchte zu dem knapp außer Reichweite baumelnden Seil hinüberzuhechten.

Die Spitze seines Mokassins rutschte ab, als er sich von der Wand wegstieß, sodass es ihm nicht gelang, den Knoten zu erwischen. Zum Glück hingen drei seiner Finger in der Schlinge. Er erwartete fast, seine Finger würden bei voller Belastung seines Körpergewichts aus der Schlaufe gleiten, und war überrascht, dass sie ihn trugen.

Im ersten Moment spannte sich das Seil straff, dann aber spürte er, wie es nachgab, und er begann an der Felswand nach unten zu sinken.

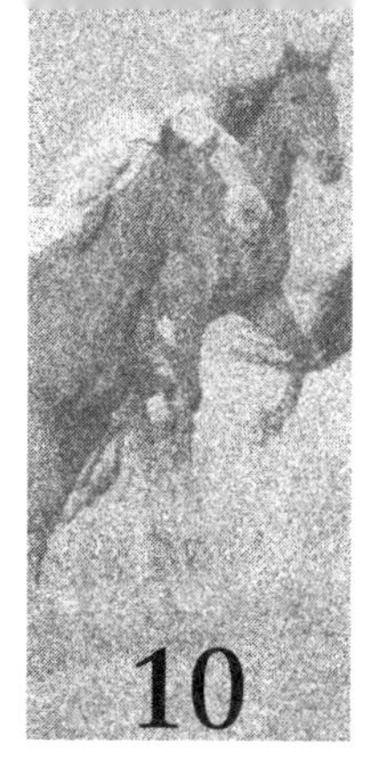

10

Von Weitem beobachtete der schwarze Hengst die Zweibeiner. Nachdem sie ihn zu fangen versucht hatten, war er argwöhnisch geworden und zeigte sich wohlweislich nicht. Mit leisem Wiehern warnte er die beiden Packpferde, die ihm gefolgt waren, damit sie außer Sichtweite blieben. Der Wallach gehorchte, doch die Stute musste er ermahnend kneifen.

Als eines der Pferde bei den Zweibeinern leise wieherte, wurde er unruhig, doch als niemand darauf achtete, entspannte sich der Schwarze ein wenig. Still wartete er, bis er sicher war, dass die Zweibeiner talabwärts gezogen waren.

Er beobachtete sie, bis sie mit den anderen Lasttieren außer Sichtweite verschwanden, dann drehte er um und lief das Tal wieder hinauf bis zu der Stelle, wo sein zweibeiniger französischer Herr von seinem Rücken gestürzt war, nachdem der große Zweibeiner das Geräusch des Todes gemacht hatte. Die beiden Packpferde wurden unruhig, als sie nahe genug herankamen und das Blut rochen.

Sein Herr lag noch immer dort, wo er zu Boden gefallen war. Der Hengst wollte sich ihm nähern, doch der Blutgeruch war zu stark. Er ging ein Stück weiter und begann, immer ein Auge auf den Franzosen gerichtet, von dem saftigen Wiesengras zu fressen. Während die Schatten dunkler wurden und die Luft kühler, grasten die drei Pferde weiter.

Weil der Rappe spürte, dass etwas nicht in Ordnung war, näherte er sich schließlich doch seinem am Boden liegenden Herrn.

Blutgeruch und Reglosigkeit waren oft Zeichen des Todes. Doch der scharfe Hörsinn des Rappen verriet ihm, dass der Franzose atmete. Als er ein leises Heben und Senken des Brustkorbs bemerkte, kam der treue Hengst heran und beschnupperte seinen Herrn. Er stupste den Zweibeiner mit der Nase ins Gesicht, schnupperte heftig und im Versuch, von seinem Herrn eine Antwort zu erhalten, schnaubte er durch seine großen geblähten Nüstern.

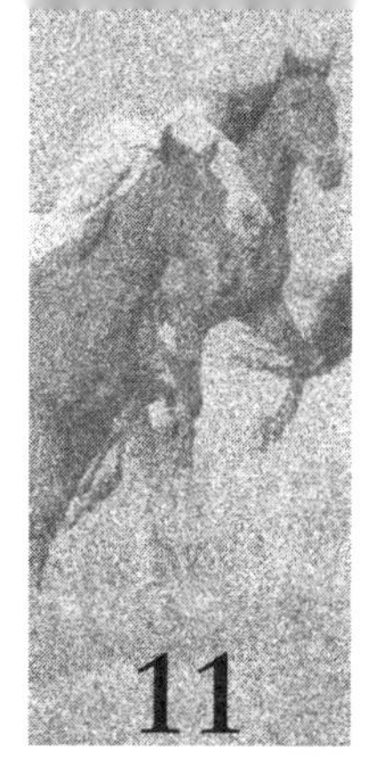

11

Tatanka hätte die Schlinge beinahe losgelassen, weil er dachte, Jeremiah hätte das Seil freigegeben, um nicht selbst in den Abgrund gerissen zu werden. Doch als er immer tiefer die Felswand hinabsank, spürte er leichten Widerstand im Seil und hielt sich daher weiter fest. Nachdem er einige Körperlängen abgerutscht war, spannte sich die Rettungsleine so plötzlich, dass es ihm fast die Schlinge aus der Hand riss.

Tatanka baumelte mehr als zweihundert Meter über der Schlucht an dem Rosshaarseil und versuchte vergebens seinen verletzten linken Arm zu heben. Das Seil sackte ein wenig ab und er dachte, es würde gleich nachgeben. Dann merkte er aber, dass er nach und nach die Felswand hinaufgezogen wurde. Mit aller Kraft klammerten sich seine drei Finger in der Schlinge fest und er hoffte, dass Jeremiah stark genug war, um diesen Kraftakt zu bewerkstelligen, ehe ihn selbst die Kräfte verließen.

* * *

Kaum hatte Jeremiah das Seil über die Schneewehe geworfen, hörte er Tatanka schreien: »Nimm dich in Acht, ich springe jetzt!«

Jeremiah versuchte, rasch einen sicheren Stand einzunehmen, packte mit der linken Hand das ausgeworfene Seil und zog das andere Ende mit der rechten Hand über seine Schulter. Er rang noch um Absicherung seines Gleichgewichts, als er schon Tatankas Gewicht am Seil ziehen spürte. Noch ehe er mit der rechten Hand fest zufassen konnte, machte das stabile, doch weich verwobene Rosshaarseil einen scharfen Ruck und begann rasend schnell durch seine Hände zu gleiten. Unter schneidendem Schmerz versuchte er, das Seil zu halten.

Bright Heart sah voller Entsetzen, wie mehrere Körperlängen Seil durch Jeremiahs Hände rutschten, ehe er Tatankas Absturz aufhalten konnte. Sie hatte noch immer das Geräusch des schnell über das hirschlederne Jagdhemd gleitenden Seils in den Ohren, da wehte der Geruch von verbranntem Fleisch und Leder in ihre Nase.

Sie wollte helfen, doch bis sie das Stück zwischen sich und Jeremiah straff gespannt hatte, hatte er das davonrasende Seil bereits in den Griff bekommen und zog es Hand über Hand hinauf. Als sie die Feuchtigkeit an dem Seil spürte, bemerkte sie, dass Blut daran klebte. Sie warf Jeremiah einen raschen Seitenblick zu und erschrak bei dem Anblick zutiefst. Jedes Mal, wenn er das Seil mit der oberen Hand losließ und unter der Haltehand wieder packte, lief ihr ein Schauer über den Rücken. Sie war entsetzt, wie seine Hände zugerichtet waren. Sie hatte im Lauf ihres Lebens schon viele schwer verwundete Krieger gesehen, doch nichts davon war mit den Verletzungen vergleichbar, die Jeremiah in Kauf genommen hatte, um das Leben seines Freundes zu retten. Seine Hände sahen aus wie unförmige Klumpen von Fleischfetzen; vor allem in seiner Linken hatte er durch die Reibung so schwere Verbrennungen erlitten, dass das Fleisch bis auf die Knochen aufgerissen war.

Als Tatanka endlich wieder über die Kante zur Schlucht gezogen worden war, erschrak auch er über das, was sein Freund durchgemacht hatte. Doch als er sich entschuldigen wollte, sagte der grauhaarige *Mountain Man* nur mit wegwerfender Handbewegung: »Mach dir da mal keine Sorgen. Ist sicher im Nu wieder verheilt. Außerdem hättest du für mich doch dasselbe getan. Einen Moment lang dachte ich, das Seil sei nicht aufzuhalten. Würd dir nicht schaden, ein bisschen abzuspecken, falls du vorhast, noch mal irgendwo runterzufallen, wo ich dich hochziehen muss.«

Doch Tatanka war nicht so sicher, ob er denselben Schmerz ertragen hätte wie Jeremiah, ganz zu schweigen von dessen heldenhafter Stärke und Ausdauer. Keinen Augenblick lang kam ihm in den Sinn, was er selbst mit der ausgerenkten Schulter hatte ertragen müssen. Vielmehr hatte er den Schmerz seiner eigenen Verletzung ganz aus dem Bewusstsein verdrängt, bis Bright Heart auffiel, wie sein Arm von der Schulter abstand. Sie erkannte die Ursache ganz richtig und sagte: »Du hast dir die Schulter ausgekugelt. Meine Mutter hat mir gezeigt, wie man das behandelt. Erst musst du dich nach vorne beugen und die Hand des verletzten Arms oben auf deinen Kopf legen, und zwar so.«

Um es ihm zu zeigen, beugte sie sich vor und legte eine Hand auf den Scheitel. Dann richtete sie sich langsam auf und sagte: »Jetzt versuch du es. Beug dich vor und lass beim Aufstehen die Hand auf dem Kopf.«

Tatanka erwartete noch stärkeren Schmerz und war überrascht, als er beim Aufrichten spürte, wie in seinem Schultergelenk alles wieder an den richtigen Platz glitt. Als er die Hand vom Kopf herunternahm, merkte er gleich, dass der Schmerz deutlich nachgelassen hatte und er den Oberarm wieder bewegen konnte.

Bright Heart legte die Hand auf seinen Unterarm, damit er ihn stillhielt, und ermahnte ihn: »Deine Schulter wird noch ein paar Tage lang schmerzempfindlich sein, und du solltest darauf achten, sie nicht zu sehr zu beanspruchen.«

Sie griff nach Jeremiahs Seil und holte das kleine Abhäutemesser aus ihrer Ledertasche. »Ich brauche ein kurzes Stück von deinem Seil, um für seinen Arm eine Schlinge zu machen.«

»Du kannst dich gerne bedienen. Hier, nimm das ganze Seil, wenn du willst. Könnt nicht schaden, ihn damit von oben bis unten zusammenzuschnüren, damit er sich nicht noch weiter in Schwierigkeiten bringt.«

Jeremiah hob das Ende des Seils auf und reichte es ihr. Bright Heart hatte sich solche Sorgen um Tatanka gemacht, dass sie Jeremiahs Hände ganz vergessen hatte. Erst als er ihr das Seil gab und sie die aufgerissenen Fleischwunden sah, fiel es ihr wieder ein.

»Oh! Deine Hände müssen verarztet werden. Ich glaube, in einer der Packtaschen ist noch etwas von dem Holunderbalsam, mit dem ich Mahtociqala behandelt habe. Ich geh zurück und …«

Jeremiah schüttelte den großen Kopf und sagte: »Kümmre du dich mal um diesen blauäugigen Lakota hier. Das heißt, falls du ihn lang genug davon abhalten kannst, die Bahn auf dem letzten Wegabschnitt da freizutrampeln, um ihn zu verbinden. Du weißt ja, er hat's nicht so gern, bemuttert zu werden. Erstaunlich, dass du ihn überhaupt dazu gebracht hast, so lange stillzustehen, bis seine Schulter wieder eingerenkt war.«

Ohne auf das Seil in Bright Hearts Hand zu achten, sagte Tatanka: »Es liegt nur noch ein kurzes Stück vor mir, das freigeräumt werden muss, bevor die Pferde hinübergehen können. Ein Glück, dass dieser Abschnitt, wo der Fels weggebrochen ist, breiter war als der Rest des Weges. Wie ihr seht, ist diese Stelle auch jetzt nach dem Felsrutsch noch breit genug, um den Pferden eine Bahn zu ebnen. Während ihr zurückgeht und die Herde in Gang setzt, räume ich eben den restlichen Weg durch den Schnee.«

Beide staunten, dass Tatanka in der kurzen Zeit, die sie brauchte, um ein Stück Seil abzuschneiden und eine Schlinge zu binden, den restlichen Weg über diesen ausgesetzten Abschnitt des Pfades schon freigeräumt hatte. Als Jeremiah in Richtung von Mahtowin und Tacincala zurückging, hörte er Bright Heart sagen: »Wenn du in deiner Dickköpfigkeit nicht sofort hierherkommst, um deinen Arm in die Schlinge zu legen, dann werde ich sie eben zu dir bringen.«

Er gluckste, als der mächtige Spirit Walker daraufhin rasch zu der schönen, willensstarken Nez Percé zurückeilte und sie warnte: »Der Pfad ist noch nicht sicher. Bleib dort, ich komme zu dir.«

Als Jeremiah zu der Stelle zurückkehrte, wo Mahtowin und Tacincala die Pferdeherde aufhielten, hatte Bright Heart den Pinto schon losgeschickt und die ersten Pferde folgten ihm nach. Obwohl er versuchte seine zerschundenen Hände im Vorbeieilen vor den beiden Frauen zu verbergen, merkte Mahtowin sofort, dass etwas nicht in Ordnung war.

»Oh, *wicahcla*«, sagte sie, ihren geliebten Mann bei einem Kosenamen nennend, »was hast du mit deinen Händen gemacht?«

»Nur ein bisschen am Seil verbrannt. Nix, wo man sich groß Sorgen machen braucht«, antwortete er und versuchte in Richtung der Pferde am Ende der Reihe an ihr vorbeizukommen.

Sie aber hielt ihn auf, indem sie ihm fest die Hand auf den kräftigen Brustkorb legte.

»Bleib, wo du bist. Du gehst nirgendwo hin, ehe ich nicht deine Hände versorgt habe. Die sehen ja schrecklich aus. Wie hast du das angestellt? Sie müssen behandelt und verbunden werden.«

Die Körperkraft des Trappers war so legendär, dass man ihm nachsagte, er könne durch eine Herde dahinstürmender Bisons hindurchgehen. Das mochte dick aufgetragen sein oder nicht, aber er würde keinen Versuch machen, sich »Wildblume«, wie er seine Frau nannte, zu widersetzen.

Er stand mitten auf dem Weg und streckte seine großen blutigen Hände aus wie ein Schuljunge, der Dummheiten gemacht hat. Jeremiah sah seine dunkeläugige Frau, deren Schönheit durch ihr grau meliertes Haar noch mehr zutage trat, von einem der Packpferde ein Bündel nehmen und aufrollen. Sie holte einen Streifen weiche Rehhaut und ein kleines Behältnis aus Antilopenhorn heraus, bestrich seine Hände mit Holunderbalsam und sagte: »Das wird die Blutung stillen und deine Wunden heilen.«

Nachdem sie seine Hände eingesalbt hatte, schnitt sie zwei gleich lange Streifen Rehhaut ab, die genau breit genug waren, um seine Handflächen zu bedecken. Nachdem sie beide Hände verbunden und den Verband mit von Jeremiahs Jagdhemd abgeschnittenen Fransen gut befestigt hatte, sagte sie zu ihm: »Sobald wir einen Lagerplatz gefunden haben, werde ich dir einen Umschlag mit Ringelblumen machen. Dann heilen deine Hände schneller.«

Jeremiah war es nicht gewohnt, dass man viel Aufhebens um ihn machte, und dankte ihr: »Fühlt sich schon viel besser an. Bestimmt geht's meinen Händen jetzt gut.« Verlegen ging er weiter an der Linie der Pferde entlang und ermahnte die beiden Frauen: »Lass die Pferde einzeln nacheinander gehen und verständigt euch mit Handzeichen, damit sie nicht scheuen.«

Von seinem Nest hoch oben an der kahlen Felswand sah der Weißkopfseeadler die Vierbeiner den schneebedeckten Bergpass über die kontinentale Wasserscheide überqueren. Mit schmerzenden Muskeln zog das letzte Pferd in der Reihe von Appaloosas an den gekrümmten Bergkiefern vorbei und verschwand auf der westlichen Seite der Absaroka Range in den Rocky Mountains.

Nach dem Überwinden der Wasserscheide arbeitete sich der Trupp langsam durch eine schmale Schlucht voller von einer Lawine gefällter Bäume, die in ein breites Tal mündete. Zu dem Zeitpunkt, als sie eine Wiese mit einer Quelle und genügend Gras zum Weiden der Pferde gefunden hatten, lagen bereits Schatten über dem Tal und Jeremiahs Hände waren stark angeschwollen. Sie mussten dringend versorgt werden.

Mahtowin machte sich Sorgen um Jeremiah. Sie hätten schon viel früher rasten sollen, wäre nur für die Dauer der Behandlung irgendwo genügend Platz für die Pferdeherde gewesen. Außerdem wollte sie eine Kompresse aus Ringelblumen machen, hatte weiter oben in den Bergen aber keine gesehen. Hoffentlich gab es welche auf dieser Wiese. Andernfalls würde sie einen Ersatz finden müssen. Als sie kurz angehalten hatten, damit sie den Rehhaut-Verband abwickeln und noch mehr Holunderbalsam auftragen konnte, waren seine Hände schon ganz dick geschwollen. An der Art, wie er ritt, den mächtigen Körper vornübergebeugt, sah sie, dass er starke Schmerzen hatte.

12

Frenchie steuerte das Kanu durch das weiß schäumende Wasser, seine kräftigen Arme handhabten das Paddel mit Leichtigkeit. Mühelos manövrierte er sich mit einem starken Zug des Paddels um einen großen, überspülten Felsen und durch Stromschnellen, die ihn zum Kentern zu bringen versuchten. Er ruderte rückwärts, wechselte mit dem Paddel die Seite und richtete das Kanu mit Druck wieder auf. Da hörte er das Tosen des Wasserfalls. Er stemmte die Beine gegen die Wände des Kanus, wechselte die Seite und führte das Paddel mit kurzen, kräftigen Zügen. Es hatte den Anschein, als sei das Kanu dem Sog des Wasserfalls entkommen.

»Nur noch ein Schlag«, sagte er zu sich selbst, »und es ist geschafft.«

Er beugte sich vor, sodass seine kräftigen Muskelstränge hervortraten, und tauchte das Paddel ins weiße, aufgewühlte Wasser. Doch als er die Beine für einen letzten Ruderschlag erneut gegen die Bootswand drücken wollte, spürte er sie auf einmal nicht mehr. Stattdessen fühlte er schrecklichen Schmerz im unteren Rücken. Er versuchte es noch mal, doch zu seiner Bestürzung war es, als wäre sein ganzer Unterleib nicht mehr da. Er wollte paddeln, doch ohne den Halt seiner Beine konnten seine Ruderschläge gegen die Kraft der tosenden Fluten nichts ausrichten. Verzweifelt versuchte er es erneut, doch das Kanu wurde vom Sog des Wasserfalls erfasst. Das Tosen war nun schon ohrenbetäubend laut. Eine weiße Dunstwolke stieg wie ein böses Vorzeichen aus dem vor ihm liegenden Abgrund empor. Wenn das Kanu nicht zu Splittern zerschmettert wurde, dann würde es unterhalb des Wasserfalls auf den Grund gezogen werden.

Er schätzte, dass seine einzige Chance zu überleben wohl darin bestand, über den Wasserfall hinauszuschießen. Er tauchte das Paddel ein und wollte das Kanu über die Kante des Wasserfalls rudern. Doch ohne die Unterstützung seiner Beine verlor er das Gleichgewicht und hätte das Boot beinah zum Kentern gebracht. Als er endlich wieder aufrecht saß, hatte sich das Kanu quer zur Strömung gedreht. Er konnte nichts anderes tun, als sich so gut wie möglich festzuhalten, da kippte er schon über die Kante.

Die Wogen schlugen ihm mit Wucht entgegen, als das Kanu auf die brodelnden Fluten am Fuß des Wasserfalls prallte. Schmerzhaft bohrte sich ihm das Tragejoch aus Eschenholz ins Kreuz. Dann wurde das Kanu von der Strömung erfasst und er wurde unter Wasser gezogen. Er kämpfte darum, sich zu befreien, doch seine Beine waren gefangen und lösten sich nicht aus dem Inneren des Bootes. Als er versuchte, sich mit den Füßen abzustoßen, reagierten sie nicht. Er spürte sie nicht mehr.

Seine Lungen fühlten sich an, als würden sie gleich bersten, und die Strömung zog das Kanu immer tiefer unter Wasser. Die Muskeln seiner starken Arme und Schultern zum Äußersten angespannt benutzte er seine Hände als Paddel und bemühte sich verzweifelt gegen den Strudel anzukommen und das Kanu an die Oberfläche zu zwingen. Langsam kam das Boot mit und er stieg empor. Seine Lungen brannten wie Feuer, als er das letzte bisschen Atemluft verbrauchte. Er sah das Licht über sich, doch das Kanu zog ihn immer weiter nach unten. Als er schließlich an die Oberfläche schoss, spritzte ihm Wasser ins Gesicht, sodass er kaum atmen konnte. Er spürte ein Zwicken an der Schulter. Weil er glaubte, es käme von einem abgebrochenen Holzstück des Kanus, wollte er es wegschieben. Da erwachte er mit einem Ruck und entdeckte, dass er nicht gegen das Kanu drückte, sondern gegen den Kopf seines Rappens.

Der Hengst entzog seinen Kopf Frenchies Griff, umschloss die Schulter seines Herrn mit seinen großen Zähnen und kniff ihn freundlich noch einmal. Wohl wissend, dass dies ein Zeichen der Zuneigung war, sagte der Franzose zu ihm: »Nimm dein Maul weg und hör auf, mich zu besabbern.«

Er kraulte den Schwarzen hinter den Ohren und sagte: »Wenn du mich noch mal beißt, sind deine großen Zähne in Gefahr. Falls du damit weiterhin Wiesengras fressen willst, solltest du mal lieber gut auf sie achtgeben.«

Frenchie gab Beau einen liebevollen Klaps und stützte die Hand auf den Boden, um sich aufzurichten. Da schoss ein scharfer Schmerz durch seinen Rücken, und als er zurückfiel, erinnerte er sich an das Klicken, mit dem Zed, der Riese, den Hahn seiner Muskete gespannt hatte. Seine durch ein Leben in ständiger Gefahr geschärfte Wahrnehmung hatte ihn gerettet. Der frühere französische Offizier, dann Reisende und nun zum Trapper gewordene Mann hatte den schwarzen Hengst scharf nach links gelenkt, um seinen Körper aus der Schusslinie zu bringen.

Hätte er sich nicht reflexartig beiseitegedreht, hätte das Geschoss seine Wirbelsäule durchschlagen. Stattdessen war es in den dichten Muskelstrang seitlich des Rückgrats eingedrungen und steckte nun dort fest.

Zwei Umstände hatten sein Leben gerettet: Zed hatte eine Muskete anstelle eines durchschlagkräftigeren Gewehrs und der Franzose hatte durch jahrelanges Paddeln stahlharte Rückenmuskeln entwickelt. Diese bremsten die Aufschlagkraft der Kugel ganz entscheidend. Das Letzte, woran er sich erinnerte, war, dass ihn die Wucht des Schusses vom Pferd gerissen hatte und er seine Beine nicht mehr spürte. Dann war sein Kopf auf etwas Hartes geprallt und alles um ihn herum war schwarz geworden.

Während seine Gedanken sich sammelten, überwältigte ihn einen Moment lang fast die Panik, als ihm wieder einfiel, wie er angeschossen worden war und gemerkt hatte, dass er die Beine nicht mehr bewegen konnte. Er versuchte mit aller Kraft sie zu regen, doch sie reagierten nicht. Mit der Hand konnte er am Rücken ertasten, wo die Kugel sein Jagdhemd durchdrungen und sich in seinen Rücken gebohrt hatte. Als er seine Finger betrachtete, waren sie voller Blut.

Er wusste nicht genau, wie lange er so dagelegen hatte, doch die Sonne hatte sich nach dem Mittag auf halber Höhe befunden und nun zeigten sich bereits die Schatten des Abends. Er drehte den Oberkörper, um zu sehen, ob Marcus und der Riese noch in der Nähe waren. Doch als ihm erneut ein schmerzhaftes Stechen in den Rücken fuhr, fiel er zurück. Schweiß bildete sich auf seiner Stirn.

Frenchie verfluchte sich, dass seine Wachsamkeit nach wochenlanger Reise mit Marcus und dessen Riesenknecht nachgelassen hatte. Er hätte doch wissen müssen, dass sie so kurz vor dem Ziel etwas Derartiges versuchen würden.

In seinen tief liegenden Augen spiegelte sich der Schmerz, doch abgesehen davon ließ das dauerhafte schiefe Grinsen auf seinem vernarbten Gesicht davon nichts erkennen. Mit der rechten Hand drückte er sich vom Boden ab und machte sich auf weitere Schmerzen gefasst. Sein dunkel gelocktes Haar wurde feucht vom Schweiß, als er nach dem Steigbügel griff. Er zog sich mit der linken Hand hoch und packte mit der Rechten die Sattelriemen. Er wusste, dass seine Bewegungen wahrscheinlich dazu führen würden, dass die Wunde weiter blutete.

Beim Blick zu Boden sah er mehrere Felsbrocken an der Stelle, wo er vom Pferd gefallen war. An zweien davon hafteten Blutspuren. Wahrscheinlich hatte er sich an dem einen den Kopf gestoßen und auf dem anderen mit dem Rücken gelegen. Er wusste es nicht, doch der Stein unter seinem Rücken hatte ihm das Leben gerettet, weil er direkt auf die Wunde gedrückt hatte, bis die Gefäße sich zusammenzogen und die Blutung aufhörte.

Seit er das Bewusstsein wiedererlangt hatte, hatte sich die Wunde infolge seiner Bewegungen wieder geöffnet. Wenn er jetzt keinen Weg fand, den Blutfluss zu stoppen, würde er verbluten. Ihm war nicht klar, ob ihm wegen des Schlags auf den Kopf so schwindelig war oder aufgrund des Blutverlusts. Doch er hatte die böse Ahnung, dass Letzteres der Fall war.

Als er sich am Sattel hochgezogen hatte, sah er die beiden Packpferde in der Nähe zufrieden grasen. Der blaugraue Wallach, den er Blue nannte, hatte Rohleder in einer der Packtaschen auf seinem Rücken, mit dem er die Wunde verbinden und den Blutfluss eindämmen könnte. Frenchie ließ sich zu Boden sinken und kroch mithilfe seiner Arme auf das Packpferd zu. Er hatte erst eine kurze Strecke zurückgelegt, da wich das Pferd vor Frenchies seltsamen Bewegungen ängstlich zurück. Er versuchte noch mehrere

Male sich ihm zu nähern, doch da das Packpferd weiterhin scheute, gab Frenchie schließlich auf und kroch langsam zu dem schwarzen Hengst zurück.

Er hielt sich mit der Hand am Sattel fest und zog sich langsam hoch, bis er sich am Sattelknauf abstützen konnte. Dann packte er die Schlaufe des Sattelgurts und zog fest daran, um die Schlinge zu öffnen, die den Gurt verschloss. Er schlang den linken Arm Halt suchend um den Hals des Hengstes, zog den Gurt durch die Schnalle und löste ihn. Dann nahm er den Sattel von Beaus Rücken und sagte zu ihm: »Jetzt hast du eine Chance, den Winter zu überleben, sofern dich kein Lasso und kein Wolfsrudel erwischt. Für deine beiden Freunde kann ich nicht viel tun. Vielleicht sind sie schlau genug, sich zu wälzen und die Satteltaschen abzustreifen.«

Schwitzend und mit verschwommenem Blick ließ sich Frenchie zu Boden nieder. Weil er spürte, dass sich die Wunde durch seine Bewegungen weiter geöffnet hatte, betastete er wieder seinen Rücken. Als er die Hand hervorzog, waren seine Finger blutbedeckt. Er wusste, dass er sterben würde, wenn er den Blutfluss nicht aufhielt. Also band er die Schlafrolle vom hinteren Teil seines Sattels. Er öffnete das Schwarzhornfell, das als Schlafdecke und Schlechtwetterschutz diente, und holte ein Paar Leggings hervor. Leicht benommen versuchte er sich auf die nötigen Schritte zu konzentrieren, um die Blutung zu stillen. Er rollte die Leggings zu einem festen Ballen zusammen und öffnete seinen Gürtel, an dem Jagdmesser, Tomahawk und ein Bleikugelbeutel hingen. Dann presste er das selbst gemachte Polster auf die Wunde und legte die Mitte des Gürtels über die zusammengerollten Leggings. Er zurrte den Riemen um seinen Bauch und verschloss die Schnalle, sodass das Polster fest auf die Wunde gedrückt wurde und eine Kompresse bildete.

Nachdem Frenchie diesen Verband befestigt hatte, war sein Gesicht bleich und feucht und er keuchte vor Anstrengung. Er wusste genug über Medizin, um zu erkennen, dass er unter Schock stand. Da gab es irgendetwas, was man in diesem Fall tun sollte, doch ihm fiel nicht ein, was es war. Er versuchte nachzudenken, doch sein Verstand war wie benebelt. Er rollte herum und spürte den Lederballen gegen seinen Rücken drücken. Mit letzter Kraft hob er seine Beine mithilfe der Hände an und legte die Füße auf den Sattel, damit sie erhöht ruhten. Er griff nach der Schwarzhorn-Robe, zog sie ein Stück weit über seinen Körper und dann wurde ihm schwarz vor Augen.

Irgendwann im Lauf der Nacht wachte er auf, frierend und verwirrt. Das Schwarzhornfell war weggerutscht und sein Mund war trocken. Seine Zunge fühlte sich an, als wäre eine Herde Büffel darüber hinweggetrampelt. Er konnte nichts sehen, doch er hörte das schwache Geräusch von über Steine fließendem Wasser. Die unbrauchbaren Beine hinter sich herziehend kam es ihm wie Ewigkeiten vor, bis er den Bach erreicht hatte. Er senkte den Kopf und trank in großen Schlucken von dem klaren Bergbachwasser, bis sein Bauch fast zu bersten schien. Sein Magen rebellierte und ihm war, als müsse er sich gleich übergeben. Doch dann verging die Übelkeit wieder.

Nachdem sein Durst gestillt war, merkte er, dass er unkontrollierbar zitterte. Ihm war kalt bis auf die Knochen. Er wusste nicht, ob das von der Kälte kam oder ob er Fieber hatte. Nachdem er unter Qualen wieder zum Sattel zurückgekrochen war, legte er sich auf die Satteldecke und versuchte, sich in die Schwarzhorn-Robe zu hüllen. Mit klappernden Zähnen lag er zitternd da. Er hatte sich mit der Fellseite nach innen in das dicke Schwarzhornfell gewickelt und so ließ das Zittern nach einer Weile nach und er fiel in einen unruhigen Schlaf.

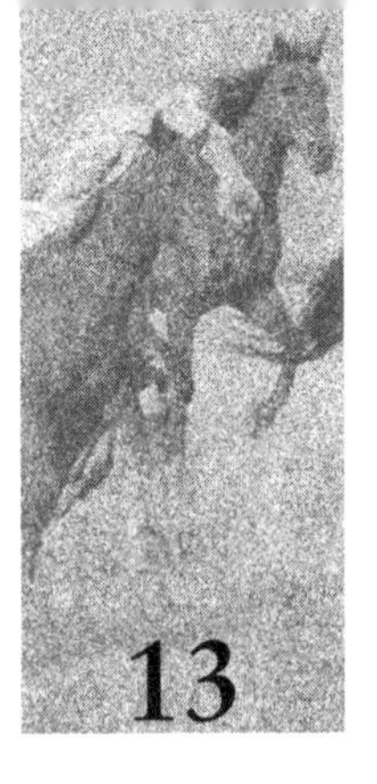

13

Die Reiter mit dem Zug der Pferde suchten sich langsam ihren Weg bergab durch eine Klamm voller Felsbrocken, umgestürzter Bäume und vereinzelter Schneefelder. Als sie die letzten Überbleibsel der Lawine vom vorigen Winter hinter sich gelassen hatten, winkte Tatanka Bright Heart, sie solle zu ihm auf die Anhöhe reiten, wo er mit Wase stehen geblieben war. Von dort aus überblickte man, wie die enge, vom Bach ausgehöhlte Schlucht, die sie herabgekommen waren, in einen, von einem Gletscher geformten weiten Talkessel auslief.

Die Tiefebene unter ihnen erstreckte sich über viele Meilen. Tatanka lächelte, als er Bright Heart tief Luft holen hörte. Er hatte sich darauf gefreut, ihr diese Aussicht zu zeigen. Ihr Gesichtsausdruck belohnte ihn fürs Warten. Das vor ihnen liegende Panorama hatte auch ihm beim ersten Anblick den Atem verschlagen.

»Oh! Dieser Blick ist großartig! Lass uns hier länger bleiben als nur eine Nacht«, sagte sie begeistert. »Sieh nur, all die Wiesen!« Weitläufige grasbewachsene Flächen lagen zwischen grünen Nadelbaumwäldchen mit Pinien, Fichten und Tannen, durchbrochen von herbstfarbenen, rotgolden bebenden Espenhainen. Das Tal wirkte, als hätte ein Künstler rote, blaue, gelbe und weiße Tupfer auf eine grüne Leinwand gemalt; die welken Blüten hochstieliger Butterblumen, blauer und gelber Akelei, gelber Primeln und rosafarbenen Heidekrauts zierten noch immer die Landschaft und mischten ihre verblassenden Farben zwischen das kniehohe grüne Wiesengras.

»Dieser See ist wirklich wunderschön und wie er die Berge widerspiegelt, die sich bis zum Ufer hinabziehen!«, sagte Bright Heart und deutete zur Westseite des Tales.

Mehrere Hundert Jahre lang war ein Bach auf der linken Seite des Tales entlanggeflossen. Dann war in einem Frühjahr durch ungewöhnlich warme Witterung weiter oben in den Bergen eine massive Schneeschmelze entstanden, sodass die Bachufer von Hochwasser überschwemmt wurden. Innerhalb eines halben Tages hatte sich der schnell fließende, klare Bergbach in einen tosenden Fluss voll aufgewühlten Schlamms verwandelt, der Bäume entwurzelte, große Felsbrocken verschob und sich alles zerstörend das Tal hinabwälzte.

Als das Hochwasser zurückwich, hatte sich der Lauf des Baches verändert. Er floss nicht mehr durchgängig an der linken Seite des Tales nach Süden. Auf etwa halbem Wege zog er nun eine hufeisenförmige Schlaufe, die gut einen Kilometer nach Westen verlief, ehe das Wasser nördlich in einen See einmündete, der sich in einer Bodensenke gebildet hatte. Der kristallklare See war etwa einen halben Kilometer breit und zog sich über mehr als einen Kilometer das Tal entlang, bevor das Wasser im Osten wieder in das ursprüngliche Bachbett einmündete und weiter nach Süden floss.

»Den Pferden würde eine Pause und Zeit zum Weiden guttun«, fügte Bright Heart hinzu, wohl wissend, dass Tatanka daran gelegen war, sie durch das Gebirge zu bringen, ehe die Winterstürme hereinbrachen, die er *Waziyata* nannte.

»Ich glaube, du hast recht. Die Pferde sehen schon leicht abgemagert aus«, sagte er. »Sie könnten nahrhafteres Futter brauchen als die Flechten und wenigen Büschel Gras, mit denen sie sich während der letzten beiden Tage auf der Reise über den hohen, felsigen Pass begnügen mussten. Ich bin sicher, auch Mahtowin wüsste eine Pause zu schätzen, damit Jeremiahs Hände allmählich verheilen können. Außerdem würden wir alle dadurch einen zusätzlichen Tag als Ruhepause vor dem Regen gewinnen.«

Als er ihr Lächeln sah, dachte er: *Wenn eine zweite Übernachtung an diesem Ort solch ein Lächeln auf ihr Gesicht zaubert, würde ich gern einen ganzen Mond lang hier bleiben, wenn wir nicht zusehen müssten, durch dieses Gebirge zu kommen, bevor wir eingeschneit werden.*

Sie wollte ihn fragen, woher er wusste, dass es regnen würde, wo sie doch, so weit das Auge reichte, am strahlend blauen Himmel nichts sah als die Überreste einer nach Osten verschwindenden, flaumigen weißen Wolke. Es war ihr ein Rätsel, wie er das Wetter immer so genau vorhersagen konnte. Fest überzeugt, dass er sich diesmal aber bestimmt irrte, beschloss sie, dazu nichts zu sagen, sondern abzuwarten und zu beobachten.

Stattdessen antwortete sie: »Wenn ich Rohrkolben finde, werde ich den Aufenthalt nutzen, um Brot zu backen.«

Auf die Vorstellung vom Genuss frisch gebackenen Brots reagierte er sogleich und deutete das Tal hinab.

»Siehst du die Wiese, wo der Bach nach Verlassen des Sees zur linken Seite des Tals zurückfließt? Dort werden wir bei einem Biberteich lagern. Am Ufer des Teichs wirst du Rohrkolben finden, um dein köstliches Brot zu backen.«

Das Wetter hatte den Großteil des Tages recht freundlich ausgesehen. Gelegentlich waren ein paar weiße Federwolken vorübergezogen und so weit man das lange, breite, baumbestandene Tal überblicken konnte, war der Himmel strahlend blau. Doch als sie am Lagerplatz bei einem der vielen Biberteiche angekommen waren, bemerkte Bright Heart, dass sich in den hinter ihnen liegenden Bergen allmählich dunkle Wolken auftürmten. Sie wusste, falls nicht der Wind die Richtung wechselte, käme Regen auf sie zu, noch ehe es dunkel wurde. Es sah also so aus, als habe Tatanka im Hinblick auf den Wetterumschwung auch diesmal recht gehabt. Mit einem Seitenblick zu ihm fragte sie sich, woher er das gewusst hatte.

Noch ehe sie die Wiese erreicht hatten, suchte Mahtowin ringsum schon nach Heilkräutern für Jeremiahs Hände. Sie hatte mehrere infrage kommende Pflanzen gesehen, doch sie wusste, dass ein Umschlag aus der Rindenhaut der Seidenkiefer am besten wäre. Glücklicherweise erspähte sie, als sie auf der Wiese ankamen, zwischen den im Tal verstreut stehenden Fichten, Espen und Föhren auch einige der heilenden Kiefern. Bis dahin hatte sie nichts finden können, das wirksamer war als die Medizin, die sie mitführte. Das Problem mit Jeremiahs Verletzungen war zudem, dass er sich ausruhen und seine Hände schonen musste. Eine Pferdeherde durchs Gebirge zu führen, war der Heilung seiner Wunden alles andere als förderlich.

Während Tatanka und Jeremiah die Pferde tränkten und auf die nächstliegende Wiese zum Weiden brachten, richteten die drei Frauen rasch ein Lager und teilten sich dann auf, um wildes Gemüse und Heilpflanzen zu suchen. Bright Heart sagte: »Ich habe an der Stelle, wo wir zuletzt den Bach überquert haben, zwei Cottonwood-Pappeln wachsen sehen. Meine Mutter bevorzugt die Rindenhaut dieser Pappeln, um Entzündungen und Schmerzen zu lindern, anstelle der Espenrinde, die Tatanka und Jeremiah benutzt haben.«

Sie nahm eine leere lederne Parflèche aus einer der Pferde-Packtaschen und fuhr fort: »Ich werde zurückgehen und so viel davon abschaben, wie wir bis zum Verheilen ihrer Wunden brauchen werden. Die Männer sprechen ja nicht darüber, daher ist es schwer abzuschätzen, wie stark ihre Schmerzen sind.«

Ohne zu wissen, dass die Cottonwood-Rinde, von der Bright Heart sprach, die Wirkstoffe Populin und Salicin enthielt, die später als Inhaltsstoffe von Aspirin bekannt werden sollten, antwortete Mahtowin: »Ich stimme dir zu. Meine Leute glauben, dass das geheiligte Cottonwood viele Heilkräfte besitzt. Es wird auch beim Heiligen Sonnentanz verwendet. Jetzt ist die beste Zeit, um die innere Rinde abzuschaben. Während du zur ehrwürdigen Pappel gehst, mache ich für Jeremiahs Hände einen Umschlag aus der Rinde von diesen Seidenkiefern«, sagte sie und zeigte auf die nahe stehenden Nadelbäume.

Mahtowin sah Bright Heart davonreiten, dann nahm sie ein kleines Handbeil und hackte mehrere Stücke aus der Rinde der Seidenkiefer. Nachdem sie die Borke gekocht hatte, zog sie die zarte Innenhaut von der Rinde und zerstieß diese, bis sie weich genug war, um sie auf Jeremiahs wunde, vom Seil zerfetzte Hände zu legen. Sie befeuchtete die zerstoßene Rinde mit dem dickflüssigen Sud aus dem Kochtopf und trug die Masse behutsam auf seine zerschundenen Handflächen auf. Dann band sie den Umschlag mit Streifen weichen Hirschleders fest und schalt ihn dabei: »Und dass du mir das nicht wieder abmachst, so wie die anderen Verbände! Deine Hände brauchen Zeit, um zu heilen.«

Der große *Mountain Man* hörte die Besorgnis in ihrer Ermahnung und antwortete lächelnd: »Meinen Händen geht es schon besser.« Dann hob er sie zärtlich hoch, küsste sie und fügte hinzu: »Ich verspreche, dass ich den Verband dranlasse.«

»Lass mich runter, bevor du die Wickel verdirbst«, entgegnete sie und versuchte, mit den Füßen den Boden zu erreichen.

Als er sie mit in der Luft baumelnden Füßen mühelos ausgestreckt vor sich hielt, ging ihm durch den Kopf, wie schön sie doch war, und er sagte: »Schau, deine Medizin wirkt schon. Durch nur einen Kuss sind meine Hände schon beinahe verheilt. Ich bin sicher, wenn du mich noch mal küsst, sind meine Hände wieder ganz gesund. Aber vielleicht solltest du mich besser gleich mehrmals küssen, um ganz sicherzugehen.«

»Ich habe gesagt, du sollst mich runterlassen, bevor du die Umschläge ruinierst«, antwortete sie mit gespielter Entrüstung und ging dann wieder zu den Seidenkiefern hinüber.

Als Bright Heart mit ihrer Parflèche voll abgeschabter Cottonwood-Rinde zum Lager zurückkam, gab sie ein wenig davon in einen kleinen Metalltopf, den sie zuvor halb mit Wasser gefüllt und zum Erwärmen neben das Feuer gestellt hatte. Während es sich erhitzte, grub sie mithilfe eines scharfen Stocks die Wurzeln der Rohrkolben aus, von denen Tatanka gesprochen hatte. Nachdem sie mehrere der langen Wurzeln hervorgeholt hatte, schrubbte sie im Teich die Erde davon ab. Sie legte die Wurzeln auf einen glatten Stein und zerstieß sie mit der flachen Seite ihres Handbeils zu einem faserigen Brei, den sie in eine mit Wasser gefüllte Blase gab. Am nächsten Morgen, nachdem sich die gelösten Inhaltsstoffe abgesetzt hätten, würde sie die groben Fasern entfernen und das Wasser abgießen, damit nur noch der stärkehaltige Bodensatz übrig blieb. Wenn dieser Brei am Rand der Feuerstelle getrocknet war, wollte sie ihn zu Mehl mahlen, aus dem sie das Fladenbrot backen würde, das Tatanka so gut schmeckte.

Während ihre Mutter und Bright Heart in der weiten Tiefebene, in die sie von Nordosten her gekommen waren, im Umkreis des Lagers nach Heilpflanzen suchten, ritt Tacincala auf der Suche nach *quamash*, also den Knollen der Prärielilie, am Bach entlang weiter talabwärts. Man konnte sie roh essen, getrocknet, zu Brei zerstampft oder, was Tacincala im Sinn hatte, gebacken. Sie würde eine kleine Grube ausheben, sie mit heißen Steinen vom Lagerfeuer auskleiden und die Lilienknollen zwischen Pinienzweigen hineinlegen und mit Erde bedecken. Sie hoffte auch einige wilde Zwiebeln zu finden, um sie mit dem Wildbret des Hirschs zu kochen, den Jeremiah am Vortag geschossen hatte. Sie ritt weiter als beabsichtigt, doch schließlich fand sie ein Lilienfeld, erkennbar an den Überresten welker blauer Blüten und Blätter, die fast wie lange Grashalme aussahen.

Mit einem feuergehärteten Stock, den sie aus einem der Packsättel geholt hatte, grub Tacincala mehrere Knollen aus, die an Küchenzwiebeln erinnerten, aber nahrhafter waren. Sie rieb gerade die Erde davon ab, da hörte sie ein Pferd wiehern. Sie beschloss nachzusehen und wollte schon aufsitzen, überlegte es sich dann jedoch anders. Da sie befürchtete, dass das andere Pferd den Geruch wittern könnte, ließ sie ihren Appaloosa angepflockt zurück und folgte dem Geräusch talabwärts am Bach entlang zu Fuß. Sie war noch nicht weit gegangen, als sie das Pferd erneut wiehern hörte, diesmal klang es schon näher. Vorsichtig schlich sie voran und erspähte drei Pferde auf einer kleinen Wiese am Ufer des Baches.

Sie konnte die Pferde durch ein Eichengehölz deutlich erkennen. Sie waren sicher noch nicht lange dort, denn zwei davon trugen noch Packsättel. Das dritte, ein großer Rappe, war ohne Sattel. Wahrscheinlich gab es nur einen Reiter. Doch warum hatte er den Sattel des Schwarzen abgenommen, die Packsättel aber nicht?

Sie machte kehrt, um den anderen davon zu erzählen, beschloss dann aber, sich erst noch etwas näher anzuschleichen. Irgendetwas an dem schwarzen Pferd ließ ihr keine Ruhe. Sie arbeitete sich weiter durch das Eichengehölz an dem kleinen Bach entlang, der den mit Bäumen bewachsenen nordöstlichen Saum des Tales durchzog.

Hinter dem Eichengestrüpp erkannte Tacincala, dass sie sich in eine gefährliche Lage gebracht hatte. Womöglich beobachtete der Besitzer dieser Pferde hier im gleichen Moment sie selbst. Sie wollte sich gerade davonschleichen, da bemerkte sie hinter dem Schwarzen irgendetwas auf dem Boden. Als die Pferde sich beim Weiden des dicken Berggrases bewegten, erspähte sie etwas, das aussah wie ein Sattel und ein daneben auf der Erde liegender Mensch.

Im selben Augenblick erkannte sie den schwarzen Hengst.

Ohne an ihre eigene Sicherheit zu denken, stieß sie einen leisen, überraschten Laut aus und rannte zu dem Liegenden. Als sie nahe genug herangekommen war, um seine Gesichtszüge deutlich zu sehen, rief sie: »Frenchie! Ach, Frenchie! Bist du das?«

Da er nicht reagierte und sie Blut an seiner Stirn bemerkte, hielt sie ihn für tot. Sie schlang die Arme um ihn und begann zu weinen.

Die schöne siebzehnjährige Lakota war Frenchie nur einmal kurz begegnet, als Marcus' Trupp von Halsabschneidern versucht hatte, sie und ihre Mutter gefangen zu nehmen. Zuerst hatte sie sich vor dem Franzosen geängstigt, der mit seinem vernarbten Gesicht und dem kräftigen Körper so furchterregend wirkte. Nachdem er sie aber vor Marcus gerettet und ihr zur Flucht verholfen hatte, sah sie ihn mit anderen Augen.

Im Lauf ihrer Jugend war sie in mehr als einen Jungkrieger ihres Dorfes verliebt gewesen, selbst in Tatanka. Doch nun begriff sie, dass dies nur Schwärmereien gewesen waren. Ihre Mutter ahnte nicht, wie stark sie für den französischen Kundschafter empfand. Doch wenn sie Frenchie heiratete, würde ihre Mutter merken, dass es diesmal ernst war … dann wäre sie überzeugt.

Auch Frenchie hatte keine Ahnung. Allerdings war sie ihm rätselhafterweise nicht aus dem Sinn gegangen und er hatte noch oft an das goldäugige Mädchen gedacht, obwohl er sie eigentlich doch längst hätte vergessen sollen. Er glaubte, sie sei jünger, als sie war, und folglich viel zu jung für ihn. Außerdem wollte er sich nicht binden. Nicht mehr, seit seine Frau gestorben war und man ihn deshalb des Mordes angeklagt hatte.

Tacincalas Kopf lag auf seinem kräftigen Brustkorb und mit tränenüberströmtem Gesicht schluchzte sie: »*Hinu-Hinu!*«, als Ausdruck ihres herzzerreißenden Schmerzes über seinen Tod.

Als sie sich ausgeweint hatte, verebbte ihr Schluchzen allmählich, bis sie nur noch ihren eigenen Atem hörte und das schwache Bum, Bum, Bum unter ihrem Ohr. Urplötzlich erkannte sie, dass dies Frenchies Herzschlag war. Sie hob den Kopf und sah ihm ins Gesicht.

Mit von dunklen Locken umrahmten tief liegenden Augen, hohen Wangenknochen und kräftiger Nase sah er sehr anziehend aus. Sie konnte nicht widerstehen, die Narbe zu berühren, die sich auf seiner linken Wange bis zum Mundwinkel zog und diesen zu einem schiefen Grinsen hob. Die Narbe verlieh ihm ein wildes, umso interessanteres Aussehen und sie fragte sich, wie er wohl dazu gekommen war. Sie legte die Hand auf sein abgetragenes Hirschlederjagdhemd.

»Bitte sei am Leben! Du darfst nicht tot sein! Ich weiß, dass dein Herz noch schlägt. Du musst lebendig sein! Verlass mich nicht«, sagte sie halb zu ihm, halb zu sich selbst. Dann, um ihn ins Leben zurückzulocken, flüsterte sie ihm ins Ohr: »Ich werde dir auch das weichste und allerschönste Jagdhemd machen, das du je gesehen hast.«

»*Oui*! Isch glaub, das ist beste Angebot, das Frenschie je bekommen hat, *ma belle femme*, meine schöne Dame!«, sagte er so unvermittelt, dass sie zusammenzuckte, und schenkte ihr ein grimassenhaftes Lächeln.

Freudig umarmte sie ihn und rief: »Oh! Du lebst!« Dann wurde ihr bewusst, was sie da tat, und sie ließ ihn augenblicklich wieder los.

Noch im Unklaren über das Ausmaß seiner Verletzungen sagte sie: »Du hast eine Wunde am Kopf.«

»*Oui!*«, antwortete er keuchend und öffnete die Augen. »Isch lebe noch oder doch nischt? Bist du ein Engel? Oder ist meine *jolie fille*, mein schönes Mädschen, zurückgekehrt, um Frenschie in seiner Todesstunde zu trösten?«

Voller Entsetzen sah sie, wie er die Augen zumachte und seufzte, als täte er den letzten Atemzug.

»Nein! Oh nein! Du darfst nicht sterben!«, rief sie verzweifelt. Tränen schossen ihr in die Augen. Sie nahm seinen

Kopf in ihre Hände und sagte zu ihm: »Du kannst jetzt nicht sterben. Ich habe mein ganzes Leben lang auf dich gewartet.«

Sie beugte sich vor, küsste ihn sanft auf die Wange und flehte: »Bitte verlass mich nicht.« Dann, während ihr Tränen übers Gesicht liefen, fügte sie nach kurzem Zögern hinzu: »Ich würde für dich kochen, deine Kinder zur Welt bringen, mich um dein Zelt kümmern, die Häute der Tiere abschaben, die du erlegt hast, sie gerben und weichkauen und dir die allerschönsten Jagdhemden nähen, die du je gesehen hast!«

Kaum hatte sie das gesagt, spürte sie, wie seine Brust sich hob und er wieder einatmete, nachdem er den Atem angehalten und sie hatte glauben lassen, er wäre tot.

»*Oui, oui!*« Er seufzte. »Ein schönes Jagdhemd aus der Hand eines so schönen Mädschens, das meine Kinder zur Welt bringt …«

Sie warf ihm beglückt die Arme um den Hals und sagte: »Du lebst!«, ließ ihn aber gleich wieder los, als ihr klar wurde, dass er ihre vorigen Worte gehört haben musste. Verlegen senkte sie den Kopf und versuchte auf Abstand zu gehen. Das Blut stieg ihr ins Gesicht und färbte ihre Wangen dunkelrot.

Als Frenchie die Verlegenheit des schönen jungen Mädchens sah, hatte er Mitleid. Doch wie es eben seine Art war, konnte er nicht widerstehen sie zu necken.

»Du bist wohl doch kein Engel, wenn du Frenschie erst einen Kuss gibst, um ihn gesund zu machen, aber disch dann so eilig zurückziehst, dass ihm das arme Herz dabei brischt?« Bei diesen Worten schoss ein so heftiger Krampf durch seinen unteren Rücken, dass ihm die Luft wegblieb. Er versuchte jedoch, sich nichts anmerken zu lassen.

Nun, da er sie von Nahem betrachtete, erkannte er, dass das Mädchen, das er da neckte, gar nicht so jung war, wie er angenommen hatte. Wenngleich klein und schlank, war die Figur unter dem weichen Rehlederkleid nicht die eines Kindes, sondern einer jungen Frau. Ungeachtet dessen war sie in seinen Augen zu zart für einen Mann wie ihn.

Als sie ihre Verlegenheit zu verbergen suchte, sah er deutlich, wie schön sie war mit dem dunklen Haar, der gebräunten Haut und dem strahlenden Lächeln, das ihre mandelförmigen goldenen Augen unterstrich. Trotz stechender Schmerzen konnte er es nicht lassen, mit ihr zu flirten.

Ganz aus der Fassung gebracht erklärte sie ihm: »Ich dachte, du würdest sterben. Es tut mir leid. Ich ... ich wollte nicht ...«

»Nach einem Kuss«, unterbrach er sie, »ist es gewiss, dass Frenschie nun kann sterben als glücklische Mann.« Er hielt inne, zwinkerte ihr zu und ergänzte dann: »Aber, wenn isch könnte bekommen noch eine Kuss, isch würde sogar lang genug leben, um die Enkel meiner Enkelkinder zu sehen. Dann würde isch ganz gewiss sterben als glücklische Mann.«

Schwankend, ob ihre Erleichterung überwog, dass er nicht starb, oder ihre Verlegenheit, dass sie ihm gesagt hatte, wie viel er ihr bedeutete, setzte sie zu einer Antwort an. Doch dann stieg in ihr der Verdacht auf, dass er sie womöglich die ganze Zeit über genarrt hatte. Er hatte gar nicht an der Schwelle des Todes gestanden, er hatte sie nur an der Nase herumgeführt und sie das glauben lassen. Beschämt und ärgerlich sagte Tacincala: »Offenbar habe ich einen Fehler gemacht.«

»Und was für Fehler ist es, die du gemacht hast?«, fragte Frenchie.

»Ich hielt dich für einen anderen namens Frenchie«, antwortete sie und rückte von ihm ab.

»Aber es ist ja Frenschie, mit dem du sprichst«, sagte er.

»Nein«, gab sie zurück. »Ich dachte, du wärst der Frenchie, der mich vor dieser schrecklichen fetten *mitàpih'a*, der Kröte Marcus gerettet hat.«

»Aber es ist ja dieser Frenschie«, wiederholte er. »Wie viele Frenschies gibt es denn mit dem hier?«, entgegnete er, zeigte auf seine Narbe und fürchtete schon, sie könne fortgehen.

»Der Mann, der mich gerettet hat und in den ich mich verliebt habe …« begann Tacincala, ehe ihr aufging, was sie da sagte. »Ich … ich … meine, dieser Frenchie würde keine Lügen erzählen und mir vormachen, er läge im Sterben. Er würde mich nicht zum Weinen bringen wollen«, erwiderte sie und wandte sich ab.

Als sie sich umdrehte, bewegte sich der französische Scout und ein rasender Schmerz durchfuhr seinen Körper. Nach außen hin ließ er sich nicht anmerken, dass etwas nicht stimmte. Es war seine Art, über die Dinge zu scherzen. Vor allem, wenn es um etwas ging, das er schwierig oder belastend fand. Doch seit man ihn des Mordes angeklagt hatte, war es ihm kaum noch möglich, sich zu öffnen. Abgesehen von wenigen Lakota-Freunden gab es kaum jemanden, dem er so sehr vertraute, dass er sich auf ihn verlassen oder ihm von seiner Vergangenheit erzählen würde. Sein Freund Black Badger hatte einst zu Frenchie gesagt: »Alles Wertvolle im Leben ist nicht ohne Risiko.«

Es war ein Leichtes gewesen, mit Tacincala über seinen Zustand zu scherzen, doch nun, da er wirklich Hilfe brauchte, wollte sein Stolz nicht erlauben, diese Bedürftigkeit einzugestehen.

Körperlich zeigte er nicht, dass er Schmerzen litt. Tacincala ging wieder zu ihrem Pferd und war entschlossen, nicht zurückzusehen. Selbst wenn er sie anflehte, würde sie nicht umkehren, sagte sie sich. Mit jedem Schritt entfernte sie sich weiter von dem Franzosen. Bei jedem Schritt erwartete sie, dass seine Stimme sie zurückriefe. Sie würde ihm zeigen, dass sie ebenso willensstark sein konnte wie er. Doch dann wurde ihr klar, was sie in seinen Augen gesehen hatte: Schmerz. Er hatte starke Schmerzen, wollte es aber nicht zugeben oder um Hilfe bitten. Tacincala hatte es in seinem Blick gelesen. Außer der Platzwunde an seinem Kopf war noch etwas anderes nicht in Ordnung mit ihm.

Ihren Ärger und ihren Stolz vergessend eilte sie zu ihm zurück.

»Du bist verletzt?«, rief sie und erkannte im selben Moment, wie unsinnig diese Frage war.

»*Oui, ma chérie.* Frenschie hat versucht, mit seinem Kopf einen Felsen zu spalten, aber das ist nischt so schlimm. Schlimm ist, dass Zed Frenschie in die Rücken geschossen hat. Wenn du so freundlisch wärst, mir etwas Wasser vom Bach zu holen, wüsste Frenchie dies außerordentlich zu schätzen. Es ist ein weiter Weg, wenn man krieschen muss, weil die Beine gerade nicht im Dienst sind«, antwortete er mit einem schrägen Grinsen, das den stechenden Schmerz überspielte, der bei der geringsten Bewegung durch seinen Rücken schoss.

14

Tacincala überlegte, ob sie ihre Mutter zu Hilfe holen sollte, fürchtete aber, Frenchie könnte an der Schusswunde verbluten, wenn sie nicht sofort etwas unternahm. Um eine Kompresse mit Anemonenwurzeln zu bereiten, wusch sie die Erde von den Wurzeln und klopfte sie auf einem flachen Stein aus dem Bachbett weich. Sie rief sich die Worte des heilenden Liedes ins Gedächtnis und sang dieses, während sie die Wunde mit der Wurzelmasse bestrich. Nachdem sie die Paste mit großen Huflattichblättern bedeckt hatte, band sie diese mit einem breiten Streifen Hirschleder fest, den sie in einer von Frenchies Satteltaschen gefunden hatte.

Sie wünschte, sie hätte besser zugehört, als Mahtowin sie in der Kunst des Heilens zu unterrichten versucht hatte. Ihre Mutter hatte sowohl Sumach- als auch Anemonenwurzeln angewandt, um Blutungen zu stillen und Wunden zu heilen, doch Tacincala konnte sich nicht mehr genau erinnern, was sie mit den Wurzeln gemacht hatte. Auch wusste sie nicht mehr genau, ob man beide auch gleichzeitig anwandte.

Ihr fiel ein, dass bei der Behandlung des weißen Trappers Dan im Tal des Bären sowohl Tatanka als auch Bright Heart Chia-Samen zur Heilung von Schusswunden für das Beste hielten. Sie hatten die Samen eingeweicht und auf Dans Wunde gebunden. Wenn seine rasche Genesung etwas über die medizinische Wirksamkeit von Chia aussagte, hatten sie recht gehabt. Tacincala glaubte, dass sich im Lager in einer der Packtaschen eine Parflèche mit Chia-Samen befand, doch das würde warten müssen, bis sie Frenchie unbesorgt allein lassen konnte.

Der Franzose war in unruhigen Schlaf gefallen. Sie beobachtete, wie sich sein Brustkorb hob und senkte, und war zufrieden mit dem Tee aus Weiden- und Espenrinde, den sie ihm zur Schmerzlinderung und Beruhigung verabreicht hatte. Offensichtlich wirkte der Tee, denn er verzog nun nicht mehr jedes Mal schmerzverzerrt das Gesicht, wenn er seine Lage an der Rückenlehne veränderte, die sie aus mit seiner Schwarzhorn-Robe bespannten Weidenzweigen angefertigt hatte.

* * *

Tacincala drückte das abgeschnittene Ende des letzten Tannenastes zwischen die zwei Querstreben aus Weidenholz und band es mit einem Streifen Rinde fest, den sie mit ihrem Messer von einer Weidenrute geschält hatte. Beim Blick talaufwärts sah sie, dass die dunklen Wolken, die sich über den Gipfeln zusammengebraut hatten, nun allmählich tiefer sanken und regenschwer auf sie zukamen.

Mittlerweile hatte der Regen die anderen sicher schon erreicht. Tacincala fragte sich ein wenig schuldbewusst, ob ihre Mutter und Bright Heart wohl schon das Tipi aufgestellt hatten. Dabei hätte sie eigentlich helfen sollen, ebenso wie bei der Zubereitung der Abendmahlzeit. Die anderen würden ihre Arbeit mit übernehmen müssen, während sie hier bei Frenchie war.

Sie begutachtete den Unterstand, den sie in aller Eile über

dem Franzosen errichtet hatte, und sah zufrieden, dass er ihm vor dem nahenden Gewitter Schutz bot. Zum Glück standen Tannen in der Nähe, die sie hatte benutzen können. Deren Zweige mit den seitlich abstehenden Nadeln hielten Wind und Regen besser ab als die ringsum benadelten Fichten und Kiefern.

Nachdem Frenchies Wunden versorgt waren und der Unterstand ihn schützte, war ihr nächster Gedanke, dass er etwas zu essen brauchte. Sie wusste nicht, vor wie langer Zeit er angeschossen worden war, doch seither hatte er sicher nichts zu essen gehabt. Tacincala begann in einem Eisentopf, den sie in einer der Taschen gefunden hatte, als sie die beiden Packpferde von ihrer Last befreite, eine Mahlzeit zuzubereiten. Anstatt den *quamash* wie geplant in einer heißen, mit Steinen ausgelegten Feuerstelle zu rösten, wusch sie die Knollen, schnitt sie klein und kochte sie zusammen mit den Stielen, Wurzeln und wilden Zwiebeln.

Frenchie hatte mit aufgestütztem Kopf fasziniert beobachtet, wie Tacincala über die Lichtung ging und von einer Pflanze Blätter pflückte und von einer anderen Blüten oder Stiele. Im Nu hatte sie die Hände voller essbarer Pflanzen und Kräuter, die sie im Bach abspülte und dann zu dem köchelnden Topfinhalt gab. Als die Wirkung des Beruhigungsmittels eingesetzt hatte, war der Franzose eingeschlafen. Nun träumte er von einer goldäugigen Nymphe.

Tacincala wollte sich gerade vom Kochtopf entfernen, da bemerkte sie zwei Männer. Zuerst dachte sie daran, die beiden um Hilfe zu bitten, doch ein Blick genügte, um ihre Meinung zu ändern. Bei der Art, wie die beiden sie ansahen, lief ihr ein Schauer über den Rücken.

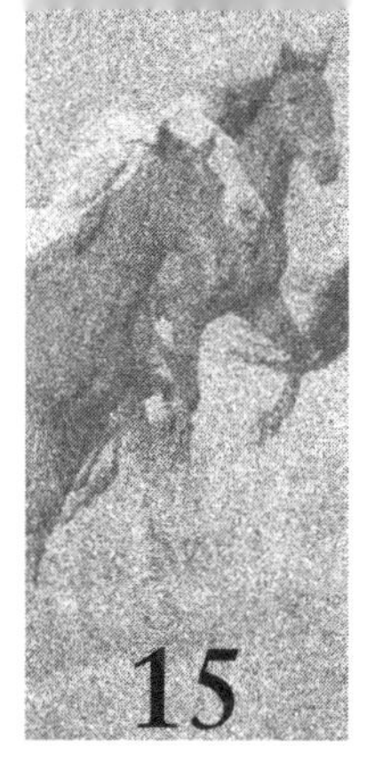

15

Wäre Frenchie nicht verletzt dagelegen, wäre Tacincala vor den Männern davongelaufen.

Sie hoffte sich zu täuschen, doch sie fürchtete, dass die beiden ihr und dem Franzosen Böses wollten. Wenn Frenchie doch nur nicht verletzt wäre, dann würden die Männer es bestimmt nicht wagen, sie so anzusehen! Wenn Frenchie bei ihr wäre, würde sie sich vor gar nichts fürchten. Dann fiel ihr ein: Er ist ja da!, und einen Moment lang beruhigte sie das, bis ihr klar wurde, dass er, verletzt wie er war, sie nicht beschützen konnte.

Der Mann zur Rechten war mindestens einen Kopf größer als der linke. Alles an ihm wirkte stark und stämmig. Seine Beine und Arme sahen aus wie aus Eiche geschnitzt. Langes lockiges Haar hing unter einem schmierigen Lederhut hervor, der ebenso stank wie sein verdrecktes Hirschlederjagdhemd und seine Leggings. Auf den ersten Blick schien er fleckige dunkle Haut zu haben. Doch bei genauerem Hinsehen erkannte sie, dass sein Gesicht von Schmutz und dem Ruß zahlloser Lagerfeuer verkrustet war und deshalb so dunkel erschien. Als er näher kam, verpestete sein Gestank die Bergwiese wie der Hauch einer fremden Seuche.

Der andere Mann dagegen war zwergenhaft. Als Tacincala näher hinsah, schien sein Oberkörper von normaler

Größe zu sein. Seine Beine jedoch ließen ihn klein wirken. Sie waren viel kürzer als normal, sodass seine Gestalt oberlastig wirkte. Seine sonnengebräunte Haut war die eines Indianers. Doch seine scharfen, adlerhaften Gesichtszüge deuteten auf etwas anderes. Sein Blick verunsicherte sie am meisten und erinnerte sie daran, wie dieser fette Marcus sie angesehen hatte. Noch nie hatte sonst jemand sie mit solchen Blicken gemustert. Tacincala versuchte, sich ihre Angst nicht anmerken zu lassen.

Als er mit seinem Kameraden sprach, wurde deutlich, dass der Kleine ein weißer Mann war oder zumindest lange Zeit unter Weißen gelebt hatte, denn man hörte keine Spur eines indianischen Akzents.

»Schau mal einer an, was wir da haben, drei geschenkte Gäule und 'ne hübsche Squaw zu freier Verfügung.« Er ging zu dem Unterstand hinüber, spähte hinein und meinte: »Und 'nen nutzlosen alten Bock, der flachliegt und schnarcht. Ist wohl im Suff hingefallen und hat sich wehgetan, so wie's aussieht.«

Er wandte sich um zu dem größeren Mann mit Spitznamen Trunk, weil er so stämmig war wie ein Baum, und sagte: »Trunk, hol den Faulpelz aus unserem neuen Unterschlupf und schick ihn auf die Reise, damit wir in unserm neuen Lager häusliche Freuden genießen können.«

»Und wenn er nicht gehen will, Jeb?«, fragte der Große schwerfällig.

»Dann stell ihn vor die Wahl, ob du ihm wie einem Huhn den Hals umdrehst oder ob er möglichst schnell von hier verduftet«, antwortete der Kleine. Glucksend fügte er hinzu. »Sogar Rothäute haben genug Grips, um Leine zu ziehen, wenn sie deine riesigen Pranken sehen.«

Tacincalas Blicke verrieten nichts, als sie den kleinen

Mann unbeholfen auf sich zutrippeln sah. Hinter ihrem Rücken hielt sie das Messer, mit dem sie die Weiden entrindet hatte, und war bereit, es ihm in den Leib zu rammen, wenn er näher käme. Doch zuvor blieb er an der Feuerstelle stehen und schnupperte den aromatischen Essensduft, dann tauchte er die Hand in den Topf und schöpfte mit seinen dreckverkrusteten Fingern etwas von der dicken Suppe samt einer Zwiebel heraus. Zu heiß, um es in der Hand zu behalten, hob er sie rasch zum Mund. Fast hätte er den heißen Eintopf wieder ausgespuckt, besann sich dann aber und kaute geräuschvoll. Zwischen Luftschnappen, um den Mund zu kühlen, und lautem Schmatzen sagte er: »Das schmeckt fast so gut, wie es riecht. Trunk, ich glaub, wir haben eine indianische Köchin gefunden. Wenn sie unter dem Büffelfell da auch nur halb so viel taugt wie beim Kochen, dann wird's uns diesen Winter beim Fallenstellen richtig gut gehen.«

Der Mann wischte die Hand an seinem Jagdhemd ab, das so fettverschmiert war, dass es kaum noch nach Hirschleder aussah.

»Ich mach mal einen kleinen Spaziergang bachaufwärts, um sicherzugehen, dass da nicht noch mehr Rothäute sind, während du dich um den Alten kümmerst. Außerdem wird es Zeit, dass wir ihm den Marsch blasen.«

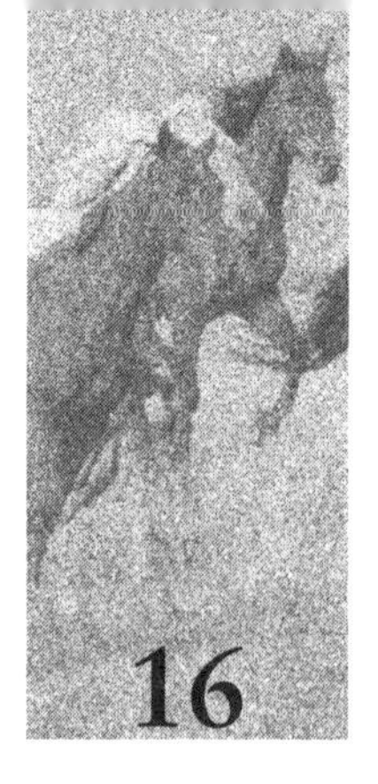

16

Tacincala umklammerte das kleine Abhäutemesser hinter ihrem Rücken und war bereit, sich damit zu verteidigen. Dabei bemühte sie sich, es vor Trunk zu verbergen. Sie wand sich innerlich, während der kurzbeinige Mann sich die Essensreste von den Fingern leckte und sie mit Blicken entblößte. Als er sich umwandte und unbeholfen zu seinem Pferd wackelte, entspannte sie sich ein wenig. Sie fragte sich, wie er wohl in den Sattel kam, denn seine Beine waren viel zu kurz, um die Steigbügel zu erreichen.

Es wirkte ganz mühelos, wie er mit der linken Hand den Sattelknauf und mit der rechten den mit Rohleder bezogenen hölzernen Hinterzwiesel packte und sich hinaufschwang. Er ritt talaufwärts den Bach entlang, in die Richtung, aus der Tacincala gekommen war, drehte sich dann im Sattel um und sagte zu dem anderen Trapper: »Hier muss irgendwo noch ein anderes Pferd sein, die reiten nicht zu zweit auf dem Rappen, was für Pferdestärke auch immer der haben mag. Die Packpferde teilen wir auf. Ich nehme den Hengst und du kannst das andere Pferd kriegen.«

Der Größere erwiderte: »Wenn ich den Kerl hier losgeworden bin und die hübsche kleine Squaw gefesselt hab, schau ich zur Sicherheit noch bachabwärts, ob da nicht noch mehr Rothäute rumhängen.« Dann ging ihm auf, was Jeb im Sinn hatte, und er rief ihm aufgeregt hinterher: »Und was ist, wenn wir kein anderes Pferd finden, was ich kriegen kann?«

Ohne sich umzusehen gab der kleine Mann zurück: »Wie ich sagte, du kannst das andere Pferd haben, *wenn* wir eins finden.«

Trunk schaute Jeb einen Moment lang hinterher. Dann hob er zornerfüllt ein Stück Holz auf, so dick wie sein Unterarm, brach es entzwei und schleuderte Jeb, der gerade hinter einem dichten Eichengehölz verschwand, die eine Hälfte hinterher. Als er sich umwandte und auf sie zukam, lief Tacincala beim Anblick seines Gesichtsausdrucks ein Schauer über den Rücken.

Sie wollte weglaufen. Doch als sie zu dem verwundeten Franzosen hinübersah, hielt sie inne. So sehr sie sich auch vor dem nahenden Weißen fürchtete, konnte sie doch Frenchie nicht im Stich lassen.

Mit anzüglichem Grinsen kam er auf sie zu und sie bemerkte, wie groß und kräftig er war. Sie war nicht sicher, ob Frenchie, selbst wenn er nicht verwundet gewesen wäre, mit diesem großen Trapper fertig würde. Sie umklammerte das Messer noch fester.

»So ist's recht, bleib du mal schön, wo du bist«, sagte er mit unverhohlenem Feixen und griff nach ihrem Arm. »Werd dich anbinden, damit du nicht wegrennst, während ich den Taugenichts da loswerde, der wo nur Platz wegnimmt in dem feinen Unterstand, wo du beim guten alten Trunk liegen wirst.«

Wie eine angreifende Klapperschlange zog sie das Messer hinterm Rücken vor und stach nach ihm. Die Spitze des rasierklingenscharfen Abhäutemessers durchdrang sein straff über den massigen Brustkorb gespanntes Hirschlederjagdhemd. Da fuhr ein brennender Schmerz durch ihren rechten Arm. Das Messer entglitt ihrer gefühllosen Hand und fiel zu Boden. Sie versuchte, sich zu entwinden, gab aber auf, als der Trapper den eisenharten Griff noch verstärkte. Er packte sie mit der freien Hand an den Haaren und hob sie fast vom Erdboden hoch, als er ihr Gesicht vor seines zwang.

Tacincala wusste nicht, was schlimmer war: der schreckliche Schmerz im Arm, der Gestank oder der widerliche Geschmack, als er versuchte, sie zu küssen, und sie ihn in die Lippe biss.

»Verfluchte rote Schlampe«, sagte er und schlug sie mit dem Handrücken zu Boden. Er hob die andere Hälfte des Astes vom Boden auf und drohte: »Dir werd ich Benehmen beibringen, du heidnische Rothaut.«

Doch ehe Trunk sie schlagen konnte, schoss etwas großes Pelziges aus dem Unterstand auf ihn zu. Auf den ersten Blick sah es aus wie eine Mischung aus Wolf und Büffel. Bevor Trunk erkennen konnte, was es war, hatte es sich schon auf ihn gestürzt.

* * *

Frenchie erwachte aus dem durch die beruhigende Wirkung des Weidenrinden-Tees herbeigeführten Schlaf. Noch etwas benommen, versuchte er sich zu besinnen, wo er war. Da hörte er einen Mann laut fluchen. Beim Blick ins Freie sah er, wie ein großer, in Hirschleder gekleideter Weißer Tacincala niederschlug und einen abgebrochenen Ast über den Kopf hob, um sie zu verprügeln.

Mit mehr tierisch als menschlich klingendem Gebrüll ging Frenchie auf den Mann los. Ohne auf den Schmerz in seinem Rücken und die um seinen Körper gewickelte

Schwarzhorn-Robe zu achten, riss er sich mit den Armen vorwärts und zog die gelähmten Beine hinter sich her.

Im ersten Moment wusste der Trapper nicht recht, was für ein Tier ihn da angriff, bis die Schwarzhorn-Robe herunterglitt. Dann erkannte er, dass es nur der Indianer war, der in dem Unterstand geschlafen hatte. Er schlug mit dem Knüppel nach dessen Kopf, traf allerdings nur seine Schulter. Bevor er den Knüppel erneut schwingen konnte, umklammerte der Indianer wie eine eiserne Bärenfalle sein Fußgelenk. Da erst sah er zu seinem Erstaunen, dass es kein Indianer war, der ihn da festhielt. Es war ein sonnengebräunter Weißer mit dichten dunklen Locken auf dem Kopf und massigen, breiten Schultern. Was Trunk jedoch am meisten erschreckte, war eine Narbe, die den Eindruck vermittelte, als würde der Mann ihn mit schiefem Grinsen auslachen.

Trunk versuchte, den Fuß loszureißen, doch das Narbengesicht verstärkte noch seine Umklammerung. Durch sein Fußgelenk schoss ein Schmerz, als würde sein Knöchel zerquetscht. Als er versuchte, mit dem freien Fuß nach ihm zu treten, riss der narbengesichtige Mann ihm die Beine unter dem Körper weg. Mit lautem Plumps fiel er zu Boden und es verschlug ihm vorübergehend den Atem.

Dann machte der Franzose einen Fehler. Als ein schmerzhaftes Reißen durch seinen Rücken fuhr, ließ er den Knöchel des Trappers los. So konnte Trunk sich herumrollen und befreien und kam wieder auf die Beine, ehe Frenchie ihn zu fassen bekam. Und als er sah, wie der Franzose beim Versuch sich zu ihm umzudrehen die Beine nachzog, erkannte der Trapper, dass der Narbengesichtige ihm unterlegen war.

Zuversichtlicher, nachdem er dem knochenzermalmenden Griff entkommen war, zielte der große Trapper mit einem festen Tritt auf Frenchies Kopf. Der versuchte ihm auszuweichen, aber ein erneutes Reißen im Rücken hemmte ihn. Erst im letzten Moment, als der Fuß auf seinen Kopf traf, ließ der Schmerz so weit nach, dass er sich zur Seite rollen konnte. Dennoch fühlte sich der Tritt, der ihm sonst das Genick gebrochen hätte, so an, als hätte man ihm halb den Kopf abgerissen, und er sah kurzfristig schwarze Punkte.

Nach einem harten Fußtritt in die Nieren rollte sich Frenchie auf den Rücken, um sich mit den Armen zu schützen.

Als der Trapper gerade das Gewicht auf den linken Fuß verlagert hatte, um den Franzosen erneut zu treten, hörte er ein Klicken, mit dem Tacincala Frenchies Gewehr entsichert hatte.

Der Trapper erstarrte. Als er sich umwandte, sah er, wie das Indianermädchen ein Steinschlossgewehr auf ihn richtete.

»Nicht schießen«, sagte er flehentlich. Er näherte sich nun mit völlig veränderter Haltung. »Ich hätt dir nicht wehgetan«, fügte er hinzu, um sie abzulenken.

Als sie einen Moment zögerte, stürzte er sich auf sie und knurrte: »Dich werd ich lehren, mit einem Gewehr auf Trunk zu zielen.« Er packte das Ende des Laufs und drohte: »Du rote Heidin wirst schon noch lernen, was Schmerzen sind.«

Als er am Lauf des Gewehrs zerrte, staunte er, wie kräftig Tacincala war. Er packte mit beiden Händen zu und wollte ihr die Waffe mit einem Ruck entreißen, da wurden ihm die Beine unterm Körper weggezogen. Er fiel flach auf den Rücken und ein zweites Mal verschlug es ihm den Atem. Als er sich wieder erheben wollte, traf diesmal jedoch Frenchies Faust sein Kinn. Er fühlte, wie sein Kieferknochen brach, und ihm wurde schwarz vor Augen.

Mit Tacincalas Hilfe zog Frenchie sich mit einem Arm vorwärts, während er mit dem anderen den bewusstlosen Trapper zu einem Baum schleppte. Zu dem Zeitpunkt, als er das Bewusstsein wiedererlangte, fand sich Trunk in sitzender Stellung an den Baum gefesselt und einer seiner Mokassins war mit einem um den Stamm gewickelten Seil in seinem Mund festgebunden. Er wollte den Schuh ausspucken, gab diesen Versuch wegen der schrecklichen Schmerzen in seinem gebrochenen Kiefer aber gleich wieder auf.

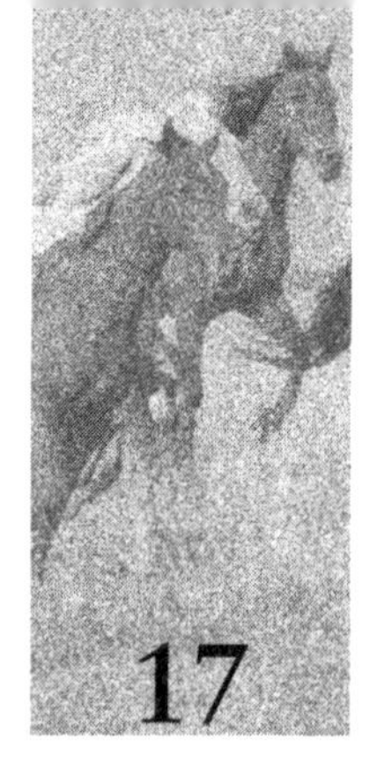

17

Jeb fiel es nicht schwer, Tacincalas Pferd zu finden. Sobald er entdeckte, dass es ein Appaloosa war, änderte er seine Pläne, denn so ein wertvolles Tier wollte er Trunk nicht überlassen. Ohne Frage war der schwarze Hengst ein prächtiges Pferd, doch der Appaloosa war eine Stute und würde kostbare Fohlen hervorbringen. Das brachte ihn auf eine Idee. *Warum soll ich mir den Hintern abfrieren und den ganzen Winter lang Biber fangen, wenn ich auch nach Westen ziehen und die kalte Zeit bei den Nez Percé verbringen kann? Dürfte ja nicht allzu schwer sein, von ihnen einen Hengst einzuhandeln.* Nachdem Tacincalas geflecktes Pferd ihn auf den Gedanken gebracht hatte, übermannte ihn die Gier. *Appaloosas zu züchten klingt sehr viel besser und lohnender, als Fallen für Pelztiere zu stellen. Vielleicht nehme ich noch ein oder zwei Stuten dazu*, dachte er.

Der kurz geratene Trapper war so eifrig damit beschäftigt, Tacincalas Stute zu begutachten und sich zu überlegen, wie er seinen Partner zum »Tausch« des Appaloosa überreden könnte, dass seine sonst kaum zu übertreffende Wachsamkeit in der Wildnis nachließ.

»Das sieht wie ein mächtig feines Stück Pferdefleisch aus«, flüsterte eine Stimme so leise, dass er den bärtigen, in Hirschleder gekleideten Mann kaum hörte, der plötzlich keine zwanzig Schritt von ihm entfernt am Rand der Lichtung stand.

Jeb setzte vor Schreck fast der Herzschlag aus und sein erster Gedanke war: *Wie ist der da hingekommen, ohne dass ich es gemerkt habe?* Er wollte sein Gewehr auf den Fremden richten. Doch als sich der Lauf seiner Waffe auf halbem Wege befand, hörte er wieder dieses Flüstern.

»Schätze, du solltest den Vorderlader nicht weiter rumschwenken, es sei denn, du brauchst ein paar zusätzliche Ventile.«

Er war sich nicht sicher, was mit »Ventil« gemeint war, daher hielt Jeb den Gewehrlauf still, denn wovon auch immer der Bärtige da sprach, es war vermutlich nichts Wünschenswertes. Eindeutig war, dass er eine Warnung aussprach. Der kleine Mann war kein Feigling, doch der Überlebenskampf in den Shining Mountains hatte ihn Respekt vor deren Gefahren gelehrt. Eine solche Gefahr spürte er jetzt. Der Flüsterer war überdurchschnittlich groß, doch war Jeb schon mit größeren Männern als diesem Fremden fertig geworden, der mit lässig in der Armbeuge gehaltenem Gewehr seelenruhig dastand. Er war nicht so groß wie Trunk, doch er hatte etwas an sich, das Autorität ausstrahlte und ein unerschütterliches Selbstvertrauen. Seit er ein Junge gewesen war, hatte Jeb sich nicht mehr einschüchtern lassen, doch nun spürte er, wie dieses längst vergessene Gefühl zurückkehrte und ihm wie der Spinnenfinger eines gefürchteten, in Vergessenheit geratenen Gespensts über den Rücken kroch.

Jeb dachte: *Ich habe eine geladene Hawken, die schon fast auf ihn zielt, und er steht da ganz lässig mit dem Gewehr in der Armbeuge. Ich muss nur noch eine ganz kleine Bewegung machen und den Abzug betätigen.* Trotzdem stand er da und war unfähig sich zu rühren. Seine Hände zitterten und Schweißtropfen rannen ihm über den Rücken.

Irgendetwas an dem Mann kam ihm bekannt vor, doch ihm fiel nicht ein, was es war. Dann dämmerte es ihm.

Es war vor Jahren in St. Louis gewesen. Er hatte ihn nur ein einziges Mal gesehen, als Jeb gerade erst über die Grenze gekommen war. Der bärtige Mann war eben aus der Stadt geritten und ein grauhaariger Trapper hatte auf ihn gezeigt mit den Worten: »Siehste den Kerl da reiten auf dem Rotfuchs? Das is Old Effern persönlich.«

Jeb hatte gefragt: »Wer ist Old Effern?«

Der alte Trapper hatte ihn angesehen, als traue er seinen Ohren nicht recht. »Du musst ja ein waschechtes Greenhorn sein«, hatte er Jeb erklärt. »Der Bär von einem Mann da ist Whispering Johnson, wie er leibt und lebt.«

Jeb hatte entgegnet: »Und was soll so großartig sein an diesem Whispering Johnson? Er sieht nach nichts Besonderem aus.«

Bei dem Blick, den der alte Trapper ihm daraufhin zugeworfen hatte, war er sich unglaublich blöd vorgekommen. Der Trapper hatte in den an einer Schnur um seinen Hals hängenden ledernen Munitionsbeutel gegriffen, eine Gewehrkugel vom Kaliber .52 herausgeholt und geantwortet: »Schau dir diese Bleikugel an, die man in so ein Armeegewehr hier steckt. Sie sieht auch nicht besonders großartig aus, aber wenn sie am anderen Ende rauskommt, pustet sie dir den Kopf weg.«

Der alte Trapper hatte ein Auge zugekniffen und erklärt: »Sogar die Schwarzfüße haben Respekt vor diesem Gebirgsmann. Teufel auch, du Grünschnabel, der hat über die Shining Mountains schon mehr wieder vergessen, als wir anderen je lernen werden. Gibt keinen besseren Kumpel, für einen Winter in den Bergen. Jau, da geht der beste Freund, den einer sich wünschen kann ... oder der schlimmste Albtraum, wenn du's dir mit ihm verscherzt.«

Jebs Aufmerksamkeit kehrte zu dem Mann zurück, der da so gelassen vor ihm stand. Es war derselbe *Mountain Man*, den ihm der Trapper vor vielen Jahren gezeigt hatte, nur ein bisschen älter geworden. Da erst fielen ihm die Hände des Mannes auf. Sie waren mit Hirschleder umwickelt wie mit einem Verband und so weit die Finger herausschauten, waren sie stark angeschwollen. *Das ist es! Er hat sich die Hände verletzt*, dachte Jeb. *Er hält seine Büchse in der Armbeuge, weil er seine Hände nicht gebrauchen kann.*

Er wollte mit dem Gewehr auf ihn zielen, doch auf einmal blickte er in die Mündung von Jeremiahs Flinte. Jeb stand der Mund offen. Er hatte nicht mal gesehen, dass Whispering Johnson sich gerührt hatte. Noch ehe Jeb reagieren konnte, griff ein Arm von hinten über seine Schulter und nahm ihm das Gewehr aus den Händen, wie man einem Kind einen Lutscher wegnimmt.

Während Jeremiahs Waffe noch immer auf seine Brust zielte, wandte sich der Trapper nervös um, um zu sehen, wer ihm seine *Hawken* abgenommen hatte. Hinter ihm stand ein in Hirschleder gekleideter Indianer und hielt sein Gewehr in der Hand.

Der Indianer sagte: »Sieht aus, als wär da Dreck in der Zündkammer.« Er hob die Waffe zum Mund und blies die Pulverladung hinaus. Dann gab er das entladene Gewehr dem Trapper zurück und sagte: »Mit so einem Vorderlader muss man hübsch aufpassen. Wenn er dreckig ist, kann das einen Mann in diesen Bergen leicht das Leben kosten.« Bevor er die Waffe losließ, hielt er kurz inne und setzte nach:

»Und genauso, wenn man damit in die falsche Richtung zielt.«

Der Trapper stand da und starrte den Indianer an. Zum zweiten Mal innerhalb kurzer Zeit hatte man ihn unbemerkt überrumpelt. Er fragte sich, was aus seinen Überlebenskünsten geworden war. Eins der ersten Dinge, die er nach seiner Ankunft im Westen gelernt hatte, war, dass man auch im Rücken Augen haben musste, um in den Bergen am Leben zu bleiben. Wenn sich in den Rocky Mountains jemand an ihn anschleichen könnte, wäre seine Lebenserwartung recht kurz. Er hatte hart daran gearbeitet seine Wahrnehmung zu schärfen und war außerordentlich wachsam. Anderenfalls hätte er nicht überlebt. Und nun passierte ihm so was und auch noch zweimal an einem Tag. Diese beiden hatten sich nicht nur angeschlichen, sondern ihn auch noch entwaffnet, als wäre es ein Kinderspiel.

Das beunruhigte ihn und er fragte sich, wie sie unbemerkt so dicht an ihn hatten herankommen können. Nicht einmal jemand wie Whispering Johnson dürfte ihm so nahe kommen. Und was noch schlimmer war, der blauäugige Indianer hatte sich ihm bis auf Reichweite genähert!

Sein Gewehr auf den kurzbeinigen Mann gerichtet, sagte Jeremiah: »Da du zu Tacincalas Pferd zurückgekommen bist, wirst du wohl wissen, wo sie sich aufhält?«

Ohne eine Antwort abzuwarten, fügte er hinzu: »Du führst uns jetzt zu ihr und wir wollen doch sehr hoffen, dass meine Tochter wohlauf und unversehrt ist.«

* * *

Schon auf halbem Weg zurück zu der Stelle, wo er Trunk mit dem Indianermädchen zurückgelassen hatte, war Jeb schweißgebadet. Kurz zuvor noch hatte es so ausgesehen, als hätte er eine Glückssträhne. Er hatte ein hübsches junges Indianermädchen gefunden und geglaubt, dass sie den Winter über für ihn kochen und sich um das Lager wie auch um seine körperlichen Bedürfnisse kümmern könnte. Dann war es noch besser gekommen und er hatte entdeckt, dass sie außerdem eine Appaloosa-Stute besaß, die ihn auf den Gedanken gebracht hatte, diese Pferde zu züchten. Das wäre ein Weg gewesen, sich von der Fallenstellerei, dem Pelzhandel und diesen Bergen zu verabschieden, bevor sie ihn das Leben kosteten wie so viele andere Trapper, mit denen er gearbeitet hatte. Er hatte bereits zwei bedrohliche Begegnungen mit den Blackfoot hinter sich und normalerweise überlebte man so was nicht ein einziges Mal. Je länger er also in den Bergen blieb, umso mehr wuchs die Wahrscheinlichkeit, dass sich eine Schlinge um seinen Hals zog.

Da bin ich ja mit beiden Beinen voll ins Fettnäpfchen getreten. Von allen Indianermädchen musste ich ausgerechnet über die Tochter von Whispering Johnson stolpern. Und jetzt reitet er dicht hinter mir, das Gewehr auf meinen Rücken gerichtet. Und zu allem Überfluss habe ich sie auch noch mit Trunk allein gelassen, der nicht genug Grips hat, um die Finger von ihr zu lassen. Wenn er sie sich vorgenommen hat, ist unser beider Leben keinen Pfifferling mehr wert. Wie hätte ich denn wissen können, dass sie Whispering Johnsons Tochter ist?

Jeb sah seine einzige Chance in der Flucht und schaute sich um, wie scharf Johnson und der Indianer ihn bewachten. Whispering Johnson ritt gleich hinter ihm, das Gewehr in der rechten Hand, den hölzernen Griff in der linken Armbeuge. Er musste wohl doch darauf hoffen, dass Trunk Johnsons Tochter in Ruhe gelassen hatte. Als er sich wieder nach vorn drehte, stellte er fest, dass der blauäugige Indianer auf einmal weg war. Wie ein Geist tauchte er unversehens auf und verschwand plötzlich wieder. Das ängstigte ihn noch mehr als der *Mountain Man* hinter ihm.

»Wo ist der blauäugige *Injun* hin?«, murmelte er laut vor sich hin.

»Du meinst den Spirit Walker? Wär reine Zeitverschwendung, ihn zu suchen. Du kannst ihn nur sehen, wenn es ihm in den Kram passt.«

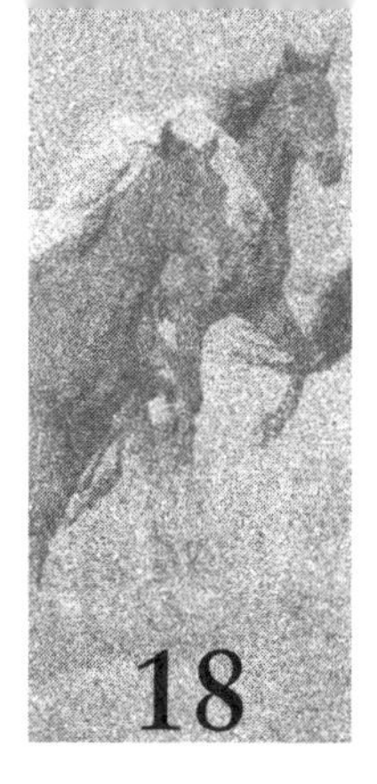

18

Als sie bei Tacincala ankamen, hatten sich bereits dunkle Wolken über ihnen zusammengezogen und gossen kalten Regen aus. Um nicht versehentlich beschossen zu werden, weil unter einem unförmigen ledernen Schlapphut nur sein bärtiges Gesicht aus der Öffnung seines Öltuch-Ponchos herausschaute, rief Jeremiah ihr vom Rand der Lichtung aus zu: »Ich bin's, Jeremiah! Tacincala, *toniktuka hwo*, ist alles in Ordnung?«, fragte er auf Lakota.

»*Matánya ye*, es geht mir gut«, antwortete sie.

»Wer sitzt da in dem Unterstand? Wär keine schlechte Idee, wenn er das Gewehr weglegt und aufsteht, damit ich weiß, dass du unverletzt bist und er dich nicht mit der Waffe bedroht«, sagte Jeremiah, während er den Reiter vor sich auf die Lichtung trieb.

»Es ist Frenchie«, erklärte sie. »Er wurde angeschossen und kann seine Beine nicht bewegen.«

»Wer ist dieser Frenchie?«, fragte Jeremiah, der sehr wohl wusste, von wem die Rede war.

Tacincala antwortete entrüstet: »Das ist doch der Mann, von dem ich dir erzählt habe. Der mich und Mutter vor der Bande weißer Trapper gerettet hat.«

»Ist das derselbe Frenchie, der meiner Tochter das Herz gestohlen hat?«, gab er zurück und sah sie erröten. »Der Frenchie, wegen dem sie jedes Mal weiche Knie bekommt, wenn sein Name fällt? Sprichst du etwa von diesem Frenchie?«

Als der Franzose beobachtete, wie sehr dies die schöne Lakota in Verlegenheit brachte, sah er sie zum ersten Mal nicht als Mädchen, sondern als junge Frau. Vom ersten Blick an hatte er sich zwar zu ihr hingezogen gefühlt, aber gedacht, sie sei zu jung für einen Mann seines Alters. Er fragte sich, ob die Worte ihres Vaters wohl ein Körnchen Wahrheit enthielten. Selbst wenn der sie nur neckte, fiel Frenchie doch die Röte ihrer Wangen auf. Das gab ihm zu denken.

»*Bonjour, Monsieur!*«, sagte er vom Eingang des Unterstands aus, wo er an eine Rückenlehne gestützt im Trockenen saß. »Das Gewehr weglegen ist kein Problem für Frenschie, da isch sehe, dass ihr den Mann mitbringt, auf den mein Gewehr gewartet hat.« Zu seinen reglosen Beinen hin nickend fügte er hinzu: »Doch ich fürschte, meine Beine haben ein kleines Problem mit dem Aufstehen.«

Mit dem Lauf seines Gewehrs auf Jeb zeigend, sagte Jeremiah: »Hab den Kerl da bei der Appaloosa-Stute gefunden, die du von Bright Heart bekommen hast, Tacincala. Hat behauptet, er würde dir helfen, sie zurückzuholen. Schätze, er steckt unter einer Decke mit dem Kerl, den du da drüben an den Baum gefesselt hast?«

Tacincalas Stimme zitterte nach all dem, was geschehen war, doch sie antwortete: »Als der Mann weggeritten ist, hat er zu dem Gefesselten am Baum gesagt, er soll Frenchie loswerden und sie würden sich die Pferde teilen.« Auf Jeb deutend fuhr sie fort. »Er hat gesagt, sie wollten mich behalten ...« Sie stockte und brachte dann mühsam hervor: »Wenn Frenchie nicht gewesen wäre ...«

Als er sah, wie mitgenommen sie war, glitt Jeremiah vom

Pferd, griff nach oben und packte Jeb mit der rechten Hand an der Brust seines schmierigen Jagdhemds. Ohne Rücksicht darauf, dass die Fleischwunde in seiner Handfläche wieder aufriss, zerrte er den Trapper vom Pferd und schleuderte ihn rücklings auf den Boden wie eine Lumpenpuppe.

So leise, dass Jeb ganz scharf hinhören musste, um ihn verstehen zu können, sagte Jeremiah: »Keine Bewegung, es sei denn, du bist lebensmüde.« Als er Jeremiahs Blick begegnete, stockte Jeb fast der Atem. Er verfluchte sein Pech, denn wahrscheinlich hätte er gegen einen Grizzly noch eher eine Chance gehabt als gegen den Wütenden, der da vor ihm stand.

Jeremiah legte den Arm um seine Adoptivtochter und beruhigte sie: »Keine Sorge. Dir wird niemand etwas tun.«

»Nicht um mich bin ich besorgt, sondern um Frenchie«, antwortete sie flüsternd, um den Franzosen nicht wissen zu lassen, wie sehr sie um ihn bangte.

In seiner üblichen unverblümten Art und ohne zu ahnen, worum es Tacincala ging, fragte Jeremiah den Franzosen: »Welcher dieser hinterhältigen Kerle hat auf dich geschossen?«

»*Non*, es waren nischt diese beiden. Diese Reschnung wird später beglischen, wenn Frenschie die Männer erwischt, die ihn in Rücken geschossen«, sagte er, als könne er einfach aufstehen, und auf die Suche nach ihnen gehen. »Was die zwei da betrifft«, sagte er und zeigte auf die beiden Trapper, »hatte Frenschie eigentlisch vor, sie zu erschießen, aber das wär Munitionsverschwendung. Dann wollte isch sie ertränken, aber sie sind so verdreckt, dass es würde verschmutzen das Wasser im Bach.«

Jeremiah beobachtete das Mienenspiel der zwei Trapper. Man sah ihnen an, wie nervös sie waren. Vor allem der

Große, der an den Baum gefesselt war. Er rang darum, das Seil zu zerreißen, das ihn in sitzender Position am Stamm festhielt. »Ich würde vorschlagen, Tatanka sollte sie als Zielscheiben für Übungen im Bogenschießen benutzen. Dann könnte man immerhin die Pfeile herausziehen und wieder verwenden. Allerdings …«

Ehe Jeremiah den Satz beenden konnte, hörte man einen dumpfen Aufprall und ein Pfeil traf den Baumstamm links neben dem Kopf des gefesselten Trappers und durchschnitt das Seil. Als er spürte, wie der Knebel sich lockerte, spuckte der Trapper den Mokassin aus, wobei ihm vor Schmerz durch die Bewegung seines gebrochenen Kiefers die Tränen in die Augen schossen.

»Der alte Spirit Walker scheint ein wenig eingerostet zu sein«, meinte Jeremiah. »Normalerweise hätte er diesen Pfeil genau zwischen die Augen gesetzt.«

»Nicht mich töten!«, winselte der große Trapper Jeremiah an, die Angst zwang ihn zum Sprechen, obwohl mit seinem gebrochenen Kiefer jede Bewegung schmerzte. »Ich hab denen nix getan. Wir haben bloß angehalten, um zu helfen, da is das Narbengesicht da aus dem Unterstand da gekommen und is auf mich losgegangen. Dann wollt mir das *Injun*mädel da mit dem Messer und der Knarre da ans Leder«, behauptete er mit einem Nicken in Richtung auf Frenchies Gewehr. Da »*Injuns*« seiner Weltanschauung nach Untermenschen waren, erklärte er Jeremiah, ungeachtet dessen, was Tacincala dazu sagen könnte: »Einer Rothaut kann man kein Wort glauben, frag Jeb. Er wollt helfen, dem *Injun*mädel sein Pferd zu finden, als ich angefallen wurd.«

Da traf rechts neben seinem Kopf ein weiterer Pfeil den Baum und schlug eine Kerbe in sein linkes Ohr, sodass sein

Kopf nun zwischen zwei Pfeilen steckte. Der Trapper schrie auf: »Nicht mich töten! Ich hab nur Spaß gemacht. Ich hab's nich bös gemeint.«

»Hör auf zu winseln, Trunk«, sagte Jeb angewidert.

Aus der Rückenlage zu Jeremiah aufblickend sagte er: »Die Wahrheit ist, wir hätten niemand was zuleide getan. Wenn wir gewusst hätten, dass sie Whispering Johnsons Tochter ist, hätten wir einen weiten Bogen um sie gemacht und wären schön unter uns geblieben.«

Johnson sah den am Boden liegenden Mann an. Einen Augenblick wie eine Ewigkeit stand er so da, dann sagte er: »Ich will ein Palaver halten, also steh auf und geh dort rüber und setz dich neben den Großen da. Seid still wie zwei Kirchenmäuse, denn es scheint, als käme Spirit Walker beim Zielen mit Pfeil und Bogen allmählich wieder in Form.«

Nachdem Jeb zu Trunk gegangen war und sich neben ihn gesetzt hatte, hockten Jeremiah und Tatanka sich zu dem Franzosen. Jeremiah sagte zu Frenchie: »Weiß ja nicht, was wir deiner Meinung nach mit den beiden da machen sollen, aber zuallererst will ich mich mal bei dir bedanken.« Er streckte die Hand aus und erklärte: »Entschuldige, dass ich es nicht schon früher angesprochen habe. Ich stehe tief in deiner Schuld und weiß es sehr zu schätzen, dass du meine Frau und meine Tochter nach dem Überfall dieser Bande von Weißen gerettet hast.«

»Du schuldest mir gar nischts. Es war meine Schuld, dass sie überhaupt auf die beiden gestoßen sind. Hätte isch besser aufgepasst, welsche Weg wir nehmen, wären die Männer ihnen gar nischt erst begegnet. Mein Herz jubelt vor Freude über Nachrischt, dass Tacincala und ihre Mutter entkommen konnten.«

Als die drei Männer ihre Diskussion darüber, wie mit den beiden Trappern zu verfahren sei, beendet hatten, hatten sie hohe Achtung voreinander gewonnen. Außerdem hatten sie beschlossen, die beiden Trapper nackt ins Gebirge hinauszuschicken, nur mit ihren Mokassins und ihren Schwarzhorn-Roben zum Schlafen.

»Ihr könnt von Glück sagen, dass ihr nicht schon Fraß für die Bussarde seid. Dankt mal eurem Schöpfer, dass der gute alte Spirit Walker heut nicht in blutdürstiger Stimmung ist. Sonst lägen eure Skalps schon bei all den anderen in seiner Satteltasche«, sagte Jeremiah und deutete auf die Tasche an einem seiner Packpferde, in der sich allerdings nur Vorräte befanden.

»Wenn ihr am Leben bleiben wollt, hüllt ihr euch eng in die Roben, lenkt die Pferde aus dem Gebirge hinaus und dreht euch nicht um, bis ihr in St. Louie angekommen seid. Wir geben euch dieses eine Gewehr und genug Pulver und Kugeln, um bis ans Ziel zu kommen, wenn ihr sorgfältig aufpasst, worauf ihr zielt.«

Er schob das Gewehr in die Hülle am Sattel des kleinen Trappers.

Mit noch leiserer Stimme, sodass die beiden Trapper ihn nur mit Mühe hören konnten, fuhr er fort: »Wenn ihr das Glück habt, bis St. Louie zu kommen, schafft euch auf einen dieser Missouri-Dampfer und seht zu, dass ihr so weit wie möglich von hier wegkommt, denn wenn ich eure nichtsnutzigen Häute noch mal zu sehen kriege ...« Er hielt inne und bedachte jeden der beiden mit einem langen Blick, »Das ist meine Tochter, an der ihr euch da vergreifen wolltet ...« Er gab den beiden Pferden der Trapper je einen Schlag aufs Hinterteil und schickte sie im Galopp zurück das Tal hinauf, in entgegengesetzter Richtung der Wiese, auf der sie in der Nähe des verwundeten Frenchie ihr Lager aufgeschlagen hatten.

***

Da die kleinen Bergwiesen bald so hoch mit Schnee bedeckt sein würden, dass die Herde Appaloosas nichts mehr zu fressen fände, wurde am nächsten Morgen beschlossen, dass Tatanka und Bright Heart mit der Herde weiter zum Land der Nez Percé zogen. Jeremiah, Mahtowin und Tacincala würden im Lager bei dem Franzosen bleiben, bis er so weit genesen war, um selbstständig zu reisen oder, falls das nicht möglich wäre, sie versuchen könnten, ihn auf einem Travois zu transportieren, um der Herde dann langsam zu folgen.

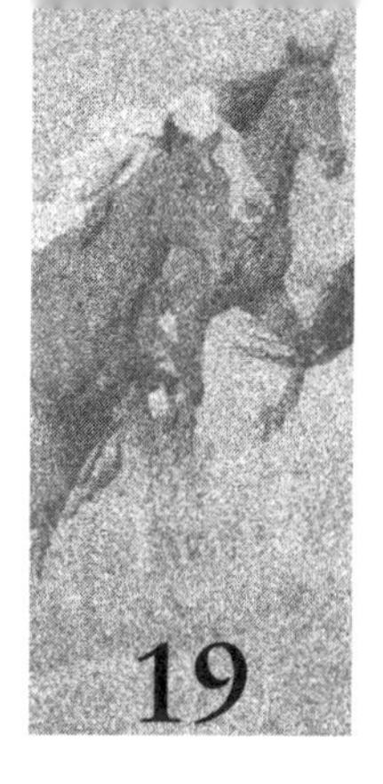

19

Der weiße Mann verzog sich leise in das spärliche Eichengehölz am Ufer des Baches und seine in Hirschleder gekleidete Gestalt verschwand wie ein Geist. Als er hinter den unzähligen goldenen, roten und braunen Eichenblättern hervorspähte, sah er, wie am Rand der Lichtung die Pferdeherde zum Vorschein kam, einige Hundert Meter oberhalb des Canyons, wo er nach frischen Biberfährten gesucht hatte.

Der Pfad, dem die Herde folgte, zog sich geradewegs über die Wiese, anstatt dem gewundenen Lauf des Baches zu folgen, der sich am Rand der Lichtung entlangschlängelte. Mit den knorrigen Bergeichen, die nicht viel höher wuchsen als bis zum Kopf des Trappers, bot das umsäumende Gehölz ihm hinreichenden Sichtschutz.

Sein Spähposten am Bachufer war knapp zweihundert Meter entfernt und obwohl der Trapper gute Augen hatte, konnte er den Reiter am Kopf der Reihe von Pferden nur undeutlich erkennen.

Als er ihn zuerst sichtete, dachte er, der Reiter wäre ein Weißer, denn er trug eine Kopfbedeckung, die wie ein kurzkrempiger Hut aussah, ganz ähnlich wie der, den er selbst aufhatte.

»*Injuns* tragen keine Hüte, also muss das wohl ein Weißer sein, der da auf dem Schecken reitet«, murmelte er.

Doch als der Zug der Pferde sich seinem versteckten Aussichtspunkt näherte, änderte der kleine Wicht von einem Trapper seine Meinung. Die Art, wie der Mann sich bewegte und wie seine Augen unter den buschigen Brauen hin- und herflitzten, erinnerte an ein Wiesel.

Als der Reiter auf dem Schecken inmitten der Lichtung angekommen war, hatte der Weiße gezählt, dass mehr als vierzig Pferde ihrem Leittier folgten. Halblaut vor sich hin murmelnd, wie so oft, sagte der kleine Mann: »Da müssen noch mehr Rothäute hinten in den Bäumen stecken. Denn sonst seh ich nur so was wie eine Squaw am anderen Ende des Pferdezugs, noch dazu 'ne kleine. Und den Kerl da vorn, der mich zuerst an der Nase rumgeführt hat mit seinem Hut da. Aber so reitet kein Weißer, wie der da auf dem Schecken sitzt. Jetzt seh ich ja auch seine Hautfarbe, das ist 'ne Rothaut, ganz klarer Fall.«

Nachdem er abgewartet hatte, bis die Herde die Wiese am anderen Ende wieder verlassen hatte, kehrte der Trapper zu seinem zwischen den Bäumen angebundenen Pferd zurück. Beim Aufsteigen sagte er zu sich: »Würd's ja nich glauben, wenn ich's nich mit eigenen Augen gesehn hätt. Da gehn gut fünfzig Pferde im Gänsemarsch und nur zwei *Injuns* führen sie. Ist ja echt 'ne Schau. Die Kumpel im Lager werden's mir nich glauben, wenn ich denen das erzähl.«

Als sein Pferd in Richtung der entschwundenen Herde durch den Bach platschte, fuhr der Mann mit Blick auf den Saum der Lichtung fort: »Wenn da nich noch mehr Rothäute hinterherkommen, ist der Kerl doch ein echter Hornochse, wenn er all die Fleckenpferde ganz allein durchs Gebirge treibt, mit nur der Squaw als Hilfe.«

Er ritt über die nun leere Lichtung in dieselbe Richtung wie die vorbeigezogenen Pferde, da kam ihm noch ein unangenehmer Nachgedanke. Er fürchtete jedoch, wenn er ihn laut ausspräche, könne er wahr werden, daher dachte er nur bei sich: *Oder der Kerl ist so ein großbuckliger Büffel, dass man ihn besser in Ruhe lässt.*

Diese lächerliche Befürchtung verwerfend murmelte der kleine *Mountain Man* dann aber: »Schätz mal, die Jungs im Camp freun sich wie Schneekönige, wenn sie hören, dass wir hier 'ne Schar Fleckenpferde haben, die man sich nur zu nehmen brauch.« Er versetzte sein Pferd mit den Fersen in schnellen Trab und meinte: »Glaub ja, ich weiß, wo der Kerl zum Übernachten anhält, aber ich folg ihm mal doch ein Stück, ob die Rothaut auch wirklich in diese Richtung zieht.«

Als er die Lichtung verließ, ahnte der Trapper nicht, dass es sich bei dem Mann vor ihm, den er so schnodderig als »Hornochsen« bezeichnet hatte, um den als Spirit Walker bekannten Lakota-Krieger handelte.

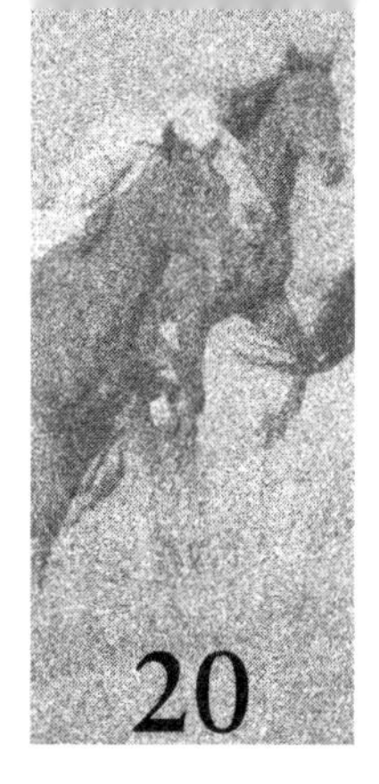

20

Tatanka knüpfte Wases einzelnes Zügelband lose an den Sattel, damit er nicht darüber stolperte, glitt von seinem Rücken und überließ ihm die Führung. Er beobachtete die Pferde hinter dem Schecken und vergewisserte sich, dass sie ihm weiterhin folgten. Dann verschwand er im nächstgelegenen Gestrüpp.

In Deckung schlich er am belaubten Wegesrand ins Tal zurück und sah, wie Bright Heart hinter der Pferdeschar die Nachhut bildete. Ohne sich einem möglichen Verfolger der Pferde zu zeigen, hatte er keine Möglichkeit sie wissen zu lassen, dass er zurückging, um hinter ihnen den Pfad zu sichern. Auch wollte er sie nicht beunruhigen, falls er sich nur etwas einbildete.

Er hatte niemanden gesehen, doch als sie auf die große Bergwiese hinausgekommen waren, über die jetzt noch die restlichen Pferde zogen, hatte er das Gefühl gehabt, sie würden beobachtet. Er glitt in ein Espenwäldchen und schlich leise durch die Bäume in die Richtung, aus der sie gekommen waren. Beim Blick zurück beobachtete er, wie die letzten Pferde am Ende des Zuges die Lichtung verließen. Er wartete, bis sie außer Sicht waren und trat dann aus dem Schutz der Bäume auf den Weg hinaus. Das Ohr auf den Boden gelegt horchte er auf Laute von Erschütterungen. Wenn der mögliche Verfolger sein Pferd nicht gerade zu Fuß führte, müssten die Vibrationen unschwer zu vernehmen sein. Was er hörte, sagte ihm, dass da ein Pferd in langsamem Schritt ging. Wäre es gerannt oder gesprungen, hätte das anders geklungen.

Er sprang auf und glitt rasch wieder ins Unterholz. Kaum hatte er sich versteckt, kam schon ein Reiter mit nachfolgendem Packpferd in Sicht.

Von Weitem sah der Reiter aus wie ein Junge auf einem Pferd, das zu groß für ihn war. Aus der hirschledernen Kleidung und dem kurzkrempigen Hut schloss Tatanka, dass es sich um einen Weißen handelte. Als der Reiter näher kam, erkannte er dessen Stoppelbart. Sein erster Eindruck war also nur teilweise richtig gewesen. Der Reiter war ein Mann. Ein sehr kleiner Mann, dessen Kopf Tatanka schätzungsweise nicht mal bis zum Kinn reichen würde, wenn sie einander gegenüberständen.

So wie er den Blick auf die von der Pferdeschar hinterlassene Fährte richtete, war unverkennbar, dass er dieser folgte. Ebenso deutlich sah man an der lockeren Art, wie er auf dem Pferd saß, dass er mehr wie ein Indianer ritt als wie ein Weißer. Sein dunkles und abgetragenes Jagdhemd sagte Tatanka, dass er kein Greenhorn war. Tatanka war versucht, hervorzutreten und den Mann aufzuhalten, hielt sich aber zurück und beschloss ihm zu folgen und herauszufinden, wo er lagerte und wie viele dort waren. Ein weißer Mann würde den Winter in diesen Bergen gewiss nicht ganz allein verbringen.

Auf leisen Sohlen folgte Tatanka dem einsamen Reiter im Schatten der den Pfad säumenden Bäume. Der Trapper ritt in den Bach, hielt inne, sicherte in beide Richtungen und lenkte sein Pferd dann im Wasser bachaufwärts. Nach einem kurzen Stück verließ er das Bachbett und ritt in ein Eichengehölz. Dann ließ er sein Pferd mit hängendem Zügel stehen, band das Packpferd an einen Ast und bahnte sich lautlos den Weg zu einer Stelle, von der aus er den zurückliegenden Pfad überblicken konnte. Dann wartete er geduldig auf seinen Verfolger. Nach einiger Zeit kehrte der Mann wieder zu seinen Pferden zurück und murmelte etwas vor sich hin, was Tatanka nicht verstehen konnte.

Erneut dachte Tatanka daran, den Mann zu stellen, doch er wollte wissen, ob es noch andere gab und wo sie waren. Er folgte dem Reiter auf dem Pfad hinter der Schar von Appaloosas. Als ein Nebenpfad von der Fährte abzweigte, hielt der weiße Mann kurz an und schlug dann den weniger benutzten Weg ein, der nach rechts in südwestliche Richtung führte.

Tatanka erwog, den Reiter ziehen zu lassen und zum Zug der Appaloosas zurückzukehren, doch er wurde das Gefühl nicht los, dass der kleine Trapper etwas im Schilde führte. Er hoffte, dass er nur übervorsichtig war, als er in die Richtung lief, in der sich vermutlich das Lager des weißen Mannes befand. Vielleicht hatte der Trapper ja auch nur zufällig denselben Weg genommen wie die Appaloosas.

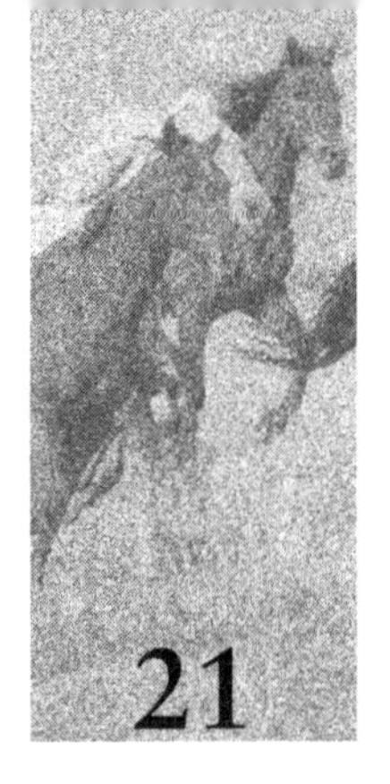

21

Der zwergenhafte weiße Mann war bei den anderen Trappern schon so lange als »Weasel« bekannt, dass sich kaum noch jemand an seinen richtigen Namen erinnerte. Weasel schickte sich an, den Fluss zu durchqueren. Doch statt am anderen Ufer der Fährte der Appaloosas zu folgen, lenkte er sein Pferd nach links bachaufwärts, sodass das schnell fließende Wasser alle Spuren im Bachbett verwischte. Er ritt nur ein kurzes Stück und verließ den Fluss dann hinter einem Dickicht kleiner Eichen. Er ließ sein Pferd mit herabhängenden Zügeln dort warten und schlich zurück bis zu einer Stelle, von der aus er den hinter ihm liegenden Weg überblicken konnte. Den langen Gewehrlauf auf einen Espenzweig gestützt suchte er einen Punkt des Weges, an dem er einen Reiter mitten in die Brust träfe. Dann wartete er geduldig auf denjenigen, der ihn verfolgte.

Er hatte weder etwas gesehen noch etwas gehört, doch seine Instinkte, die ihn in einer Umgebung am Leben gehalten hatten, in der viele seiner Freunde das ihre hatten lassen müssen, hatten irgendetwas wahrgenommen. Wer auch immer ihm auf den Fersen war, würde bald vor seinen Schöpfer treten. Er bräuchte nur um die Wegbiegung zu kommen und Weasels Begrüßungskomitee vom Kaliber .54 begegnen.

Als niemand den Pfad entlangkam, ging dem *Mountain*

Man letztendlich die Geduld aus. Er nahm sein Gewehr von der todbringenden Halterung, bestieg sein Pferd und ritt wieder das Tal hinauf in die Richtung, aus der er gekommen war. Dabei hielt er sich seitlich und beobachtete den Weg. Nachdem er über eine Strecke von gut einem halben Kilometer niemanden gesehen hatte, schwenkte er auf den Pfad ein. Dabei erkannte er sofort, dass die letzten Hufspuren dort von seinem eigenen Pferd stammten. Niemand war ihm gefolgt. Er kratzte sich am stoppelbärtigen Kinn, kniff dann die Finger zusammen und zog etwas aus den verfilzten Haaren. Die Zecke vor sich haltend beobachtete er, wie ihr mit Blut vollgesaugter kleiner Körper sich hin und her wand, dann zerquetschte er sie zwischen seinen schmutzigen Fingernägeln und sagte: »Erwischt.«

Die blutigen Überreste der Zecke schmierte er an sein Jagdhemd, dann kehrte er um, ritt zurück in Richtung der Pferdeherde und murmelte: »Ich bin sicher, da war mir was auf den Fersen. Sind wohl die Nerven, kein Wunder, wo diese Rothaut bloß mit einer Squaw als Hilfe all die Pferde führt. Hätt gedacht, da müssten noch mehr *Injuns* sein, aber ist keine Fährte da, nur die von meinem Rotschimmel, außer es wären Geisterspuren.« Der winzige Trapper ließ eine – im Gegensatz zu seinem dreckverschmierten Hirschlederjagdhemd und den schmierigen Reithosen makellose und mit wunderschönen Quillarbeiten verzierte – Gewehrhülle über seine *Hawken* gleiten. Er behandelte sie wie ein Baby.

Als er weiter unten im Tal ins Winterlager der Trapper kam, war er wegen der Neuigkeiten, die er den anderen mitzuteilen hatte, zu aufgeregt, um sich noch einmal umzusehen. Doch selbst bei seinem außergewöhnlichen Seh- und Hörvermögen hätte er seinen Verfolger wohl kaum bemerkt.

Er hielt sein Gewehr in Richtung einer Gruppe von Trappern und zielte auf die Feder am Hut eines großen dünnen Mannes. Dann, wie um seinen bemerkenswerten Weitblick zu demonstrieren, hob er die *Hawken* himmelwärts, der Flugbahn einer v-förmigen Gänseschar folgend. Er wartete, bis der Vogelzug beinahe direkt über ihm war, dann drückte er den Abzug. Die Explosion des Schwarzpulvers jagte die Bleikugel vom Kaliber .54 zu den Gänsen dort oben. Ebenso jagte sie die Gruppe von Trappern auseinander, die eilig nach ihren Waffen griffen. Und fast hätte sie Weasel das Leben gekostet.

Denn noch ehe der Pulverdampf sich verzogen hatte, sauste nach einer zweiten Explosion eine Bleikugel pfeifend an seinem Kopf vorbei. Alle Augen wandten sich in Richtung eines rothaarigen fünfzehnjährigen Farmerjungen namens Rusty. Er war von zu Hause weggelaufen, um sich William Ashleys Leuten anzuschließen, als diese im Frühjahr 1823 aus St. Louis aufgebrochen waren, um in den Rocky Mountains Pelztierfallen zu stellen. Der Junge war wegen seines Irrtums wie vor den Kopf geschlagen, er stand mit noch immer qualmendem Gewehr und offen stehendem Mund da und stammelte: »Ich ... ich ... ich dachte«, als Weasel seine todbringende *Hawken* auf ihn richtete, die Ladekammer zurückzog und das Gewehr entsicherte.

Rusty schnappte nach Luft und klappte in einem Anflug von Übelkeit den Mund zu. Man hörte ein lautes »Klick«. Dann, noch ehe irgendjemand hatte reagieren können, sagte der *Mountain Man*: »Rusty, das war ja ein toller Schuss für ein Greenhorn wie dich.«

Er hielt inne und schaute nach oben zu den weiterfliegenden Gänsen. Dann fuhr er zeitlich genau abgestimmt fort: »Pass lieber auf, dass dir die Gans, die du geschossen hast, nicht auf den Kopf fällt«, und im nächsten Augenblick krachte der Vogel in das Lagerfeuer, sodass die Glut in alle Richtungen auseinanderstob und die umstehenden Trapper mit einem Ascheregen und glühenden Funken überzogen wurden.

Als der Staub sich legte, stand Rusty mit dümmlichem Gesicht da und war voller Asche.

»Jau! Da ham wir ja 'nen Gänsejäger. Schätze, das is'n guter Spitzname, Goose Shooter. Klingt 'n Stück besser als Greenhorn. Oder was meint ihr, Kerle? Mir gefällt der Name Goose Shooter. Passt ja, wo er eine von den hochfliegenden Gänsen da runtergeholt hat.«

»Verdammt, Junge«, sagte einer der Trapper, der sich nicht ganz sicher war, wer nun die Gans vom Himmel geholt hatte, »wenn du das warst, der die Gans geschossen hat, pass nächstes Mal besser auf, wo sie hinfällt, damit nicht alle von oben bis unten mit Asche eingesaut werden.« Der stämmige Trapper holte den Vogel aus der Feuerstelle und warf ihn dem Jungen zu: »Da du die Gans erlegt hast, hast du auch die Ehre sie auszunehmen und zu rupfen.« Dann fragte er mit zweifelndem Blick nach: »Oder bist du beim Gänsebraten genauso ein Greenhorn wie beim Biberfangen?« Über seinen eigenen Scherz lachend klopfte der Trapper Rusty so heftig auf die Schulter, dass dem die Gans fast aus der Hand fiel, und meinte vergnügt: »Wenn du den Vogel schön lecker kochst, dann zeig ich dir auch, wie man Biber fängt.«

Als diejenigen, die das Pech gehabt hatten, bei der Landung der Gans um die Feuerstelle herumzustehen, sich die Asche abklopften, merkte Weasel, dass sich die allgemeine Aufmerksamkeit von ihm abwandte, und er rief mit erhobener Stimme: »Hoi! Fast hätt ich vergessen, was ich euch erzählen wollte! Da sind etwa ein halbes Hundert Pferde nördlich von hier in der Nähe von den fünf Biberdämmen und warten nur darauf, dass wir sie den zwei *Injuns* abknöpfen und sie uns holen.«

Ein zahnlückiger Trapper, dem ein Stück vom linken Ohr fehlte, meldete sich zu Wort.

»Was lungern wir dann hier noch rum? Zu den Pferden! Besser Indianerpferde stehlen als den ganzen Winter lang Biber fangen, wo der Schnee so hoch liegt wie bis zum Arsch von 'nem langbeinigen Wapiti. Hoi! Ich hab lang genug gefroren in dem Hochland hier, das reicht für 'ne Ewigkeit.«

Ohne auf diese Bemerkung einzugehen, sagte ein großer dünner Trapper, der im Gespräch mit drei anderen abseitsgestanden hatte, zu Weasel: »Du sagst, da sind fünfzig Pferde und nur zwei Indianer bewachen sie? Was ist mit all den anderen Rothäuten, die nicht gerade Wache halten? Die kommen doch angerannt, um sich unsere Skalps zu holen, wenn wir versuchen, ihre Pferde zu stehlen! Wenn wir unsere Skalps behalten wollen, lassen wir denen ihre Pferde mal besser in Ruhe.« Nach einer Pause fragte er: »Hast du erkennen können, von welchem Stamm sie waren? Wenn es Blackfoot sind, wollen wir hoffen, dass sie nur vorbeiziehen. Wir wollen nicht den ganzen Winter lang beim Fallenstellen ständig über die Schulter schauen müssen, weil hier Feinde rumlungern.«

Abgesehen von Weasel und zwei anderen Trappern, die sich Ashleys Pelzjägern erst nach deren Aufbruch aus St. Louis angeschlossen hatten, hielten alle anderen in ihren momentanen Beschäftigungen inne und horchten auf. Er redete nicht viel, aber wenn Wild Bill Sublette etwas äußerte, beherzigten die anderen Trapper üblicherweise, was er zu sagen hatte. Zumindest diejenigen, die schon unter ihm als »Booshway« (die unter Trappern übliche Verballhornung des französischen »bourgeois«) für William Ashleys Pelzhandelsgesellschaft gearbeitet hatten.

»Klingt ja, als hättest Angst vor einer Handvoll *Injuns*. Ich sag, wir gehen und holn uns 'n paar Indianerpferde«, ergriff einer der drei freien Pelzjäger das Wort, der körperlich Weasels genaues Gegenteil war. War jener zwergenhaft, so glich der Trapper, den man »Bull« nannte, einem Riesen. Er war knapp zwei Meter groß, hatte einen mächtigen Brustkorb und breite Schultern. Vom ersten Tag an, seit die drei Männer sich der Expedition angeschlossen hatten, hatte man deutlich gemerkt, dass er ein brutaler Kerl war, der mit seiner Größe und Kraft andere einzuschüchtern versuchte. Er stand gerne langsam auf und reckte sich zu voller Größe, pumpte seinen massigen Brustkorb auf, indem er tief Luft holte, und beugte seine langen muskulösen Arme, sodass sich die Ärmel seines Hirschlederjagdhemds über dem Bizeps spannten. So mancher Trapper hatte sich gefragt, wie ein Kampf der zwei Giganten wohl ausgegangen wäre, wenn Bull und seine beiden Kameraden etwas früher gekommen wären, als der Riese Zed und der fette Marcus noch da waren.

Bull griff sich sein Gewehr und winkte den anderen, ihm zu folgen: »Worauf wartet ihr noch?«

Von seinem Standpunkt am Rand des Lagers beobachtete Tatanka, wie der große weiße Mann zu seinem Pferd ging, das er früher am Tag gar nicht erst abgesattelt hatte, um sich die Mühe zu sparen. Da sagte der große dünne Trapper, der die Umstehenden ermahnt hatte, sich von der Pferdeherde fernzuhalten: »Wie ich schon erklärt habe, wollen wir uns mit den Indianern keine Scherereien einhandeln. Wir wollen den Winter über einfach nur Fallen stellen und uns nicht ständig wegen gestohlener Pferde unter Pfeilen wegducken müssen.«

Er hielt inne, sah die Männer an und sagte in einem Ton, der klarstellte, wie ernst es ihm war: »Als Marcus und dieser Riese hier waren und nach Männern gesucht haben, um im Land der Nez Percé gefleckten Appaloosas nachzujagen, habe ich den freien Trappern die Wahl gelassen. Die übrigen haben sich bei Mr Ashley als Pelzjäger verpflichtet. Abgesehen von euch drei, die da noch nicht hier waren«, dabei zeigte er auf Weasel, Bull und einen weiteren unscheinbaren Trapper namens Jake, dessen verdreckte Kleidung in einem Laden gekauft war. Das ließ erkennen, dass er unerfahren und noch nicht lange in den Bergen war. »Wie ich Marcus und den anderen erklärt habe, hat Mr Ashley mich als den Booshway für sein Unternehmen angeheuert. Also ist es meine Aufgabe, ihn zu vertreten und sicherzustellen, dass alles glatt und nach den Regeln der Pelzhandelsgesellschaft läuft. Sie hatten die Wahl, hierzubleiben und für den gleichen Anteil wie die anderen für ihn als Fallensteller zu arbeiten oder zu gehen.«

Als er die Mienen der Männer sah, schaute er einem nach dem anderen in die Augen. Er warnte sie: »Ihr drei habt dieselbe Wahl. Ihr könnt euch verpflichten und euch an die Regeln halten oder eure Pferde satteln und uns verlassen.« Er rückte sein Gewehr zurecht und fügte hinzu: »Besprecht das jetzt miteinander. Aber wenn ihr euch zum Aufbruch entschließt, achtet darauf, dass ihr nach dem Aufsitzen von den Indianerpferden wegreitet.«

»Ich will verdammt sein, wenn …«, begann Bull zu fluchen, hielt aber die Luft an, als der Booshway ihm das Wort abschnitt.

»An eurer Stelle würd ich aufsitzen und nach Süden reiten, es sei denn, ihr wollt mich kennenlernen«, mahnte er und schwenkte den Lauf seiner *Hawken* in Richtung des großen Trappers.

»Immer mit der Ruhe, Mr Booshway«, ergriff Weasel das Wort. »Der gute alte Bull meint's ja nich so. Lass mich mal mit den zwei beiden hier ein vernünftiges Wort reden.«

Er packte den großen Mann am Arm und zog ihn beiseite, außer Hörweite der anderen, und bedeutete Jake, ihnen zu folgen.

Bull wollte protestieren: »Ich bring den um, den …«, doch Weasel, der aussah wie ein Kojote, der einen Schwarzhornbullen hinter sich herzieht, sagte zu ihm: »Du hältst mal besser das Maul und spuckst nicht so große Töne, sonst bringt *dich* gleich wer um.« Bull setzte zu einer Antwort an, doch ein Blick in Weasels Augen belehrte ihn eines Besseren.

Als sie außer Hörweite waren, erklärte Weasel den beiden: »Ihr müsst das Spiel mitspielen. Ihr stimmt zu, wenn ich sage, wir wollen bleiben und für den Booshway Fallen stellen. Wenn wir jetzt wegreiten, würden die ein Auge auf uns haben und aufpassen, dass wir nicht zurückkommen, um die gefleckten Indianerpferde zu stehlen.«

Dann, weil ihm noch etwas einfiel, das ihm vorher durch den Kopf gegangen war, schlug sich Weasel mit der Hand auf den Schenkel und fragte ein wenig lauter: »Habt ihr gehört, was die wegen der gefleckten Pferde gesagt haben, auf die es Fettarsch Marcus und der dumme Riese abgesehen haben?«

Als Jake und Bull beide nur dastanden und den kleinen Mann ansahen, als warteten sie auf weitere Erklärungen, hakte er nach: »Na?« Er lauerte darauf, dass sie sich erinnerten, und sagte dann entrüstet: »Also, die gefleckten Pferde, wo diese zwei *Injuns* da hinten im Tal haben, sind doch wohl dieselben gefleckten Pferde, nach denen dieser Fettarsch Marcus sucht, von dem da eben die Rede war.«

Ganz wie das kleine Tier, nach dem er benannt war, veränderte Weasel die Position seines geschmeidigen Körpers, um bessere Sicht zu haben und sich zu vergewissern, dass sie nicht belauscht wurden. Seine Augen funkelten unter den buschigen Brauen, als er seinen Plan erläuterte.

»Wir erzählen dem Booshway, wir bleiben und jagen für Mr Ashley. Wenn heute Nacht dann alle schlafen, schleichen wir aus'm Lager und hol'n uns die Indianerpferde. Wenn wir die Gäule dann hier ins Tal zurückbringen, kann der Booshway nichts mehr machen. Dann haben wir die Fleckenpferde schon geklaut.«

Als die drei Männer wieder zu dem wartenden Booshway hinübergingen, war Tatanka bereits verschwunden.

Kurze Zeit später holte er die Pferdekarawane am Rand eines Espenwäldchens wieder ein. Er schwang sich auf den Rücken des Pinto und die Herde zog weiter, als wäre er gar nicht fort gewesen.

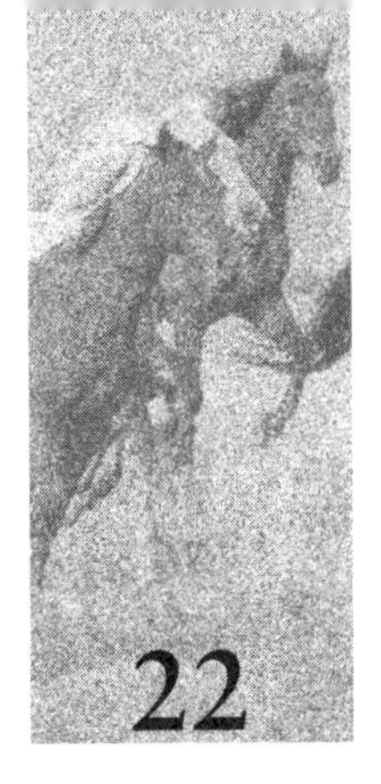

22

Fünfzehntausend Jahre zuvor war ein Gletscher durch dieses Gebirge gewandert. Bevor das Eis dann etwa fünftausend Jahre später infolge von Klimaveränderungen schmolz, hatten das massive Gewicht und die Kraft des langsam voranrückenden Eisflusses das große u-förmige Tal geformt, durch das die Herde Appaloosas nun zog.

Tatanka hatte erwogen, die Nacht auf einer hoch gelegenen Bergwiese zu verbringen, die sie zuvor überquert hatten, sich dann aber für eine kleinere weiter unten im Tal entschieden, auf der er bei früheren Reisen durchs Gebirge schon gelagert hatte. Sie war nur etwa halb so groß wie die erste Lichtung und er wusste, dass es auf der kleineren Wiese leichter wäre, die grasenden Pferde zu bewachen. Doch hauptsächlich hatte er sich dafür entschieden, weil er glaubte, Bright Heart würde die wunderschöne Landschaft gut gefallen.

Am nördlichen Ende der Lichtung bog der Fluss, dessen Lauf sie gefolgt waren, nach links zur östlichen Seite des Tales ab. Er floss zwischen grünen Nadelbäumen hindurch und dann durch ein großes Espengehölz, wo in der Vergangenheit Biber mit ihren meißelartigen Zähnen so manche der weißrindigen Bäume gefällt hatten, um ihre Dämme zu bauen. Dann hatten sie die Stämme in kleine Stücke zerlegt und den Fluss hinab bis zu der Lichtung schwimmen lassen.

Mit einem organisierten Gewirr von Ästen und Schlamm, das an den Ufern und am Grund des Flusses verankert war, kontrollierten sie den Wasserlauf. Nach Vollendung ihrer architektonischen Glanzleistung hatten die Biber mehrere Dämme errichtet und dadurch fünf von Brombeeren, Himbeeren und Weidendickicht gesäumte und miteinander verbundene Teiche geschaffen, die sich über die gesamte Lichtung hinzogen. Eine Anzahl großer Cottonwood-Pappeln hatte hier Wurzeln geschlagen und wuchs mit zahlreichen anderen Laubbäumen einträchtig am Rand des Gewässers.

Als Tatanka parallel zum Flussbett zwischen den weiß berindeten Espen hindurch dem Pfad folgte, erfasste der Wind die flachen Blattstiele, sodass die kleinen, nahezu runden Blätter zu zittern schienen. Nun, im Mond der gelben Blätter, rot und golden gefärbt funkelten sie in den Strahlen der späten Nachmittagssonne wie ein Meer von Juwelen. Das Espenwäldchen war voller verwitterter, sonnengebleichter spitzer Baumstümpfe, die Jahre zuvor von Bibern gefällt worden waren. Nun wurden diese von einer zweiten und dritten Generation nachwachsender Bäume abgelöst. Die Espe vermag während der warmen Sommerzeit die Kraft der Sonne mit beiden Seiten ihrer sich im Wind drehenden und wendenden Blätter aufzunehmen und kann darum viel schneller wachsen als andere Laubbäume.

Bright Heart folgte dem Pferdetreck auf die Lichtung und staunte, wie schön dieser Ort war. In dem kristallklaren Wasser der Biberteiche spiegelte sich eine an der Ostseite hoch aufragende Wand von Granitfelsen. An der gegenüberliegenden Seite bedeckte saftig grünes Gras den Talboden, von einem Meer wilder Blumen durchzogen.

Bright Heart dachte sich, dass es wirklich schön wäre,

länger hier zu bleiben als nur für eine kurze Rast zum Übernachten wie seit der Trennung von den anderen mit dem verwundeten Franzosen, und beschloss Tatanka vorzuschlagen, so lange zu bleiben, bis die Pferde sich ein wenig erholt hatten. Sie war überrascht, dass sie so früh schon haltmachten. Normalerweise wären sie sehr viel weiter gezogen, solange die Sonne noch so hoch am Himmel stand.

Sie dachte: *Wenn wir länger als nur eine Nacht blieben, könnte ich einen größeren, ordentlichen Unterstand bauen. Dann würde er die Nacht vielleicht bei mir verbringen und nicht bei den Pferden schlafen wie sonst. Ich frage mich, ob er überhaupt richtig schläft. Ich merke ja, dass er im Lauf der Nacht mehrmals nach mir sieht. Zwar höre oder sehe ich ihn nie, aber ich weiß, dass er dasteht und mich ansieht. Manches Mal spüre ich es. Es ist beruhigend, aber noch lieber wäre es mir, er bliebe bei mir.* Sie versuchte sich einzureden, dass sie sich nur deshalb wünschte, er möge bei ihr im Unterstand schlafen, weil sie sich dann sicherer fühlen würde.

Tatanka unterbrach ihre Gedanken und da er sie nicht wissen lassen wollte, dass er die Wiese ausgesucht hatte, um ihr eine Freude zu machen, sagte er: »Diese Lichtung ist von der Größe her für die Pferde besser geeignet als die vorige.«

Zur Weide neben den Biberteichen deutend fügte er hinzu: »Dort gibt es genug Gras für die Herde und doch ist der Bereich klein genug, dass sie zusammenbleiben.«

Sie ließen die Pferde laufen und Tatanka nahm Face Paint Sattel und Hackamore ab. Der Schecke stupste ihn als Zeichen der Zuneigung und kniff ihn in die Schulter, so ähnlich wie Pferde einander beknabbern. Wenn der heftige Biss

Sympathie bekunden sollte, so hoffte Tatanka, der Pinto würde diese in Zukunft nicht ganz so innig zeigen. Er dachte daran, das Kneifen zu erwidern, doch im nächsten Augenblick schon trottete Face Paint einige Schritte weiter und wälzte sich. Dabei rieb sich der Schecke den Schweiß vom Rücken und gönnte sich eine Massage. Dann stand er wieder auf und trottete zum Ufer des Teichs, um an dem klaren Bergwasser seinen Durst zu stillen. Anschließend zog er weiter zur Mitte der Lichtung und begann mit dem Rest der weidenden Herde das fette Gras zu fressen. Tatanka befreite die beiden Packpferde von den Satteltaschen, rupfte trockene Grasbüschel aus und rieb den Pferden den Schweiß ab, dann ließ er auch sie laufen.

Während Tatanka mit den anderen Pferden beschäftigt war, kümmerte sich Bright Heart erst um ihren Appaloosa Apash Wyakaikt und sammelte dann Totholz für das Lagerfeuer. Als sie unter den Bäumen umherging und Äste vom Boden auflas, dachte sie erneut darüber nach, wie unterschiedlich doch ihre Leute und Tatankas Stammesgruppe Hochzeiten arrangierten.

Als sie das Tal des Bären verlassen hatten, hatte Tatanka neben den Appaloosas auch seine eigenen Pferde mitgenommen. Bright Heart dachte, er wolle so dafür sorgen, dass sie nicht gestohlen würden. Erst nachdem sie einige Tage unterwegs gewesen waren, hatte Tacincala zu ihr gesagt, sie glaube, dass er bei Bright Hearts Vater die Pferde gegen sie eintauschen wolle. Empört war Bright Heart daraufhin losgestürmt und hatte nach Tatanka gesucht, um ihm zu sagen, was er mit seinen Pferden machen könne. Doch ehe sie ihn gefunden hatte, war sie Mahtowin begegnet, die über die Schilderung der Lakota-Heiratsbräuche seitens ihrer Tochter nur gelacht hatte.

Mahtowin hatte ihr erklärt: »Wenn ein Lakota sich für ein Mädchen interessiert, wird er an ihre Familie mit Geschenken herantreten und zum Beispiel mit mehreren Pferden seine Achtung und Wertschätzung ausdrücken. Außerdem zeigt er so, dass er für die künftige Braut sorgen kann. Wenn der Vater des Mädchens zustimmt, wird die Hochzeitszeremonie vorbereitet. Ein Geschenk von vielen Pferden ehrt die Familie der Braut und erhöht die Wahrscheinlichkeit, dass die Heirat stattfindet.«

Wenn bei Bright Hearts Leuten ein Krieger ein Mädchen heiraten wollte, traf ein Mitglied seiner Familie Vereinbarungen mit der Familie der Braut. Wenn alle einverstanden waren, lebte das Paar eine Weile zusammen. Dann, wenn sie gut miteinander auskamen, wurde nach einem ersten Austausch von Geschenken seitens der Familie des Bräutigams die Hochzeitszeremonie vorbereitet. Später gab es einen zweiten Austausch von Geschenken vonseiten der Brautfamilie.

Sie hatte dies Tatanka schon mehrmals zu erklären versucht, jedoch vergebens. Sie war unsicher gewesen und ein wenig peinlich berührt. Dann stockte ihr die Stimme und sie sagte irgendetwas anderes oder wandte sich ab. Nun kam ihr zwar der Gedanke, ihn darauf anzusprechen, dann widmete sie sich aber doch lieber dem Feuermachen.

Sie benutzte eine kreisförmig mit Steinen eingefasste Feuerstelle, die Reisende vor langer Zeit zurückgelassen hatten, schabte ein kleines Knäuel Späne aus dem Inneren eines alten Stücks Cottonwood-Rinde in die Mitte und gab eine Handvoll zerdrücktes trockenes Gras hinzu.

Sie öffnete die Hirschledertasche, die sie über der Schulter trug, und entrollte ein kleines Stück weiches Leder, das ein Stück Flintstein von etwa der Größe einer Speerspitze enthielt sowie einen eisernen Feuerschläger, so dick wie ihr kleiner Finger und doppelt so lang. Sie hielt eine scharfkantige Ecke des Flintsteins gegen die Rindenspäne und schlug mit dem Eisenschlägel dagegen. Dadurch entstand ein kleiner glühend roter Funke. Immer wieder schlug sie den Feuerstahl gegen den Flintstein, sodass die Funken auf das trockene Anzündmaterial fielen.

Als die Rinde durch die Funken zu schwelen und dann zu glimmen begann, beugte sich Bright Heart dicht über die Späne und blies dagegen, bis sie eine winzige Flamme entfachte. Gleich legte sie etwas größere Holzspäne darauf. Als die Flamme lebhaft brannte, gab sie einige Stücke Kleinholz hinzu und blies kräftig und gezielt in die Mitte. Im nächsten Augenblick loderte ein warmes Feuer auf. Als das Anmachholz schön brannte, legte sie größere Stücke gut getrocknetes Holz ins Feuer.

Während Bright Heart das Feuer entfachte, beschloss sie einen etwas längeren Aufenthalt vorzuschlagen. Zu ihrem Erstaunen hatte Tatanka begonnen ein Schutzdach zu bauen. Zuerst ärgerte sie sich darüber, denn *sie* wollte den Unterstand errichten. Auch wunderte sie sich über ihn. *Es scheint ihm gar nicht aufzufallen, dass er Frauenarbeit verrichtet.* Noch nie hatte sie einen Krieger einen Unterstand bauen sehen. Diese Arbeit war immer Aufgabe der Frauen. Es war schön, dass er bei der Arbeit mithalf, wie er es schon zuvor im Tal der Bären getan hatte. Und es schien ihm auch nicht peinlich zu sein, denn er machte so weiter, auch nachdem Jeremiah, Mahtowin und Tacincala dazugekommen waren.

Als Bright Heart sah, dass er ein Schrägdach baute, das für zwei Menschen ausreichte, vergaß sie alle Gedanken daran, dass eigentlich sie für diese Arbeit zuständig wäre.

Sie hatte sich gewünscht, den Schlafplatz mit ihm zu teilen, doch beim Gedanken, dass es nun geschehen sollte, wurde sie unsicher.

Sie konnte sich nicht mehr richtig konzentrieren. Der Kochtopf fiel ihr herunter, als sie ihn aufs Feuer stellen wollte, um Wasser zu erhitzen, sodass die Flammen fast erloschen wären. Beim Zubereiten der Abendmahlzeit ließ sie auch andere Dinge fallen. Durch die bange Erwartung, mit ihm das Nachtlager zu teilen, waren ihre Gefühle in Aufruhr. Wenn *sie* das Schrägdach gebaut hätte, hätte das ihren Wunsch zum Ausdruck gebracht, mit ihm das Lager zu teilen. Doch da *er* es nun errichtete, war es, als würde er erwarten, dass sie dort mit ihm schliefe. Sie beschloss, sich ein eigenes Schutzdach zu bauen. Das würde ihn lehren, dass er nicht selbstverständlich über sie verfügen konnte!

Als sie genauer hinsah, nachdem er fertig war, merkte sie, wie nachlässig er das Schrägdach gebaut hatte. Nun war sie doppelt gekränkt, nicht nur, dass er von ihr erwartete, mit ihm das Lager zu teilen, sondern noch dazu unter einem Dach, das diesen Namen kaum verdiente. Sie fragte sich: *Für welche Sorte Mädchen hält er mich eigentlich?*

Verwirrt und enttäuscht wollte sie gerade etwas dazu sagen, als sie hinter sich beim zweiten Biberteich ein lautes Klacken hörte wie vom Laden eines Gewehrs. Sie wandte sich um und sah ein pelziges Tier ins Wasser tauchen. Das Wasser wellte sich in konzentrischen Kreisen von der Stelle aus, wo der breite flache Schwanz des Bibers beim Aufschlagen auf die Teichoberfläche das Geräusch verursacht hatte, auf das sie aufmerksam geworden war.

Unmittelbar darauf hörte man mehrere gleich klingende Schnalzlaute, als die Gefährtin des Wächters und zwei Junge mit ihren eigenen Signalen auf die Warnung antworteten. Bright Heart beobachtete, wie die Biberfamilie sich eilends zu den Unterwassereingängen ihres kuppelförmigen Baus mit dem über der Wasseroberfläche liegenden Schlafplatz im Inneren begab. Die kuppelförmige Biberburg war ihr einziger Schutz vor Raubtieren und bestand aus Schlamm und sorgfältig verwobenen kleinen Zweigen, die in der Mitte des Teiches verankert waren. Nahe dem Bau waren zahlreiche Äste von Espen, Weiden und Pappeln am Grund des Teiches befestigt, die abgenagt wurden und als Nahrung dienten, wenn die Wasseroberfläche zu Eis gefror.

Sie hatte geglaubt, Biber seien Nachttiere. Dies war das erste Mal, dass sie eins dieser Tiere bei Tageslicht gesehen hatte. Vielleicht unterschieden sich Bergbiber von denen aus ihrer Heimat. Oder war dies ein Vorzeichen?

Als sie sich nach Tatanka umsah, merkte sie, dass er fort war. Zuvor hatte er gesagt, er wolle die Weide sichern und bliebe eine Weile fort, käme aber zurück, wenn sie das Essen zubereitet habe. Sie nahm an, dass er nach den Pferden schaute, doch auf der Weide, wo die Pferde zufrieden grasten, war er nicht zu sehen.

Als sie die Biber beobachtete, fiel ihr ein, dass sie schon lange keine Gelegenheit gehabt hatte, sich gründlicher zu waschen als flüchtig in dem Bach, dessen Lauf sie folgten. Da sie nicht wusste, wann Tatanka zurückkäme und wann ihr die Wohltat eines Bads in einem stillen, friedlichen Gewässer wieder vergönnt sein würde, beschloss sie zu baden, während die Mahlzeit garte. Bright Heart rückte den eisernen Kochtopf an den Rand der Feuerstelle und hielt nach Tatanka Ausschau. Als sie ihn nirgends sah, ging sie am Ufer entlang in die Richtung, aus der sie vorher zu den Biberteichen gekommen waren.

Im Norden, wo der Bach in den Teich floss, stand ein Wäldchen junger Espen bis dicht an den Rand des Wassers. Dort hoffte sie mehr Abgeschiedenheit zu finden, falls Tatanka zurückkäme, ehe sie ihr Bad beendet hätte. Sie zog ihre Mokassins und ihr Rehlederkleid aus und legte beides mit ihrer Ledertasche auf einen großen flachen Stein, der oberhalb der Wasserfläche aus dem Ufer hervorstand. In den letzten Strahlen der späten Nachmittagssonne stehend, löste sie ihren Zopf und ließ ihr Haar über ihre schlanken Schultern strömen – ein Ritual, an dem sie sich erfreute, wann immer sich die Gelegenheit bot. Sie liebte es, mit den Fingern durch ihre langen Haare zu fahren. Als sie noch jünger war, hatte sie immer mit den anderen gleichaltrigen Mädchen gebadet. Anstatt ihr Haar dabei wie die anderen zum Zopf zu flechten, kämmte sie es und trug es offen auf den Rücken herabhängend. Es war ein gutes Gefühl, wenn die Jungen ihr langes offenes Haar bewundernd betrachteten. Nun, da sie älter war, fiel ihr auf, dass die jungen Krieger ihr ebenso bewundernde Blicke zuwarfen.

Bright Heart betrachtete die Spiegelung des Sonnenlichts auf dem silbernen Wasser und stand fasziniert von der Schönheit dieser Wiese ganz still. Sie trat bis zur Vorderkante der steinernen Plattform und saugte die letzte Sonnenwärme in sich auf. Dann glitt sie mit anmutigem Kopfsprung in die Tiefen des Wassers. Als sie kopfüber so plötzlich ins kalte Wasser eintauchte, verschlug es ihr den Atem. Nach dem ersten Schrecken, bei dem ihr wieder einfiel, wie der Carcajou sie im Tal des Bären beim Baden angegriffen hatte, entspannte sie sich und genoss das Gefühl ihres nackten Körpers. Sie hatte herausgefunden, dass solange ihr Körper unter Wasser war, die eisige Kälte ihre Haut innerhalb kurzer Zeit angenehm taub werden ließ.

Mit kräftigen regelmäßigen Zügen schwamm Bright Heart zu der Biberburg hinaus. Wasser tretend bewegte sie sich neugierig um den Hügel aus Zweigen und Schlamm und versuchte den Eingang zu finden. Als sie den Bau ergebnislos umrundet hatte, holte sie tief Luft, hielt den Atem an und tauchte unter. In dem klaren Wasser sah sie deutlich, wo die Biber ein Fundament im Schlamm verankert hatten, das viel tiefer lag, als es von oben aussah.

Sie tauchte tiefer, bis sie direkt unter dem Boden des kuppelförmigen Baus einen halbrunden Eingang ausmachen konnte. Sie wollte wieder auftauchen, doch da erspähte sie noch eine Öffnung, die am Rand des Baus unter der Wasseroberfläche lag. *Ich will nur schnell einen Blick darauf werfen, dann tauche ich auf, um Luft zu holen*, dachte sie, als sie weiter unter das Bauwerk glitt. Enttäuscht stellte sie fest, dass sie nichts fand als eine dunkle Höhlung von etwa dreißig Zentimetern Durchmesser.

Sie spürte ein Brennen in der Brust und merkte, dass sie zu lange unter Wasser geblieben war. Sie stieß sich mit den Füßen von dem Bau ab, doch da fühlte sie, dass ihre Haare sich in der Nähe des Eingangs zur Biberburg verfangen hatten. Sie nahm an, sie würden sich lösen, doch je stärker sie zog, umso fester schien sich ihr Haar zu verhaken. Ihr Brustkorb fühlte sich an, als würde er gleich bersten. Sie musste an die Oberfläche gelangen. Sie konnte nicht länger den Atem anhalten. Sie versuchte, das letzte bisschen Luft in ihrer Lunge so langsam wie möglich auszuatmen, denn sie wusste, wenn es draußen war, würden sich ihre Lungen reflexartig öffnen und Wasser anstelle von Luft einsaugen.

Mit einem letzten scharfen Ruck versuchte sie, ihr verheddertes Haar entweder von dem Espenast oder von ihrem Kopf abzureißen. Wenn sie doch nur ihr kleines Abhäutemesser bei sich gehabt hätte, das sich in der Ledertasche bei ihren Kleidern befand, dann hätte sie sich gern die Haare abgeschnitten, um freizukommen.

Sie hatte gehört, dass manche Leute, bevor sie starben und zur nächsten Ebene vorrückten, in Gedanken ihr ganzes Leben an sich vorbeiziehen sahen. Ihr Leben zog nicht an ihr vorbei, doch sie erinnerte sich an die Warnung ihrer Mutter, als dieser wiederholt aufgefallen war, wie Bright Heart ihr Spiegelbild im Wasser betrachtete: »Es ist wichtig, stolz auf das eigene Aussehen zu sein, aber hüte dich vor der Eitelkeit!«

Nun schoss ihr durch den Kopf: Wäre sie mit ihren langen Haaren nicht so eitel, hätte sie diese schon längst kürzer geschnitten. Dann hätten sie sich nicht verfangen und sie würde nicht infolge ihrer Eitelkeit ertrinken.

Die Biberburg war so dicht gebaut, dass ihr Inneres in völliger Dunkelheit lag. Es war unmöglich, hinter den schwarzen Umriss des Eingangs zu sehen. In ihren letzten Bemühungen, ihre Haare zu befreien, glitt Bright Hearts Hand in dem Eingang nach oben. Sie wollte sie zurückziehen, da merkte sie, dass ihre Hand sich oberhalb des Wasserspiegels befand. Verzweifelt und mit allerletzter Kraft schob sie ihren Kopf in den Eingang, wohl wissend, dass wenn der Wasserstand zu hoch war, ihre Schultern sie daran hindern würden, mit dem Mund an die Oberfläche zu kommen.

Sie spürte Luft an der Scheitelspitze, als ihr Kopf durch den Eingang drang, aber dann hielten ihre Schultern sie davon ab, noch weiterzukommen. Ihr Mund war noch immer unter Wasser. Den Kopf zurückwerfend drückte sie das Gesicht so weit wie möglich nach oben, doch Nase und Mund befanden sich nach wie vor unterhalb des Wasserspiegels. Ihre letzten Gedanken waren: *Die Biber waren ein böses Omen … Tatanka wird meine Leiche niemals finden.*

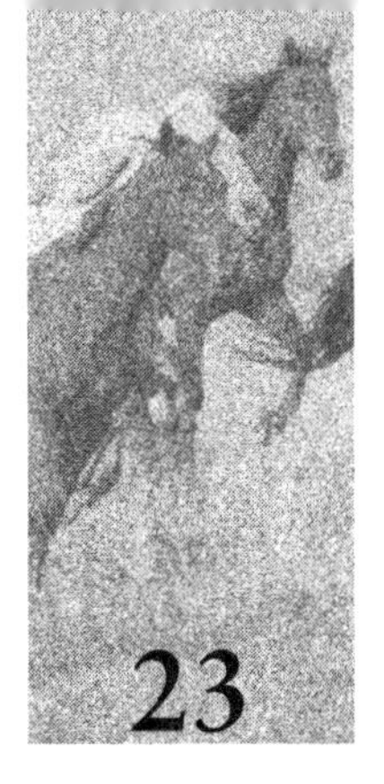

23

Als Tatanka den Plan der drei Trapper belauscht hatte, die Pferde zu stehlen, war ihm klar, dass wahrscheinlich jemand ums Leben käme, wenn er sie von Angesicht zu Angesicht stellte. Er wollte nicht wieder töten … außer die Bestien, die Morning Dove umgebracht hatten. Drei davon waren tot. Beim Versuch, auch die letzten beiden zu finden, hätte er fast den Verstand verloren; sie waren spurlos verschwunden.

Um am Leben und bei Sinnen zu bleiben, hatte er sich bemüht, sich nach den Prinzipien zu richten, die der Shaolin-Priester Yong Tong ihn in seiner Jugend in Malakka gelehrt hatte. Wenn einer der Schüler vom Töten gesprochen hatte, hatte der alte Mönch zu ihm gesagt: »Geh mit allem Leben so um, als wäre es dein eigenes.«

Tatanka hatte gefragt: »Meister, wie können wir einen Feind so behandeln wie uns selbst?«

Tatanka erinnerte sich an das wissende Lächeln des Mönchs, der geantwortet hatte: »Nur du selbst kannst diese Frage beantworten. Du wirst die Antwort finden, wenn du dich fragst, warum jemand dein Feind ist.«

Als er das Lager der Trapper verließ, hatte Tatanka beschlossen, eine *wikmunke*, eine Falle zu bauen, um den Pferdedieben einen Strich durch die Rechnung zu machen, wenn sie kamen, um die Appaloosas zu rauben. Er meinte zunächst, der beste Ort dafür wäre auf dem Weg, der am Rand der Wiese zum Lager der Trapper führte. Doch als er die Lage peilte, entdeckte er, dass mehrere kleine Pfade in die gleiche Richtung führten. Da er nicht sicher wissen konnte, welchen die Pferdediebe nehmen würden, beschloss er, sie zu der *wikmunke* zu locken, anstatt diese zu ihnen zu bringen. Als einziger Ort, an den die Räuber wohl bestimmt kommen würden, fiel ihm sein Lager bei den Biberteichen ein. Also begann er, als Bestandteil seiner Falle ein Schutzdach zu bauen.

Als Erstes machte er zwei junge Fichten ausfindig, die nahe am Ufer des Teiches wuchsen; sie waren gut fünfmal so hoch wie er und standen sieben Schritte voneinander entfernt. Nachdem er die Mitte zwischen den beiden Bäumchen ausgemacht hatte, maß er sechs Schritte ab und bestimmte den Eingang der Schutzhütte, sodass jener zu den Fichten und zum Teich hin lag.

Mit seinem Tomahawk aus Metall schlug und säuberte er zwei anderthalb Meter lange Äste, sodass am Ende jedes Stocks eine kleine Gabelung verblieb, und spitzte die entgegengesetzten Enden an. Mithilfe eines Steins hämmerte er die scharfen Enden etwa zwei Schritte voneinander entfernt in den Erdboden, parallel zu den beiden Fichtenstämmchen.

Mit Streifen abgeschälter Weidenrinde befestigte er ein Querstück zwischen den beiden aufrechten Gabelungen der senkrecht stehenden Pfosten. Dann schnitt er drei lange Stäbe und lehnte sie etwa einen Meter voneinander entfernt in schrägem Winkel mit dem oberen Ende an das horizontale Querstück und errichtete so den Rahmen des Unterstands. Als Nächstes hätte er normalerweise mehrere kleine horizontale Stangen über den drei schrägen Stäben befestigt und mehrere Lagen Fichten- oder Kiefernzweige darauf festgebunden, um ein regensicheres Dach zu erhalten.

Stattdessen nahm er das Rosshaarseil, mit dem Jeremiah ihm das Leben gerettet hatte, und webte es zwischen den schräg geneigten Stangen hin und her. Dann legte er Fichtenzweige über die Stangen und flocht sie durch das Seil, sodass es wie ein geschlossenes Schutzdach aussah. Abschließend prüfte er sein Werk mit kritischem Blick. Von Nahem betrachtet wirkte es recht nachlässig gemacht und sah mehr wie ein Netz aus als wie ein Dach, doch von Weitem und nach Einbruch der Dunkelheit im schwachen Licht des Lagerfeuers hoffte er, es würde die Diebe täuschen.

Als er losgezogen war, um die letzten Zweige zur Abdeckung des Unterstands zu schneiden, hatte er bemerkt, wie Bright Heart sich das Bauwerk kurz angesehen hatte. Er wollte ihr von den Trappern erzählen und ihr erklären, was er tat. Doch als er die Schutzdach-Falle fertiggestellt hatte, war sie mit Kochen beschäftigt, und so ließ er die Sache auf sich beruhen; es bestand keine Notwendigkeit, sie jetzt schon zu beunruhigen.

Dann unterbrach er den Bau der Falle, weil er sich sorgte, die Pferde würden sich bis ans andere Ende der Wiese verstreuen, wo die Diebe sie stehlen könnten, ohne überhaupt nur in die Nähe seiner *wikmunke* zu kommen, und brachte die Pferde wieder näher zu den Biberteichen.

Als er zum Lager zurückkehrte, war Bright Heart nirgends zu sehen. Ihm fiel auf, dass sie den eisernen Kochtopf an den Rand der alten Feuerstelle gerückt hatte, damit das Essen nicht anbrannte. Als er den aus dem Topf entströmenden köstlichen Duft wahrnahm, merkte er erst, wie hungrig er war. Dabei fiel ihm auch wieder ein, dass er versprochen hatte, rechtzeitig zum Essen zurück zu sein. Als sie nicht auftauchte, begann er sich Sorgen zu machen. Dann hörte er ein Platschen von dem oberen Biberteich her. Als er nahe genug herangekommen war, um über den Damm zu schauen, schwamm Bright Heart gerade mit kräftigen gleichmäßigen Zügen auf die Biberburg am oberen Ende des Teiches zu. Hinter ihren nackten Schultern kräuselten sich fächerförmige Wellen, in denen sich die Strahlen der Abendsonne spiegelten und die Wasseroberfläche zum Glitzern brachten.

Er kam sich wie ein Eindringling vor und ging leise fort. Wäre er länger geblieben, hätte er gesehen, wie sie untertauchte … und nicht wieder nach oben kam.

Tatanka schob die Gedanken an die jenseits des Biberdamms badende schöne Nez Percé beiseite und wandte seine Aufmerksamkeit leider wieder den Trappern zu, deren Plan, die Herde Appaloosas zu stehlen, er belauscht hatte. Anderenfalls hätte der siebte Sinn, mit dem er so manches wahrnahm, ihn warnen können, dass Bright Heart in Gefahr war.

Er hatte sie wegen der Trapper nicht unnötig ängstigen wollen und es daher noch hinausgeschoben, die Tripleinen an der Schutzdach-*wikmunke* zu spannen.

Nun, da sie außer Sichtweite badete, machte er sich daran, diese Aufgabe vor ihrer Rückkehr zu vollenden.

Mit seinem Tomahawk schärfte er zwei hölzerne Stangen am einen Ende und kerbte das gegenüberliegende ein. Nachdem er die Entfernungen abgeschritten hatte, klopfte er die Stangen etwa fünf Schritte voneinander entfernt und zwei Schritte vor dem flüchtig zusammengebauten Schutzdach in den Boden. Als Nächstes kletterte er auf eine der Fichten, bis sie sich nahe der Spitze unter seinem Gewicht zu biegen begann. Dort band er eine Rohlederleine um den Stamm und kletterte wieder herunter. Mit seinem ganzen Körpergewicht zog er an der Leine und bog den Baumwipfel wie eine starke Sprungfeder nach unten in Richtung des nächsten im Boden verankerten Pfahls bei dem Schutzdach. Er band einen Webleinstek-Knoten ans Ende des Seils, schlang ihn um einen etwa daumengroßen Stock und verkeilte ihn in der Kerbe des Pfostens. Dann kletterte er auf die andere Fichte, wiederholte die Prozedur und stellte eine zweite Baumstamm-Feder her, die er mit dem gegenüberliegenden Bodenpfosten verband.

Die beiden festgebundenen Stöcke wurden so verkeilt, dass sie parallel zu der Öffnung zwischen den Bäumen standen. Schließlich verband er die freien Enden der zwei Stöcke vor dem Schutzdach mit einer wenige Zentimeter über dem Boden vor der Öffnung gespannten langen dünnen Rohlederleine. Dann nahm er die losen Enden des Rosshaarseils, das er durch das Schutzdach gewebt hatte, spannte sie in entgegengesetzte Richtungen über den Boden zum Ansatz der beiden eingekerbten Pflöcke, an denen die *wikmunke* verankert war. Behutsam, damit sich die verkeilten Stöcke nicht lösten, die über die Leinen bis zu den Wipfeln der gebogenen Fichtenstämme die Spannung hielten, band er die Enden des Rosshaarseils am Ende der herabgezogenen Spannleinen zu kleinen Schlaufen. Als er das verwobene Netz aus Rosshaarseil und die Fichtenbögen an beiden Spannleinen befestigt hatte, bemerkte Tatanka, dass die Tripleine sich ein wenig gelockert hatte und nun fast den Boden berührte. Vorsichtig, damit der auslösende Stock nicht verrutschte, spannte er die dünne Stolperschnur dicht beim Schutzdach quer vor die Öffnung und band sie straff um den gegenüberliegenden Auslöser-Stock.

Er hatte darauf geachtet, das hohe trockene Gras vor dem Unterstand nicht niederzutreten, doch ein Reh oder irgendein anderes Tier hatte nahe bei einem der Fichtenbäumchen gegrast, sodass ein Teil der Leine bloßlag, die er im Gras zwischen den beiden Ankerpunkten gespannt hatte. Tatanka konnte nicht sicher sein, dass der kleine Trapper auf die *wikmunke* hereinfiel, wenn er sich dem Schutzdach näherte.

Daher schnitt er hinter dem Schutzdach mehrere Handvoll trockener Grasbüschel ab. Er kehrte zu der Tripleine zurück und bohrte dort, wo die Stolperschnur freilag, mit seinem Messer Vertiefungen in den Boden. Dann verpflanzte er die Grasstängel, indem er die abgeschnittenen Enden in die Öffnungen stopfte. Aus kurzer Entfernung prüfte er die Tarnung und fand, dass sie selbst bei Tageslicht nur schwer vom echten Gras zu unterscheiden war.

Zufrieden mit seinem Werk kehrten seine Gedanken zu Bright Heart zurück. Er hatte sie nicht ängstigen wollen und deshalb nicht über die *wikmunke* gesprochen. Nun hatte er jedoch das Gefühl, das sei ein Fehler gewesen. Sie sollte über die Situation im Bilde sein, die ja auch sie betraf. Er beschloss, ihr alles zu erzählen, sobald sie zurückkam.

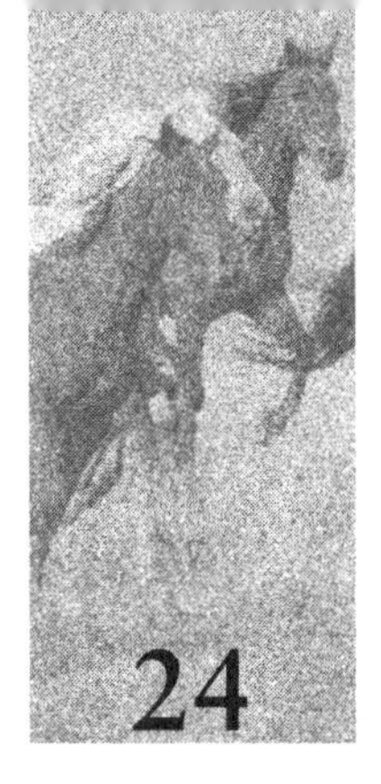

24

Bright Hearts Lungen waren schon kurz davor zu bersten, als sie versuchte, ihren Kopf in dem Eingang zur Biberburg weiter nach oben zu zwängen, doch ihre Schultern passten nicht durch die Öffnung. Voller Verzweiflung zog sie ihren Kopf aus der Öffnung zurück. Sie fuhr mit den Händen um den Rand des Eingangs, ohne zu wissen, was sie zu finden hoffte, da spürte sie eine Einbuchtung, die von den Bibern beim Anlegen der Öffnung ausgespart worden war. Sie quetschte die linke Schulter in diese Nische, zog die rechte Schulter so weit wie möglich zum Hals hinauf und zwängte so ihren Kopf mit der rechten Schulter in den Eingang. Der Platz reichte kaum, doch es war ihr möglich, sich ein Stück weit hineinzuklemmen. Im selben Moment, als sie reflexartig einatmete, durchbrach ihr Kopf die Wasseroberfläche.

Sie klammerte sich an den Boden der Biberburg, damit ihr Kopf über Wasser blieb, und schnappte in tiefen Zügen nach Luft. Als das Brennen in ihrer Brust allmählich nachließ, tastete Bright Heart nach unten, um herauszufinden, wo sich ihr Haar am Boden des Biberbaus verfangen hatte. An der rechten Seite ihres Kopfes waren die Haare straff gespannt und so ließ sie die Hand an der eingeklemmten Strähne entlanggleiten, bis jene zwischen zwei Espenzweigen verschwand, die Seite an Seite hervorstanden.

Vergebens versuchte Bright Heart mehrmals, ihr gefangenes Haar zu befreien. Als sie den Kopf in den Eingang der Biberburg hinaufgeschoben hatte, hatten sich ihre Haare an den vorstehenden Ästen festgezurrt. Wäre ihr Haar auch nur ein klein wenig kürzer gewesen, hätte sie ihren Kopf nicht aus dem Wasser heben können. Sie merkte, dass die Strähne zu straff gespannt war, um freizukommen, solange sie den Kopf aus dem Wasser hielt. Als sie begriff, dass sie wieder untertauchen müsste, damit sich die Spannung ihrer Haare lockerte, zögerte sie einen Moment, und sagte zu sich: *Ich schaffe das*. Dann holte sie tief Luft und senkte den Kopf. Ohne den Zug an ihrem verfangenen Haar konnte sie die Strähne seitlich zwischen die beiden parallelen Äste ziehen. Sie hing einen Moment lang fest, dann spürte sie ihre Haare freikommen. Augenblicklich stieß sie sich vom Boden der Biberburg ab und tauchte zur Oberfläche auf.

Ermattet hielt sie sich seitlich am Biberbau fest und atmete in tiefen Zügen die lebensspendende Bergluft ein. Sobald ihre Arme genug Kraft zurückgewonnen hatten, dass sie sich festhalten konnte und nicht wieder unterging, sprach Bright Heart ein Gebet zu *Heyoom Moxmox*, dem gelben Grizzly, ihrem *wyakan*, und dankte ihrem Schutzgeist für die Rettung vor dem drohenden Unterwassergrab. Ihr fiel ein, was ihr Vater erzählt hatte, nachdem er einmal beim Jagen nur knapp mit dem Leben davongekommen war. Sein Appaloosa war in das Loch eines Präriehunds getreten und inmitten dahinstürmender Schwarzhörner zu Fall gekommen. Als sie vom knappen Entkommen ihres Vaters gehört hatte, hatte sie gesagt: »Vater, ich habe ein Gebet gesprochen, um dem Schutzgeist für die Rettung deines Lebens zu danken.«

Er hatte geantwortet: »Danke, *cúnkši*«, denn oft nannte

er sie einfach nur »Tochter«, »es ist gut, dass du für meine Rettung Dank gesagt hast. Doch wir sollten dem *wyakan* auch danken, dass er uns mit der Weisheit und Fähigkeit versehen hat, uns selbst zu helfen. Wenn wir das uns mitgegebene Können nicht anwenden, werden wir womöglich nicht gerettet, denn Gebete könnten ohne eigenes Bemühen vielleicht nicht ausreichen.«

Bevor sie ans Ufer zurückschwamm, dankte sie *Heyoom Moxmox* nochmals, dass er ihr das Durchhaltevermögen verliehen hatte, nicht aufzugeben … und dass sie so gute Eltern hatte.

Als sie aus dem Teich auf den flachen Stein kletterte, wollte sie erst ihre Kleider anziehen und zum Lager zurückkehren. Dann aber holte sie ein Stück Seifenstängel aus der Tasche neben ihren Kleidern und glitt, wegen der kalten Luft auf der nassen Haut fröstelnd, rasch wieder ins Wasser.

Sie ließ sich vom Nass umhüllen, bis das Frieren nachließ, dann zerdrückte sie den Pflanzenstängel und rieb ihre Haare damit ein. Nachdem sie das Haar zweimal eingeschäumt und ausgespült hatte, schrubbte sie ihren Körper, bis es kribbelte. Nach ihrer knappen Rettung tat es ihr gut, so herumzuplanschen. Sie legte sich mit ausgestreckten Armen auf den Rücken und ließ Beine samt Körper treiben. Bright Heart entspannte sich, doch nach einer Weile begann sie zu zittern, weil sie schon so lange im kalten Wasser war.

Sie schalt sich selbst, zu lange im Teich geblieben zu sein, sodass ihr die Kälte Körperwärme und Kraft entzogen hatte. Mit Mühe kletterte sie aus dem Wasser auf den flachen Stein. Dabei kehrten ihre Gedanken zurück zu jenem Tag, als sie im Tal des Bären von einem Carcajou angegriffen worden war.

Während sie dort auf dem Felsen saß, sich die Haare kämmte und ihren nackten Körper von der warmen Abendsonne trocknen ließ, lief ihr ein Schauer über den Rücken … Sie hatte das Gefühl, beobachtet zu werden. Instinktiv schnupperte sie in der Luft. Als sie sich an den fauligen Geruch von damals erinnerte, schnupperte sie noch einmal. Hatte sie etwas gerochen oder hatte sie sich das nur eingebildet? Fantasierte sie, weil ihre Beinahe-Begegnung mit dem Tod Gedanken an die Vergangenheit zurückgebracht hatte? Rasch zog sie sich an und kehrte zum Lager zurück. Sie sagte zu sich: *Ich bilde mir wieder Sachen ein … Ich muss damit aufhören … Ich will nicht, dass die Träume zurückkehren … Da draußen war gar nichts.*

Als sie auf dem Rückweg zum Lager den Bach überquerte, knackte im Wald ein Ast, nicht fern von der Stelle, wo sie gebadet hatte … doch sie war zu weit weg, um es zu hören.

Wieder im Lager schnitt Bright Heart wilde Zwiebeln und Rüben klein, die sie am Rand der Wiese gefunden hatte. Als sie diese in den Kochtopf gab und umrührte, freute sie sich, welch köstlicher Duft die alte Lagerstelle umwehte. Dann, mit einem Lächeln, bei dem ihre Augen aufleuchteten, fiel ihr ein, wie gut Tatanka die Forellen geschmeckt hatten, die sie vor dem Aufbruch zu dieser Reise zubereitet hatte, und sie wollte versuchen, einige Fische für ihre Abendmahlzeit zu fangen.

Bei den Weiden, die unterhalb des ersten Biberdamms wuchsen, schnitt sie eine Stange von etwa ihrer Körperlänge. Nachdem sie in das dünnere Ende zwei Kerben geschnitzt hatte, um ein Abgleiten zu verhindern, band sie ein dünnes Stück Sehne daran fest, das etwa doppelt so lang war wie die Stange. Dann holte sie einen knöchernen Haken aus ihrer Satteltasche und befestigte ihn am anderen Ende der Sehne.

Bright Heart bemühte sich, im Schutz der Bäume zu bleiben, um keinen Schatten aufs Wasser zu werfen, der die Fische warnen würde, und bahnte sich leise den Weg zum Nordende des Biberdamms, wo es am Ufer des Teiches eine Böschung gab. Als sie über den grasbewachsenen Ufersaum spähte, sah sie Regenbogenforellen umherschwimmen. Sie hielt Abstand, um die Forellen nicht zu verschrecken, und befestigte als Köder einen Grashüpfer am Haken. Mit einem sanften Peitschenhieb warf sie den Haken samt Köder oberhalb der Forellen ins Wasser. Im nächsten Augenblick schon spürte sie einen Ruck an der Stange, weil eine Forelle den Köder schluckte. Innerhalb kurzer Zeit fing sie vier schöne große Regenbogenforellen. Wieder im Lager spießte sie die Fische auf kurze Weidenstäbe, die sie in schrägem Winkel über am Rand der Feuerstelle aufgeschichteten heißen Kohlen in die Erde steckte.

Leicht verstimmt, dass das Essen fertig war, aber von Tatanka nichts zu sehen, fuhr sie vor Schreck fast aus der Haut, als er plötzlich auftauchte. »Ich wünschte, du würdest dich nicht immer so an mich anschleichen«, sagte sie, teils froh, *dass* er zurückkehrt war, und teils ärgerlich über die Art, *wie* er zurückgekehrt war. Sie fragte sich, wo er gewesen sein mochte.

»Ich konnte die gebratene Forelle durchs halbe Tal riechen«, erklärte er lächelnd. Dann ging er, ehe sie antworten konnte, in die Richtung, wo sie gebadet hatte, und verschwand rasch mit den Worten: »Ich bin gleich zurück, doch erst muss ich noch etwas erledigen.«

Kurze Zeit später tauchte er wieder auf. Bright Heart begann sich zu ärgern, weil die Forellen allmählich kalt wurden. Sie hatte sie vom Rand der Feuerstelle nehmen müssen, damit sie nicht verkohlten.

Sie erkannte, dass er im Wasser gewesen war, denn sein Haar war noch nass und sein hirschledernes Jagdhemd zeigte feuchte Flecken, wo das Wasser eingedrungen war, als er es über die nasse Haut wieder angezogen hatte. Sie überlegte, ob er wohl bei dem flachen Stein in den Teich gegangen war, wo sie zuvor gebadet hatte. *Ob er wohl weiß, dass ich dort ein Bad genommen habe?*, fragte sie sich im Stillen.

Ihre Gedanken kehrten in die Gegenwart zurück, als Tatanka sagte: »Da ist eine Bande *wašičun ska*, die vorhaben, heute Nacht unsere Pferde zu stehlen. Wir müssen ...«

»Woher weißt du, dass weiße Männer unsere Pferde stehlen wollen?«, unterbrach ihn Bright Heart in der Sprache der Nez Percé, denn sie hatten einander in ihrer beider Sprachen unterrichtet.

»Ich bin einem der *wašičun ska* bis zu ihrem Lager nachgegangen, nachdem er uns verfolgt hatte. Er hat gesagt ...«

»Woher hast du gewusst, dass er uns verfolgt?«, unterbrach sie ihn erneut. Mit ängstlichem Seitenblick zu dem Wäldchen, wo sie gebadet hatte, fuhr sie fort: »Du sagst, er hat mit dir gesprochen! Was hat er dir erzählt? Wenn du mit ihm geredet hast, wo ist er dann jetzt? Warum hast du ihn gehen lassen?«

Tatanka murmelte auf Englisch »Bitte schenk mir Geduld«, und erklärte ihr: »Wenn du mir zur Abwechslung mal zuhören könntest, anstatt so viele Fragen zu stellen, will ich versuchen, es dir zu erklären.« Da er bemerkte, wie die Anspannung in ihren Blick zurückkehrte, die nur langsam gewichen war, nachdem er sie von den Atsina-Pferdedieben befreit hatte, fügte er hinzu: »Sie haben vor, die Pferde in der Dunkelheit zu stehlen, nachdem der Großvater verschwunden ist, doch es könnte sein, dass sie uns schon jetzt beobachten, um herauszufinden, mit wie vielen sie es zu tun haben. Der kleine Trapper, dem ich gefolgt bin, hat den anderen weißen Männern erzählt, dass er nur zwei Reiter gesehen hat, aber glaubt, es könnten noch weitere der Herde folgen.«

An ihrem Blick erkannte er, dass er das Falsche gesagt hatte. Anstatt sie zu beruhigen, hatte er ihre Angst noch verschlimmert. Unsicher, wie er ihre Besorgnis lindern könnte, legte er seine Hand auf ihren Arm. Er sah in ihre Augen hinab und dachte, wie glücklich es ihn machte, wenn sie lächelte. Zum ersten Mal seit langer Zeit war er mit sich und der Welt im Reinen. So hatte er seit dem Tod seiner Frau nicht mehr empfunden.

Bright Heart sah zu ihm auf und dachte, wie sehr sie ihn liebte. Als sie seine Hand auf ihrem Arm spürte, merkte sie, wie sicher sie sich bei ihm fühlte. Sie lächelte; ihr Glück schien grenzenlos. Es erstaunte sie, wie so ein kräftiger Krieger so sanft sein konnte. Sie wollte ihn mehr als alles andere im Leben. Nun verstand sie, was ihre Mutter gemeint hatte, als sie sagte: »Wenn du den Mann gefunden hast, mit dem du dein restliches Leben verbringen möchtest, wirst du es wissen.«

Sie legte ihre Hand auf seine. So standen sie da und sahen sich an, durch die Berührung innig verbunden. Sie wartete und hoffte, er würde sie umarmen. Als er es nicht tat, fasste sie sich ein Herz, um selbst die Arme um ihn zu schlingen. Dann, noch ehe sie sich hatte bewegen können, spürte sie, wie sein Körper sich verspannte. Als sie ihn ansah, hatte sein Blick sich verändert. Die Wärme war fort. Das ängstigte sie. Genau diesen Blick hatte er gehabt, als die Bande *wašičun ska* in ihre Hütte im Tal des Bären eingedrungen war. Er sagte: »Dir wird nichts geschehen. Aber du musst auf mich hören und genau tun, was ich dir sage.«

Sie wollte ihm sagen, dass sie ihm vertraute und wusste, er würde nie zulassen, dass jemand ihr ein Leid täte. Doch ehe sie sprechen konnte, legte er ihr den Finger auf die Lippen und brachte sie zum Schweigen. »Du musst mir zuhören«, sagte er mit kaltem und entschlossenem Blick.

Als Tatanka sah, dass er endlich ihre ungeteilte Aufmerksamkeit hatte, erklärte er ihr: »Wir dürfen den *wašičun ska* nicht zeigen, dass wir sie bemerkt haben. Sieh dich nicht um. Benimm dich ganz natürlich, wenn wir unsere Mahlzeit einnehmen, und tu das, was du sonst auch tust. Lass das Feuer bis zur Glut herunterbrennen, dann gehen wir in den Unterstand. Wenn du hineingehst, sei vorsichtig, damit du nicht die Tripleine auslöst, die unter den Blättern vor dem Schutzdach verborgen ist.«

Dann rückte er näher an sie heran. Sie dachte, nun würde er sie aber wirklich in die Arme schließen. Doch er flüsterte nur: »Sie werden uns beobachten, deshalb müssen wir das Feuer niederbrennen lassen, ehe wir in den Unterstand gehen. Wir werden lange genug warten, dass sie denken, wir würden schlafen, dann schlüpfen wir durch ein Loch in der Rückwand wieder hinaus.«

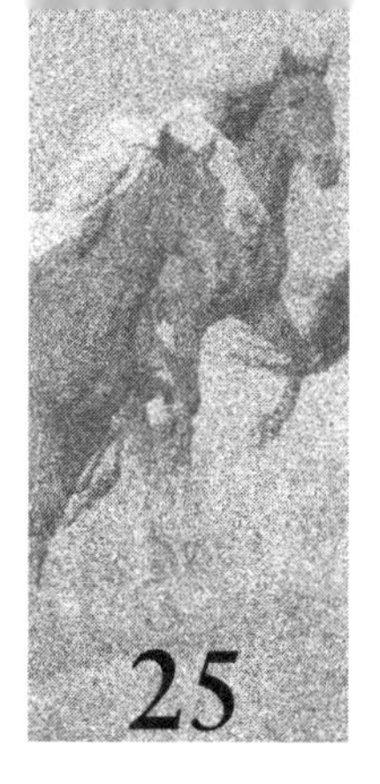

25

Da er nicht sicher war, ob die *wikmunke* funktionieren würde, beschattete Tatanka die drei Trapper, als sie sich den Rand der Lichtung entlang ihren Weg zum Lager bahnten. Damit alle drei in die Falle gingen, müssten sie dicht beisammenbleiben. Er befürchtete, sie könnten sich trennen, wenn sie sich dem Lager näherten.

Zu Fuß und nur bei Mondlicht ging das Trio im Dunkeln leise am Waldrand um die Lichtung herum, bemüht im Windschatten der Pferde zu bleiben. Als einer von ihnen auf einen trockenen Zweig trat, sodass er knackste, bedeutete der Kleine den anderen beiden, sie sollten aufpassen, wohin sie traten.

»Vorsichtig!«, flüsterte er. »Die beiden *Injuns* schlafen bestimmt schon. Wolln doch nicht, dass die Fleckenpferde sie wecken. Wir schleichen uns vom Biberteich her an ... in gutem Abstand zu den Pferden.« Nach einer Pause, damit die anderen ihm auch gewiss zuhörten, warnte er: »Ihr könnt den roten Kerl loswerden, aber der jungen Squaw tut ihr nichts. Soviel ich gesehen habe, bevor das Feuer runtergebrannt ist, ist sie 'ne Hübsche ...«

»Jau, denk schön dran, sie mit uns zu teilen«, meinte der große weiße Mann.

Weasel setzte an, etwas zu sagen, überlegte es sich aber anders. Leise gingen die drei Männer an zwei gekrümmten

Bäumen vorbei und näherten sich dem Unterstand. Der Neue, der sich erst beim Aufbruch aus St. Louis zu den anderen gesellt hatte, ging einige Schritte abseits und Tatanka fürchtete schon, er würde die *wikmunke* verfehlen. Dann schloss er wieder auf. Der zwergenhafte Anführer konnte es kaum fassen, wie leicht es gewesen war, sich an die beiden Rothäute anzuschleichen. Mit dem Geld, das sie durch den Verkauf der Pferde verdienen könnten, würde er sich nie wieder beim Waten durch Biberteiche die Füße abfrieren müssen. Er stellte sich gerade vor, was der Booshway für ein Gesicht machen würde, wenn sie mit der Herde Appaloosas und einer Squaw obendrein wieder im Lager auftauchten, da verfing sich sein Fuß in etwas, das sich anfühlte wie eine im Laub eingebettete Schlingpflanze.

Dann, noch ehe er reagieren konnte, hörte er das »Ping!«, mit dem die Tripleine die beiden Holzkeile auslöste, auf denen die Spannung der an den beiden gebeugten Fichtenstämmen befestigten Rohlederriemen lag.

Als Nächstes schien das Schutzdach vor ihm zu explodieren und fing alle drei Trapper in einem Netz. Unvermittelt wurde er in die Luft geschleudert wie ein Kiesel aus einer Steinschleuder.

Zu seiner Rechten hörte er Bull einen Schrei ausstoßen, dann platschte er kopfüber in den Biberteich und das kalte Wasser verschlug ihm den Atem. Würgend und prustend ließ er sein Gewehr los und mühte sich, den Kopf über Wasser zu bekommen. Strampelnd und wassertretend wie ein Hund paddelte er ungeschickt zum Ufer. Seine wasserdurchtränkten Hirschlederhosen fühlten sich an, als wollten sie ihn in die kalten Tiefen des Teiches hinabziehen, und zu seiner Linken hörte er einen anderen darum kämpfen, ans Ufer zu kommen. Als er sich gerade ans Trockene hochzog, löste sich eine Gestalt aus der Dunkelheit. Noch ehe er etwas tun konnte, legten sich ihre Klauen um sein Genick. Dann wurde ihm schwarz vor Augen und er plumpste ins Gras.

Die anderen beiden Trapper kamen gleichzeitig aus dem Wasser. Da der Große ihm am nächsten war, ging Tatanka auf ihn zu. Doch dann, als er den Mann erreichte, spürte er eine Bewegung hinter seinem Rücken. Im Umdrehen sah er aus dem Augenwinkel, wie der Trapper namens Jake sich mit einem aus dem Schaft seines Stiefels gezückten rasiermesserscharfen Stilett auf ihn stürzte.

Bevor Tatanka reagieren konnte, umklammerte ihn der große Trapper von hinten und klemmte Tatankas Arme mit Bärenkräften fest. Tatanka versuchte, dem Stilett auszuweichen, merkte aber, dass der große Trapper stärker war, als er angenommen hatte, und er ihn nicht abschütteln konnte. Er rammte dem Mann seinen Hinterkopf ins Gesicht und spürte, wie dessen Nasenbein brach und die Umklammerung sich lockerte, aber zu spät. Das Stilett war nur noch Zentimeter von seinem Herzen entfernt.

Doch als die Spitze von Jakes Messer gerade in Tatankas Hirschleder-Jagdhemd eindrang, trat eine kleine Schattengestalt aus der Dunkelheit und ein eiserner Kochtopf knallte dem Trapper ins Gesicht. Jake wankte einen Augenblick, dann sank er zu Boden und das Stilett fiel ihm aus der Hand.

Im nächsten Augenblick schwang der Kochtopf auf Tatanka zu. Erneut versuchte er auszuweichen, diesmal dem Kessel. Da Bull ihn aber wieder fest im Griff hatte, stieß ihm Tatanka ein zweites Mal den Hinterkopf ins Gesicht, der Topf verfehlte knapp seinen eigenen Kopf und prallte mit einem lauten dumpfen Schlag gegen die Stirn des großen Mannes.

Als er spürte, wie dessen Bärengriff nachließ, knallte Tatanka Bull noch einmal den Hinterkopf ins Gesicht. Dann merkte er, dass dieser Schlag gar nicht nötig gewesen wäre, denn der große Mann sank zu Boden und war durch den Kochtopf außer Gefecht gesetzt.

Kaum lag der Körper des Trappers auf der Erde, zückte Tatanka sein Jagdmesser und fuhr mit der Spitze der Länge nach über dessen Jagdhemd. Weil sie dachte, er wolle den Trapper töten, sagte Bright Heart: »Du wirst doch nicht ...« Bevor sie den Satz beenden konnte, machte er einen zweiten Schnitt durch das Hemd des Trappers und sagte: »Wir müssen uns beeilen. Nimm dein Messer und schneide lange Streifen aus ihren Leggings und ihren Jagdhemden. Verwende die Lederriemen, um sie zu fesseln, bevor sie wieder zu Bewusstsein kommen.«

Als er ihr Gesicht sah und erkannte, wie schroff und undankbar er klang, sagte er: »Ich danke dir! Du hast mein Leben gerettet.«

Dann ergänzte er lächelnd: »So wie du mit diesem Topf umgehst, hätte ich mich besser heraushalten und es dir überlassen sollen, mit den dreien fertig zu werden«, worauf sie über das Kompliment errötete. Dann fügte der berühmte Lakota-Krieger hinzu: »Vielleicht kannst du mir gelegentlich einmal zeigen, wie man den Kessel schwingt?« Er setzte nach: »Du verwendest ihn als Waffe ja geschickter als zum Kochen.«

Da erkannte er seinen Fehler und versuchte sich rauszureden: »Ich meine, die Mahlzeiten, die du zubereitest, sind wirklich köstlich«, während er die Beine des Trappers fesselte und ihm die Arme hinter dem Rücken zusammenband.

Sie bedachte ihn mit einem Lächeln, das hoffentlich bedeutete, dass sie seine Bemerkung nicht missverstanden und als Kritik an ihren Kochkünsten angesehen hatte. Tatanka hatte das Gefühl, er wisse nicht viel über die Art und Weise, wie Frauen manches so auffassten. Doch er wusste genau, dass der sicherste Weg, ihnen auf die Füße zu treten, darin bestand, sich unhöflich über ihre Kochkünste zu äußern oder schlimmer noch, einen Vorschlag zu machen, womit sich der Geschmack einer Speise verbessern ließe.

Tatanka hielt es für besser, sich davonzumachen, ehe sie es sich anders überlegte und doch noch zornig wurde oder zu weinen anfing, was für ihn ebenso schlimm wäre. Er nähme es bei Weitem lieber mit einer Herde heranstürmender Schwarzhörner auf als mit einer Frau, die er verärgert hatte. Er wusste, wie man heranstürmenden Schwarzhörnern aus dem Weg ging. Doch es war ihm ein unlösbares Rätsel, worüber Frauen sich aufregten, geschweige denn, wie man vermeiden konnte, sie zu verärgern. Wenn Morning Dove verstimmt gewesen war, war er ihr aus dem Weg gegangen, indem er verschwand, bis er annahm, sie habe sich wieder beruhigt, über was auch immer sie sich geärgert haben mochte, in seinen Augen waren das Kleinigkeiten wie etwa ein angebranntes Essen. Er wusste so gut wie alles Wissenswerte, um in einer unwirtlichen Umgebung zu überleben. Doch über weibliche Stimmungsschwankungen wusste er praktisch nichts.

Tatanka zog dem großen Trapper einen Mokassin aus, faltete ihn und schob ihn ihm in den Mund. Dann nahm er einen der Lederriemen, legte ihn über den Mokassin und verknotete ihn fest hinter dem Kopf, sodass ein Knebel entstand. Bright Heart folgte seinem Beispiel und knebelte den dünnen Trapper. Als Tatanka mit dem dritten Mann fertig war, sagte er: »Ich will nicht, dass sie das ganze Tal aufwecken, wenn ich sie wegbringe, um sie loszuwerden.«

Tatanka ließ die Männer auf dem Boden liegen und wandte sich ab, um in die Richtung zu gehen, wo die Trapper ihre Pferde gelassen hatten. Da merkte er, dass er wieder in die Gewohnheit zurückfiel, was für ihn auf der Hand lag, seinen Mitmenschen nichts zu erklären. Dabei musste er an Morning Dove denken. Dies hatte zu den Dingen gehört, die sie gestört hatten, als sie noch lebte ...

Er riss seine Gedanken von ihr los und erklärte Bright Heart: »Nach dem, was geschehen ist, wäre es unklug, hier noch länger zu bleiben. Wir werden die Pferde in Bewegung setzen, bevor sich der Großvater erhebt.«

Dann, als er im Mondlicht in Bright Hearts Gesichtsausdruck etwas wahrnahm, was er für Angst hielt, fügte er hinzu: »Du solltest zu den Schwarzhorn-Roben zurückgehen und ein wenig schlafen. Wir haben morgen einen langen, harten Tag vor uns.«

Da seine Worte offenbar die Angst der schönen Nez Percé nicht hatten beschwichtigen können, setzte er nach: »Keine Sorge. Gefesselt, wie sie sind, werden sie keinen Ärger mehr machen. Ich hole ihre Pferde und bringe die weißen Männer in ihr Lager zurück.«

Als der als Spirit Walker bekannte blauäugige Krieger lautlos durch die Bäume huschte, war er froh, dass er Bright Hearts Ängste hatte zerstreuen können. Der Krieger, dem man nachsagte, er könne die Gedanken anderer lesen, ehe sie gedacht wurden, ahnte jedoch nicht, dass Bright Hearts Sorge gar nicht ihrer eigenen Sicherheit, sondern dem Schicksal der Trapper gegolten hatte.

Als er mit den Pferden der Weißen zurückkam, war Bright Heart fort. Tatanka war zufrieden. Er ging davon aus, dass sie seinen Rat befolgt hatte und wahrscheinlich nahe am Ufer des Biberteichs schlief, wohin sie die Schwarzhorn-Roben verlegt hatten.

Während Tatanka mit den drei Trappern, die über den Rücken ihrer Pferde hingen, von der Lichtung ritt, glaubte Bright Heart, die sie sich unter den warmen Schwarzhorn-Roben schläfrig umdrehte, seine Gegenwart nahe am Saum der Brombeerbüsche zu spüren.

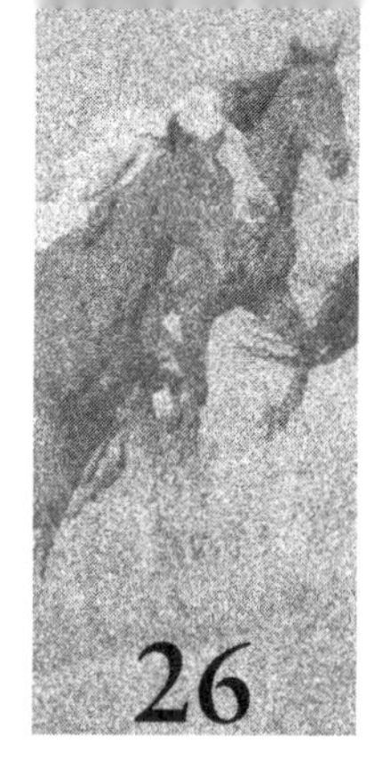

26

Das Erste, was die Trapper sahen, als das Lager am nächsten Morgen erwachte, waren Weasel, Bull und der lange dünne Neue in seinen wasserdurchtränkten gekauften Kleidern. Alle drei waren mit dem Rücken an einen großen Nadelbaum gefesselt. Man hatte ihnen ihre Mokassins in den Mund gestopft und festgebunden, sodass sie weder rufen noch ihre Hände bewegen konnten. Auf den ersten Blick sah es so aus, als hätte man ihre Skalps genommen.

Als die Trapper sich um die drei scharten, platzte Rusty, der Grünschnabel der Truppe, heraus: »Sie sind skalpiert worden!« Er schaute sich ängstlich um, als erwarte er, es würde gleich eine Horde blutdürstiger Wilder aus dem Wald hervorstürmen, und fragte: »Warum macht jemand denn so was?«

So wie über einem Haarkranz der obere Schädel rasiert worden war, erinnerte Weasels Kopf an ein Vogelnest ohne Boden, das auf einem großen weißen Ei thronte. Rusty starrte Weasel an und fragte: »Warum blutest du nicht, wenn du skalpiert worden bist?«

Der Booshway ergriff das Wort. »Junge«, sagte er mit dem Anflug eines Lächelns, das nicht gerade für eine ernste Lage sprach, »mit einem Mokassin im Mund dürfte es ihm schwerfallen, dir zu antworten. Wenn du genauer hinschaust, wirst du sehen, dass er gar nicht skalpiert wurde.«

Nach einem unauffälligen Seitenblick zum Rand der Lichtung schaute der Booshway wieder auf die kahle Stelle am Kopf des kleinen Mannes. »Die ganze Bande zu skalpieren hätte nur halb so lange gedauert, wie einen von ihnen so zu rasieren. Wer auch immer das getan hat, hat Sinn für Humor. Oder es soll eine Botschaft für uns sein.«

Bill machte keinerlei Anstalten, die drei Trapper loszubinden oder die Knebel zu entfernen, damit sie sprechen konnten, und fügte mit Blick auf ihren Anführer hinzu: »Ich frage mich, ob das mit den gefleckten Pferden zu tun hat? Ich hatte euch doch gewarnt, ihr sollt sie in Ruhe lassen! Wir wollen uns in dieser Gegend keine Scherereien einhandeln oder Feinde machen. Wenn ich mit euch fertig bin, werdet ihr wünschen, die Indianer hätten euch skalpiert.«

Als der Booshway sah, was Rusty für ein Gesicht machte, fragte er ihn, als ging es um etwas so Alltägliches wie das Abziehen eines Biberpelzes: »Hast du schon mal gesehen, wie jemand skalpiert wird?« Und ohne die zweifellos verneinende Antwort abzuwarten, erklärte er dem mit weit aufgerissenen Augen dastehenden Greenhorn: »Man packt eine Handvoll Haare oben am Kopf, fährt mit der Klinge einmal rundherum und zieht mit einem festen Ruck an. Wenn du es richtig machst, löst sich der Skalp mit einem Plopp. Ist natürlich etwas einfacher, einen toten Mann zu skalpieren. Der wehrt sich wenigstens nicht.«

Als Rusty daraufhin ein gutes Stück blasser wurde und dreinschaute, als würde er gleich sein letztes Abendessen von sich geben, setzte einer der anderen erfahrenen Trapper noch eins drauf.

»Wenn man dir den Schopf abgerissen hat, heißt das aber noch lange nicht, du hättest deinen letzten Biber gefangen. Ich kannte 'nen Kerl, den haben 'n paar Blackfoot skalpiert, der lebte noch und konnte davon erzählen. Seine Squaw hat ihm so 'ne Art Wickel gemacht und die Wunde mit nassem Rehleder abgedeckt. Nach 'ner Weile ist's verheilt, aber er musste den Kopf bedecken, damit die Sonne nicht draufscheint. Ist fort aus den Bergen und zur Farmarbeit zurück. Hat die Squaw mitgenommen, ja, so war das.«

Der Booshway zückte sein Jagdmesser und hielt es Weasel unters Kinn. »Du hast meine Pelzhandelsgesellschaft in eine unangenehme Lage gebracht. Ich hätte gute Lust dir den Hals durchzuschneiden und Schluss, doch ich habe noch ein paar Fragen. Ich schneide jetzt den Riemen ab, damit du reden kannst. Aber wenn es mir auch nur ansatzweise so vorkommt, als würdest du lügen, werde ich dir noch ganz was anderes abschneiden, bevor ich dich den Wölfen überlasse, die wir neulich Nacht haben heulen hören – oder anderen Viechern, die beim Fressen nicht wählerisch sind.«

Nachdem er den Lederriemen durchgeschnitten hatte, mit dem der Mokassin in Weasels Mund festgebunden war, hielt er ihm die scharfe Klinge vors Gesicht und warnte ihn noch einmal: »Mit gespaltener Zunge zu sprechen ist der sicherste Weg, um eine zu bekommen. Also, wie viele Indianer sind es und was hast du gemacht, dass es so ausgegangen ist?«

Ausnahmsweise empfand der sehnige *Mountain Man* in seinem Leben einmal Angst, denn er hatte das Gefühl, wenn er die Wahrheit sagte, würde der Booshway ihm nicht glauben, aber wenn er log, ebenso wenig. Sein Mund war trocken und schmeckte nach Mokassin.

»Ich hab nur zwei gesehn, wie ich euch gestern erzählt hab. Als wir uns an denen ihr Lager angeschlichen haben, waren da nur der Bock und 'ne hübsche kleine Squaw. Als die in die Schutzhütte gegangen sind, die sie sich gemacht hatten, sind wir näher ran. Die Hütte muss irgendwie so 'ne Art Falle gewesen sein. Weil sie geht los und fängt uns. Als Nächstes wirft sie uns wie 'ne Schleuder in den Biberteich. Da müssen noch mehr von denen *Injuns* gewesen sein, weil als ich aus dem Teich geklettert bin, habense mich von hinten gepackt und dann wurd alles schwarz und ich bin hier wieder aufgewacht, an den Baum da gebunden mit den andern beiden, die warn mir ja keine große Hilfe gegen die Wilden.« Dann, bevor jemand anders etwas sagte, fiel ihm ein, wie er sich vielleicht herausreden könnte. »Also«, sagte er, »ihr seht, wir waren es nicht, wer da Streit angefangen hat. Wir sind nur ganz friedlich zu Besuch hin zu den *Injuns* und die gehn auf uns los und werfen uns ins kalte Wasser und schneiden uns die Haare ab und fesseln uns hier. Ich würd ja sagen, die ...«

Ehe er fortfahren konnte, schnitt jemand bei den beiden anderen Trappern die Riemen der Mokassinknebel durch. Bull spuckte seinen Mokassin aus und warf ein: »Was Weasel sagt, stimmt, außer dass es nur zwei Rothäute waren. Fragt Jake, der sagt's euch.«

»Old Bull sagt die Wahrheit«, stimmte Jake ein. »Als Weasel aus dem Teich geklettert ist, hat der *Injun*-Bock ihn von hinten gepackt und ich dachte, er hätt ihn getötet, so wie Weasel zu Boden ging.«

»Aber was auch immer mich da gepackt hat, ein Mensch war das nicht«, warf Weasel ein. »Es hatte Klauen und hat mich hochgehoben, als wär das gar nichts.«

Ohne auf Weasels Proteste zu achten, sagte Bull: »Für mich sah er schon wie eine Rothaut aus. Aber ich muss sagen, als ich ihn im Bärengriff hatte, damit Jake ihn mit dem Stilett absticht, da hat er sich mehr angefühlt wie ein Baumstamm als wie ein Mensch. Und seltsame Augen hat er gehabt.«

»Wenn Jake ihn erstechen wollte, während du ihn mit deinen starken Armen festgehalten hast, mit denen du so gern angibst, wie kommt es dann, dass ihr hier gelandet seid, zusammengeschnürt wie ein Bündel skalpierte Biber?«, fragte der Booshway.

Ohne nachzudenken antwortete der große Mann: »Jake hätt den *Injun* schon erledigt, wenn die Squaw ihm nicht den Kochtopf auf den Schädel geschlagen hätt.«

»Sie hat Jake also auf den Kopf geschlagen. Und wie erklärt das, dass ihr drei hier an diesen Baum gefesselt seid?«, erkundigte sich der Booshway.

Da ihm allmählich dämmerte, in welches Licht seine Schilderung sie rückte, versuchte Bull, sich eine Antwort auszudenken, durch die sie nicht als Trottel dastanden. Doch als er an den Baum gefesselt dasaß und versuchte eine Erklärung zu erfinden, durch die das, was ihnen geschehen war, nicht noch lächerlicher klang, konnte er nur murmeln: »Es war ein Eisentopf und sie war stärker, als sie aussah. Hat ihn niedergeschlagen wie ein wilder Stier. Bevor ich diesen Bock loslassen kann, holt sie aus und schwingt den Kessel auf seinen Kopf zu, bloß dass sie ihn verfehlt und mich am Schädel trifft. Das Nächste, was ich weiß, ist, dass ich aufwache und an den Baum hier gefesselt bin.«

Als er sah, dass mehrere der Trapper daraufhin grinsten, sagte er in seiner üblichen großspurigen Art: »Wenn ich die beiden erwische, dann werd ich sie lehren …«

»Klingt ja, als hättest du ihnen schon eine Lektion erteilt, oder war's etwa andersrum?«, unterbrach ihn einer der Umstehenden feixend. Und ohne Bulls Antwort abzuwarten, fügte ein anderer hinzu: »Sieht aus, als hätt die kleine Squaw für die Lektion gesorgt. Wenn sie dir noch mehr beigebracht hätte, wärst du wahrscheinlich so tot wie ein Biber.«

Nachdem der Booshway Bulls Bemerkung über die Augen des Angreifers gehört hatte, fragte er: »Du sagst, der Indianer hatte seltsame Augen. Was genau meinst du damit?«

Bull antwortete: »So was hab ich bei 'nem *Injun* noch nie gesehn. Und ich hab schon viele *Injuns* gesehn. Es war ja Nacht, aber als er sich umgedreht hat und ich sein Gesicht im Mondlicht gesehen hab, warn seine Augen nicht normal, nicht dunkel wie bei Rothäuten sonst. Sie warn fast weiß … wie bei 'nem Geist.«

Er unterbrach sich, überlegte, ob er mit einem neuen Einfall vielleicht das Gesicht wahren könnte, und fügte hinzu: »Das isses es … ein Geisterkrieger war's, der uns hier gefesselt hat.« Fast glaubte er schon selbst daran.

»Könnten seine Augen blau gewesen sein?«, fragte der Booshway, ohne auf die Bemerkung über den Geist einzugehen.

»Schätze schon«, antwortete Bull. »Welche Farbe auch immer seine Augen hatten, es war, als würden sie glatt durch einen hindurchsehen.«

Der Booshway bemerkte den Gesichtsausdruck einiger älterer Trapper, Weasel inbegriffen, und fragte den Kleinen: »Hast du seine Augen gesehen, Weasel?«

»War viel zu weit weg, als wir die Wiese mit den Pferden überquert haben. Und an dem Biberteich hat er sich von hinten an mich rangeschlichen, von daher hab ich sie nich sehn können.«

Als er über die Augen des Indianers nachdachte, kam ihm etwas in den Sinn. »Denkst du an denselben Krieger, an den ich denke?«, fragte er und ein Schauer lief ihm über den Rücken.

Der Booshway ließ den Blick über die Lichtung wandern, auf der sie ihr Winterlager aufgeschlagen hatten. Als die drei Trapper entdeckt worden waren, hatten sie die Umgebung des Baums untersucht. Die einzig sichtbaren Spuren waren von deren Pferden verursacht worden. Nun wünschte er, er hätte genauer hingesehen, bevor alles ringsum von den Trappern niedergetrampelt worden war.

Er schnitt die Riemen durch, mit denen die drei Männer an den Baum gebunden waren, und sagte zu seinen Leuten: »Ned, du und Pete bleibt hier und bewacht das Lager. Ihr anderen sitzt auf. Wir reiten los und sehen uns die Biberteiche an, um zu prüfen, ob es ein Geist oder ein Lakota-Krieger war, der den dreien hier eine Lektion erteilt hat, die wir wohl besser alle beherzigen, wenn wir von hier mit Haaren auf dem Kopf wieder heimkehren wollen.«

Kurze Zeit später, nachdem sie sich den Lagerplatz beim Biberteich und die Fährte der Pferdespuren, die nur wenige Hundert Meter an den Schlafstätten der Trapper vorbeiführten, prüfend angesehen hatten, erklärte der erfahrene Booshway der Truppe: »Sieht aus, als hätten wir diesmal noch Glück gehabt.«

»Glück? Wie kommst du denn darauf?«, wandte Bull ungeachtet der misslichen Lage, in der er sich noch kurz zuvor befunden hatte, ein. Er hatte seine Behauptung, ein Geist hätte sie gefesselt, schon vergessen.

»Ich würd sagen, der *Injun* hat Glück gehabt. Keine Ahnung, wie du drauf kommst, es wären nur zwei Rothäute, wo man doch all die Pferdespuren sieht. Vielleicht verlässte dich auf uns, denn wir haben ja gesehn, wie viele es warn.«

In seine übliche polternde, großtuerische Art zurückfallend fuhr er fort, ohne zu bemerken, wie sich der Gesichtsausdruck des Booshway verfinsterte. »Wenn wir alle gemeinsam losgezogen wären, dann hätten *wir* jetzt diese Herde Fleckenpferde und nicht die zwei *Injuns*, die den Canyon da runter abgehauen sind. Ich sag, wir sollten ihnen nach und uns die Pferde holen.«

»Bull, halt das Maul und hör ausnahmsweise mal zu!«, sagte Weasel, peinlich berührt über die Blamage der drei Trapper. »Hör auf das, was Mr Booshway gesagt hat. Wenn ich mir 'ne Spur ansehe, kann ich dir sagen, wie alt sie ist, wie viele Pferde und wie viele Reiter es waren, zu welcher Tageszeit und wie schnell sie unterwegs waren. Wenn Mr Booshway hinschaut, kann er dir sagen, was sie letzte Woche zu essen hatten, wo sie hinwollen, wann sie ankommen und was sie vorhaben, wenn sie dort sind ... und all das, bevor er die Fährte überhaupt geprüft hat. Wenn er also was über Spuren sagt, dann nimmste das besser für bare Münze. Und wegen dem Krieger, der dich ...«

Der Booshway unterbrach Weasel und erklärte Bull: »Der blauäugige Indianer, der, wie du sagst, mit seinen Pferden vor uns abgehauen ist, war kein anderer als Tatánka Nájin.«

Als er sah, dass nur wenige Männer diesen Namen zu kennen schienen, fuhr er fort. »Schon mal von Jock McLeod gehört? Dieser alte schottische Bulle war sein Daddy. Und noch dazu ist sein Onkel kein anderer als der Lakota-Häuptling Eagle Catcher.«

Nach einer kurzen Pause, da er merkte, dass manche Trapper noch unbeeindruckt wirkten, fügte er hinzu: »Vielleicht kennt ihr seinen anderen Namen.« Er wartete, bis er die Aufmerksamkeit aller Männer hatte, denn er fand, sie sollten wissen, wer dieser Krieger war. Dann sagte er: »Die meisten Stämme nennen ihn Spirit Walker.«

An ihren Reaktionen konnte er ablesen, dass der Name manchen von ihnen nichts sagte. Doch das blieb nicht lange so, da jene, die von Spirit Walker gehört hatten, die Unwissenden bald in Staunen versetzten über diesen Krieger, der drei erfahrene Trapper daran gehindert hatte, seine Pferde zu stehlen, sie symbolisch skalpiert hatte, ohne einen Tropfen Blut zu vergießen, sie in ihrem eigenen Lager an einen Baum gefesselt und dann mehr als fünfzig Pferde in Spuckweite von mehr als zwanzig Trappern und fast dreimal so vielen Pferden als Wachposten unbemerkt aus dem Tal gebracht hatte.

Ein grauhaariger Trapper erzählte den anderen: »Es heißt, er beherrscht die alten Shaolin-Kampfkünste.«

»Was is das denn? Von Schaukunst oder wie das heißt, hab ich noch nie gehört. Soll das heißen, er is 'ne Art Maler oder was? Kann mir nich vorstellen, was Malen ihm hier in den Bergen groß nützen soll. Schätze, er kann sich 'ne Herde Pferde malen, wenn er das Pech hat, dass sie ihm abhandenkommt. Ha-ha-ha«, warf ein Trapper ein und bog sich vor Lachen über seine witzige Antwort.

»Das kommt, weil du von nichts eine Ahnung hast«, entgegnete der Erste. »Shaolin, das sind Chinesen, die wohnen in so Tempeln und haben Kleider an wie Frauen.«

»Kann mir trotzdem nich vorstellen, was Malen und Frauenkleider ihm helfen sollen«, erwiderte der andere immer noch lachend.

Einer der Trapper sagte: »Ich hab mal einen getroffen, der hat erzählt, er könnte gehen, ohne Spuren zu hinterlassen.«

»Jau, und barfuß im Feuer stehen, ohne sich zu verbrennen«, scherzte ein anderer junger Trapper. »Und übers Wasser laufen, grad so wie Moses oder wer auch immer das war in der Bibel.«

So ging es hin und her und die Männer versuchten sich gegenseitig zu übertrumpfen. Es dauerte nicht lange, und die weniger Kundigen fingen an über diesen Spirit Walker zu staunen und sich zu fragen, was Wahrheit und was Dichtung war.

»Was seid ihr eigentlich, ein Haufen weibische Memmen?«, fragte Bull. »Wenn der Kochtopf da mich nicht am Schädel getroffen hätt, hätt ich diesem Geisterkrieger im nächsten Moment den Kopf abgerissen. Dann wär er wirklich ein Geist geworden.«

»Manche Männer sind offenbar unbelehrbar«, sagte der Booshway zu ihm. »Oder kapieren erst, wenn alles zu spät ist.«

Mit einem Blick auf die drei Trapper fügte er hinzu: »Ihr drei habt eure Chance gehabt.«

Mit dem Lauf seiner Hawken zeigte er talaufwärts zu den Biberteichen und befahl ihnen in einem Ton, der keinen Widerspruch zuließ: »Nehmt eure Gäule samt dem Packpferd, das er euch dagelassen hat, und macht euch fort, dahin, wo ihr hergekommen seid. Und das heißt, in die entgegengesetzte Richtung von Spirit Walker mit seinen Pferden.«

Der große Trapper ergriff das Wort: »Und was ist mit unseren anderen Packpferden? Damit darf er nicht davonkommen, auf denen sind unsere Fallen.«

Der Anführer schwenkte den Gewehrlauf in seine Richtung und erklärte: »Sieht so aus, als wären sie schon weg. Ich an eurer Stelle würde dem Allmächtigen danken, dass ich noch am Leben bin, und um diesen Lakota einen weiten Bogen machen. Der einzige Grund, warum ihr nicht euren letzten Biber gefangen habt und noch rittlings auf euren Pferden sitzen könnt, ist wohl, dass er sich momentan nicht auf dem Kriegspfad befindet. Wenn ihr ihm noch mal in die Quere kommt, brauchen die Biber sich keine Sorgen mehr zu machen, dass ihr noch irgendwelche Schwimmstöcke setzt.«

Da er das verständnislose Gesicht von Rusty sah, erklärte ein angegrauter Trapper: »Wetten, du hast noch nie was von keinem Schwimmstock gehört, oder?« Er legte dem Grünschnabel den Arm um die Schulter und erklärte: »Du bindest einen Schwimmstock an deine Falle und wenn der Biber gefangen wird, zeigt dir der Schwimmstock, wo er steckt.« Und als kleinen väterlichen Ratschlag ergänzte er: »Wie der Booshway sagt, wenn du dich aber skalpieren lässt, dann brauchste keine Schwimmstöcke mehr.«

Während der ältere Trapper den Neuling belehrte, erzählte der Booshway den anderen: »Vor einiger Zeit war Spirit Walker völlig außer sich, nachdem eine Bande weißer Männer seine Frau misshandelt und ermordet hatte. Drei davon hat er erwischt. Auf der Suche nach den anderen beiden ist er den ganzen Weg bis St. Louis, aber dann hat er ihre Fährte verloren. Eine Zeit lang stand es eher unentschieden, ob er schneller alle Trapper aus sämtlichen Saloons in St. Louis rausfegen oder erst allen Whisky wegtrinken würde. Whispering Johnson hat sich dann mit ihm zusammengetan. Er hat Tatanka überredet, in die Berge zurückzugehen, wo er bislang untergetaucht war. Sieht aus, als hätte er eine Frau gefunden. Frag mich, wo sie mit dieser Herde Appaloosas hinwollen. Wenn sie Marcus und seiner Bande begegnen, die nach den gefleckten Nez-Percé-Pferden suchen, könnte das ziemlich Ärger geben. Ich trau diesem Marcus ja nicht weiter, als ich den Riesen an seiner Seite werfen könnte. Das hab ich auch den freien Trappern gesagt, die er überredet hat mitzukommen. Aber wie ihr wisst, hat er ihnen doppelt so viel versprochen, wie sie beim Fallenstellen verdienen könnten. – Da fällt mir ein, einer der Männer, nach denen Tatanka gesucht hat, war so ein Riesenkerl. Das wär ja ein Ding, wenn Marcus und der Riese dieselben wären, die seine Frau umgebracht haben. Ich würde die Pelze eines ganzen Winters dafür geben, um dabei zu sein, wenn die sich treffen und das die Kerle sind, nach denen er sucht.«

Die Trapper saßen da auf ihren Pferden und lauschten dem sonst so nüchternen Booshway. Keiner hatte ihn je mehr als ein paar Worte auf einmal sagen hören, und wenn, dann sprach er sonst immer nur knapp und sachlich. Nun ergriff einer das Wort.

»Klingt so, als kennst du diesen Spirit Walker?«

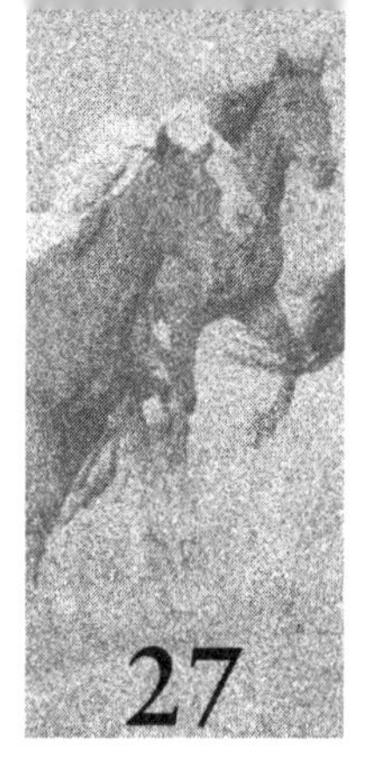

27

Er war ihm nur ein einziges Mal begegnet. Die Gedanken des Booshway wanderten zwei Jahre zurück nach St. Louis.

Er hatte bei einem Drink an einem Tisch gesessen mit William Ashley, dem Vizegouverneur von Missouri, der gerade eine Expedition zum Pelztierfang in den Rocky Mountains organisierte. Zwei frisch angeheuerte, junge und unerfahrene Männer saßen bei ihnen, als ein Indianer hereinkam und sich leicht wankend den Weg zum Tresen bahnte.

Der Indianer war etwa eins achtzig groß und von mittlerem Körperbau. Und obwohl er angetrunken wirkte, erinnerten seine leichtfüßigen Bewegungen den Booshway an einen Puma. Sein Jagdhemd sah nach Sioux aus, doch anstelle der zwei losen Zöpfe, die Mitglieder dieses Stammes normalerweise trugen, hing ihm ein geflochtener Pferdeschwanz bis zur Hälfte des Rückens herab. Er hatte ein markantes Gesicht mit hohen Wangenknochen und hellblaue Augen, denen nichts zu entgehen schien.

Er bestellte Whisky bei dem Barkeeper, einem glatzköpfigen, dicken Mann mit einer schmutzigen Schürze über dem hervorstehenden Bauch. Der Schankwirt griff unter die Theke und holte eine Flasche mit verwässertem Fusel heraus. Doch ehe er einschenken konnte, warf der Indianer eine Münze auf den Tresen und erklärte: »Ich sagte ein Glas Whisky!«

Der Barkeeper entkorkte eine Flasche aus dem Regal hinter sich und wandte sich wieder zum Tresen, der aus nichts weiter bestand als aus drei großen über zwei Fässer gelegten und nebeneinandergenagelten Brettern. Er wischte das Glas mit seiner fleckigen Schürze aus und goss es halb voll. Doch als er die Flasche wieder zukorken wollte, zückte der Indianer sein Jagdmesser. Der Wirt griff nach seiner doppelläufigen Flinte, die an der Wand lehnte, doch bevor er sie zu fassen bekam, ließ der Indianer das Messer so blitzschnell niedersausen, dass man die Bewegung erst wahrnahm, als die Münze schon in zwei gleiche Hälften zerschnitten dalag und das Messer in dem Hartholz steckte. Der Indianer nahm die beiden Hälften, legte eine auf das Brett und sagte: »Das ist für die Hälfte, die du eingeschenkt hast.« Dann legte er den anderen Teil der Münze daneben und ergänzte: »Das ist für die Hälfte, die du vergessen hast einzuschenken.«

Der Barkeeper verschüttete mehr von der bernsteinfarbenen Flüssigkeit auf die Theke, als er ins Glas füllte. Am ganzen Leib zitternd starrte er den Indianer an, der die Münze durchgeschnitten hatte wie Butter. Der Indianer nahm das Glas, hob es an die Lippen, schnupperte kurz und trank in einem Zug aus.

Dann warf er eine weitere Münze auf das Brett und sagte: »Du kannst mit Einschenken aufhören, wenn ich keine Münzen mehr habe.«

Der Barkeeper sagte: »Nicht nötig, sie in Hälften zu schneiden«, und füllte erneut das Glas.

Der Indianer wandte sich um und mit dem Rücken zum Tresen schien er den ganzen Raum mit einem Blick zu erfassen.

Der Booshway hatte den Eindruck, er wollte gerade etwas sagen, da stieß ein Barmädchen vom anderen Ende der Theke einen Schmerzensschrei aus. Als der Indianer sich in Richtung des Schreis umdrehte, sah er, wie ein am Tresen stehender Mann ein hübsches junges Serviermädchen zu sich herzog. Sie versuchte seinen großen Grabschhänden zu entkommen, um an einem Tisch zu bedienen.

Ungeachtet ihrer Bitten sie gehen zu lassen, befummelte der Mann sie in grober Weise. Als sie seine tatschenden Pranken abwehrte, kniff er sie wieder schmerzhaft in die Brust, sodass sie erneut aufschrie.

Dann, scheinbar um sie in Verlegenheit zu bringen, weil sie auf seine plumpen Annäherungsversuche nicht einging, riss er das Vorderteil ihres Mieders herab, sodass vor allen Kunden des Saloons ihre Brüste entblößt wurden. Etwa zu diesem Zeitpunkt blickte der Grobian auf und bemerkte, wie der Indianer ihn ansah.

Als das beschämte Mädchen versuchte, sich mit dem zerrissenen Oberteil zu bedecken, lachte er und sagte: »Bleib!«, als spräche er mit einem Hund. »Ich hab was zu erledigen, danach komm ich gleich wieder und kümmere mich um dich.«

Nach einer Ohrfeige für ihren erneuten Versuch, sich zu bedecken, knurrte er: »Ich hab gesagt, du sollst bleiben, wie du gerade bist. Also, Jungs, nur anschauen, das Anfassen ist meine Sache, wenn ich mit der Rothaut da fertig bin.«

Er drehte sich zu dem Indianer um und musterte ihn von Kopf bis Fuß, als wäre er ein Stück Dreck an seinem Stiefel. Dann ging er auf ihn zu mit den Worten: »Was gibt's da zu glotzen, Halbblut? Bloß weil ein Trapper mal mit 'ner Squaw im Bett war, heißt das noch lang nich, du könntest hier rein und Schnaps für Weiße trinken und dich aufführn, als ob du dazugehörst.«

Als der Indianer sich umdrehte und ihn ansah, brummte er: »Glaubst wohl, du wärst was Besseres als andere Rothäute, weil du blaue Augen hast, was?«

Als der Indianer ihn ohne zu antworten nach wie vor unverwandt ansah, fauchte der Mann wütend: »Du willst also mit deinen blauen Augen einem weißen Mann ins Gesicht schauen? Hab noch keine Rothaut gesehen, die einem Weißen in die Augen sehen kann!«

Der Booshway dachte, der Indianer würde nun eine Tracht Prügel von dem starken Flussfahrer beziehen, der entlang des Ufers für seine rohe Gewalt und Bosheit bekannt war. Ein paar Tage zuvor hatte er in derselben Bar einen Mann mit bloßen Fäusten totgeschlagen. Wahrscheinlich war es nur gut, dass der Indianer getrunken hatte. Durch den Whisky würde er schneller zu Boden gehen und den Schmerz nicht so spüren.

»In den meisten indianischen Kulturen gilt es als unhöflich jemandem direkt in die Augen zu schauen«, antwortete der Indianer in schottischem Tonfall. »Daran liegt es, dass Indianer dir nicht ins Gesicht sehen. Es ist ein Zeichen von Höflichkeit und hat nichts damit zu tun, dass sie eingeschüchtert wären oder sich dir unterlegen fühlen würden.«

Der Flussmann stand da wie vor den Kopf geschlagen. Noch nie hatte er einen Mann in dieser Weise seine Sprache sprechen hören, geschweige denn einen halbblütigen Wilden. Bei dem Gesagten verstand er nicht einmal zur Hälfte, was die Worte bedeuten sollten. Eins aber war klar, er würde sich von so einem Bastard nicht zum Deppen machen lassen. Doch ehe er irgendwie reagieren konnte, sagte der Indianer zu ihm: »Dich allerdings sehen sie wahrscheinlich deshalb nicht an, weil du so hässlich bist.«

Der Flussfahrer war einen Kopf größer und mindestens vierzig Pfund schwerer als der Indianer. Der Booshway wollte schon eingreifen, weil die zwei so ungleiche Gegner waren und der Alkohol die Koordination des Indianers sicher beeinträchtigt hatte, zumal er ja beim Betreten des Saloons bereits angetrunken gewesen war.

Der *Riverman* brauchte einen Moment, um zu begreifen, was der Indianer da gesagt hatte. Dann stürzte er sich mit wütendem Knurren auf ihn. Doch der Indianer schien ihm im letzten Moment irgendwie auszuweichen. Er streckte den Fuß vor, sodass der große Mann stolperte, knallte ihm den angewinkelten Ellenbogen quer auf den Rücken und schleuderte ihn mit dem Gesicht nach unten auf den Holzboden. Der Flussfahrer lag fassungslos da. Seine Nase war gebrochen und blutete. Dann rappelte er sich auf und ging erneut auf den Indianer los.

Diesmal versuchte er nicht ihn zu fassen zu bekommen, sondern schwang mit geballten Fäusten einen rechten Haken, der dem Indianer im Falle eines Treffers den Kopf abgerissen hätte. Der Indianer aber packte das Handgelenk des *Riverman* mit der rechten Hand und riss es herunter. Dann, mit einer einzigen geschmeidigen Bewegung, rammte er ihm die linke Hand in die Achselhöhle. Nach rechts schwenkend nutzte er seine linke Hüfte als Drehpunkt und zog das Handgelenk des Mannes mit der rechten Hand nach unten, während er mit der linken Hand nach oben drückte. Den Schwung des weißen Mannes ausnutzend, warf der Indianer ihn über die Schulter, sodass es aussah, als ließe er eine Peitsche schnalzen, und der Mann landete mit einem lauten Plumps auf dem Rücken.

Es hatte ihm den Atem verschlagen und auf dem Boden liegend schnappte er nach Luft. Als er, noch immer keuchend, auf die Beine kam, stießen sich vier seiner Freunde vom Tresen ab.

»Wir werden dir helfen, dieser Rothaut Manieren beizubringen«, sagte einer der Flussfahrer und sie umzingelten ihn wie Wölfe ein zu Boden gegangenes Schwarzhorn.

Der Booshway wollte erneut eingreifen, um die Parteien auszugleichen, als ein großer grauhaariger *Mountain Man* hereinkam und den Eingang des Saloons ausfüllte. Unbemerkt von den fünf *Rivermen*, die nun den einzelnen Indianer immer enger einkreisten, drückte er dem Booshway sein Gewehr in die Hand und sagte: »Halt mal meine Bess für mich fest, Bill, während ich diese Bisamratten vor einem großen Fehler bewahre.«

Er tat einige Schritte auf den Kreis der Männer zu, packte die zwei Nächststehenden am Genick und schüttelte sie wie ein Paar Lumpenpuppen. Dann drehte er sie zu sich herum und sagte: »Na, Jungs, wollt ihr schön brav sein und euch aus dem Krawall heraushalten?«

Als einer von ihnen zurückfauchte: »Dir werd ich Bravsein beibringen«, und nach seinem Messer griff, blieb Whispering Johnson ganz ruhig und sagte zum anderen so leise, dass es fast wie ein Flüstern klang: »Bedaure, aber das schlechte Benehmen deines Freundes wird dir Kopfschmerzen bereiten.« Dann stieß er die Köpfe der beiden mit einem lauten Knall zusammen. Er legte die Bewusstlosen auf dem mit Sägespänen bedeckten Boden ab, wandte sich um und ging zurück, ohne weiter auf das Handgemenge hinter sich zu achten. Am Tisch des Booshway sagte er: »Danke, Bill, dass du meine Bess gehalten hast«, nahm sein Gewehr mit der einen und schüttelte die Hand des Booshway mit der anderen.

Dieser sagte: »Gut zu sehen, dass du noch am Leben bist,

Jeremiah«, und zu den anderen: »Ich möchte euch Jeremiah Johnson vorstellen. Jeremiah, das ist William Ashley, Vizegouverneur des Staates Missouri. Mr Ashley heuert Trapper für eine Expedition in die Rocky Mountains an. Und diese drei haben unterschrieben, dass sie sich im Fallenstellen versuchen wollen. Das ist Jim Bridger und dies Jim Clyman, meinen jüngeren Bruder Milt kennst du ja schon«, sagte er und zeigte auf die drei unerfahrenen Jünglinge, die höchstens zwanzig Jahre alt sein konnten. Niemand ahnte, dass alle drei in den kommenden Jahren ebenso legendäre *Mountain Men* werden würden, wie Bill Sublette einer war.

»Nimm dir einen Stuhl und setz dich zu uns.«

»Danke«, antwortete Jeremiah und zog mit dem Fuß einen Stuhl heran, »bisschen sitzen kann nicht schaden.«

Auf den Indianer deutend, der von den drei *Rivermen* umzingelt wurde, sagte er: »Ihm auf den Fersen zu bleiben hält mich ganz schön auf Trab.«

»Du kennst diesen Indianer? Wenn er nicht diesen einzelnen Zopf hätte, würde ich meinen, er wär ein Lakota-Sioux, dem Jagdhemd nach zu schließen. Aber auch wenn die zwei aus dem Rennen sind, fürchte ich, er wird eine Tracht Prügel einstecken«, sagte der Booshway.

Jeremiah antwortete: »An deiner Stelle würde ich da lieber keine Wetten eingehen. Die drei werden gleich eine Lektion in Sachen Bravsein bekommen und zwar von dem friedlichsten Menschen, dem du je begegnet bist ... Zumindest war er das, bis seine Frau ermordet wurde. Er war mit der Schwester meiner Frau verheiratet, bis eine Bande Weißer sie unlängst missbraucht und getötet hat. Drei davon hat er erwischt und den anderen beiden ist er bis nach St. Louis gefolgt, wo er ihre Spur verloren hat. Auf der Suche nach ihnen hat er versucht, jede Schänke in St. Louis leer zu trinken. Die Lakotas nennen ihn Tatánka Nájin oder Standing Bull. Aber vielleicht habt ihr von ihm auch unter einem anderen Namen gehört, bei den meisten Indianerstämmen heißt er Spirit Walker.«

Der Booshway war der Einzige am Tisch, der diesen Namen kannte. Doch seine Antwort gab den anderen Stoff zum Nachdenken: »Das also ist Spirit Walker. Er sieht ganz anders aus, als ich ihn mir vorgestellt hatte. Bei den Geschichten, die man über ihn so hört, könnte man glauben, er wäre drei Meter groß und erledigt einen Grizzlybär mit bloßen Händen.«

Er drehte seinen Stuhl so, dass er das Geschehen an der Bar beobachten konnte, und meinte: »Vielleicht solltest du ihm unter die Arme greifen. Ich habe diese Flussfahrer schon kämpfen sehen und das ist kein schöner Anblick. Sofern dieser Spirit Walker seinem Ruf nicht weitaus mehr gerecht wird als dem Aussehen nach, wette ich auf die drei *Rivermen.*«

Jeremiah antwortete: »Sagen wir, wenn die Flussratten nach dem Kampf noch auf beiden Beinen stehen, zahl ich die nächste Runde. Wenn Tatanka gewinnt, zahlst du.«

Kaum hatte Jeremiah die Wette abgeschlossen, sah der Booshway die drei Männer den Indianer schon angreifen. Der Indianer trat in einen harten rechten Haken des großen Flussfahrers und sein Arm bewegte sich so schnell, dass man kaum erkennen konnte, wie seine Hand das Kinn des weißen Mannes traf und ihn vom Boden hob. Dann, noch ehe jener bewusstlos auf dem Boden landete, schnellte Tatankas Fuß aus dem Nichts hervor und setzte den zweiten Angreifer durch einen Tritt an die Seite des Kopfes außer Gefecht. Während er mit den ersten beiden beschäftigt war, kam der dritte Mann von hinten und schwang ein Stuhlbein auf seinen Kopf zu. Doch ehe das Hartholz ihn treffen konnte, fasste Tatanka es mit der einen Hand und packte den Arm des Mannes mit der anderen.

Dem Booshway schien es, als hätte Tatanka Augen am Hinterkopf. Mit einem festen Ruck beider Hände drehte der Indianer seinen Körper nach rechts und warf den Mann über die Schulter, sodass er kopfunter gegen die Wand prallte. Der Kampf war vorbei, bevor er überhaupt richtig angefangen hatte. Die fünf Flussmänner lagen bewusstlos auf dem Fußboden verstreut.

Als Tatanka zum Tresen ging und sich sein Messer wiederholte, das er im Brett hatte stecken lassen, war an der Art, wie er ging, klar zu sehen, dass er die Trunkenheit von vor dem Kampf abgeschüttelt hatte. Bill Sublette wunderte sich, wie ihm das gelungen war, und als er ihn zu ihrem Tisch kommen sah, fragte er sich, wie der schlanke Indianer da vor ihm der legendäre Spirit Walker sein konnte.

Der Booshway weilte in Gedanken noch immer bei jenem Tag, als Whispering Johnson ihn mit Spirit Walker bekannt gemacht hatte, wurde jedoch aus der Erinnerung herausgerissen, als er einen der Männer sagen hörte: »Klingt ja so, als würdest du diesen Spirit Walker kennen?«

Der Booshway antwortete: »Ich bin ihm mal in St. Louis begegnet.«

Als er von sich aus keine weiteren Informationen preisgab, sagte der Mann, gemäß dem Kodex der Trapper, keine direkten Fragen nach der Vergangenheit eines anderen zu stellen: »Wenn er all das wirklich gemacht hat, was man sich so erzählt, muss er ein ganz schön großer und starker Indianer sein.«

Der Booshway antwortete: »So wie ich das gesehen habe, glaube ich nicht, dass es dabei auf Körpergröße ankommt.« Er erinnerte sich noch gut an Spirit Walkers Blick, als Jeremiah am Tisch gefragt hatte, ob einer von ihnen jemanden gesehen habe, auf den die Beschreibung von Morning Doves Mördern passte, und erklärte dem Trapper: »Ich will es mal so sagen: Der letzte Mensch auf Erden, in dessen Haut ich stecken wollte, wäre einer der Mörder seiner Frau, wenn er sie zu fassen kriegt.«

Nachdem er eine Weile schweigend auf seinem Pferd gesessen hatte, räusperte er sich und fügte hinzu: »Er ist nicht ganz eins achtzig groß, aber er hat drei Riesenkerle von etwa Bulls Statur auseinandergenommen, kaum dass ich meinen Stuhl herumrücken konnte, um zuzusehen. Wahrscheinlich wussten sie gar nicht, wie ihnen geschah. Aber gefühlt haben sie es danach ganz sicher.«

Dann drehte er sich abrupt zu den drei Trappern um, die nicht auf seine Warnung vor dem Versuch, die Appaloosas zu stehlen, gehört hatten, und sagte: »Weasel, du bist ein guter Trapper, aber ich lasse niemanden für Mr Ashleys Unternehmen arbeiten, dem ich nicht trauen kann. Nimm diese beiden anderen da mit und seht jetzt zu, dass ihr von hier wegkommt.«

Kurze Zeit später zogen die drei Trapper ihre Kleider aus, die nach dem Tauchbad der vorhergegangenen Nacht noch immer feucht waren. Als Weasel auf der Suche nach seinem Gewehr in den Biberteich tauchte, dachte er bei sich: *Ich wünschte, ich hätte auf meine dunkle Ahnung wegen diesem Injun gehört und ihn mal schön in Ruhe gelassen …*

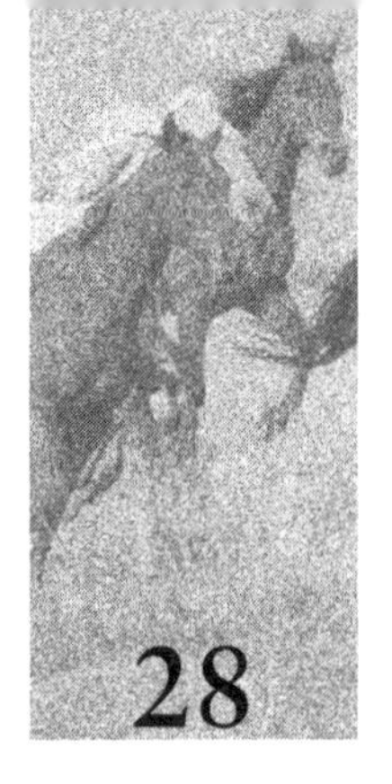

28

Beunruhigt über den Wetterumschwung brachte Tatanka den Pinto zum Stehen. Wie die meisten Tiere konnte auch er Veränderungen des Luftdrucks wahrnehmen. Unter Anwendung der Kreuzwind-Regel der Lakota verglich er die Windrichtung in Bodennähe mit der weiter oben auf Höhe der Wolken.

Er drehte sich so, dass er den Bodenwind im Rücken hatte, und prüfte, in welche Richtung die Wolken zogen. Sie kamen von Westen zu seiner Linken. Dies zeigte eine Wetterverschlechterung an. Wenn sie von rechts gekommen wären und nach Westen zögen, hätte dies eine Wetterverbesserung bedeutet. Hätten die oberen Winde die Wolken ihm entgegen oder in seinen Rücken geweht, wäre das Wetter mehr oder weniger unverändert geblieben.

Zu wissen, wie das Wetter wird, konnte in den Bergen überlebenswichtig sein. Da der Bodenwind nach Norden und der Wolkenwind nach Osten blies, nahte eine Tiefdruckfront. *Waziyata*, der Schneeriese, war im Kommen. Tatanka vermutete, dass er in den höheren Lagen, in die sie unterwegs waren, bald Schnee bringen würde.

Er lenkte Wase nach Westen und sagte zu dem Schecken: »Wir sind etwa eine Tagesreise hinter dem Punkt, an dem wir sein sollten. Vielleicht ist es ein Fehler, diesen Pass überqueren zu wollen, kurz bevor *Waziyata* kommt.«

Fünf Tage waren seit ihrem Zusammenstoß mit den Trappern bei den Biberteichen vergangen. Tatanka hatte gehofft, es würde ihnen gelingen, die Pferde durch die Shining Mountains zu bringen, bevor Schnee sie unpassierbar machte. Nun, kurz vor dem höchsten Punkt des letzten Passes, bereitete der Wetterumschwung ihm Sorgen. Wenn sie auf dieser Anhöhe ungeschützt von einem Blizzard erwischt wurden, würden die Pferde entweder erfrieren oder verhungern.

Sie würden mit ihren Hufen im Schnee graben, um an das darunterliegende Gras zu gelangen. Doch wenn der Boden fror und das Kondenswasser unterm Schnee zu Eis wurde, wäre nur noch eisbedecktes Gras zu finden. Durch das Eis nutzten sich zudem ihre Hufe ab, was die Futtersuche noch weiter erschwerte.

Tatanka hatte schon verendete Wapitis gesehen, die im Schnee gefangen langsam verhungert waren, weil sie zu lange gewartet hatten, in tiefere Lagen zu wandern. Er hatte deutlich gesehen, wo sie sich zuerst auf Futtersuche durch den Schnee bis zum Gras vorgearbeitet hatten, sich damit aber selbst eine tödliche Falle stellten, weil die Schneekuhle so tief und steil war, dass sie am Ende nicht mehr herauskamen.

Tatanka hatte gezögert, ehe er das Tal verließ, um mit der Pferdeherde über den Pass zu ziehen. Er dachte darüber nach, ob sie abwarten sollten, bis der Schneesturm vorüber war, in der Hoffnung, es würde nicht so stark schneien, dass der Pass blockiert war. Doch weil er befürchtete, sie könnten womöglich den Winter über an Ort und Stelle gefangen sein, wenn der Pass vom Schnee versperrt war, hatte er beschlossen weiterzuziehen.

Er gab Bright Heart am hinteren Ende des Pferdezugs ein Zeichen, die Herde in Bewegung zu setzen, und im Wunsch dem Schneesturm vorauszueilen, drängte er Wase zu schnellerem Schritt. Und tatsächlich, noch während sie sich auf dem Pass befanden, fing es an zu schneien. Zu dem Zeitpunkt, als Bright Heart mit der Nachhut ansetzte die westliche Seite des Passes hinabzureiten, fielen die ersten Schneeflocken. Auf dem steilen Weg bergauf waren sie gut vorangekommen. Tatanka beugte sich vor und den vertrauten Schweißgeruch des Pferdes einatmend tätschelte er dem Schecken liebevoll den nassen Hals.

»Ich wusste, dass du es schaffst«, sagte er zu dem Pinto, als könne das Pferd seine Worte genau verstehen. »Achte auf deine Schritte beim Abstieg auf dieser Seite, hier ist es sehr viel steiler und tückischer, doch auf diesem Weg bringen wir den Berg rascher hinter uns.«

Als der Schecke den schmalen Pfad oberhalb der Felswand überquerte, sorgte sich Tatanka wegen des gefährlichen Wegabschnitts, wollte jedoch kein Unglück heraufbeschwören und unterließ es, seiner Befürchtung Ausdruck zu geben. Die Stelle war bei schönem Wetter schon gefährlich genug. Er wollte die Pferde hinüberbringen, bevor alles tief verschneit war.

Er schätzte, dass sie sich auf halber Höhe des Westhangs befanden, als der Schneefall immer stärker wurde. Dem Temperaturabfall nach zu urteilen, kam ein Blizzard auf sie zu und *Waziyata* blies seinen Winterhauch über die Berge. Wie gut, dass sie nicht versucht hatten, das Unwetter auf der anderen Seite des Passes abzuwarten. Bei den Schneemengen, die sich nun aufzutürmen begannen, wäre jedes Überqueren des Passes vor der Schmelze im Frühjahr völlig unmöglich.

Er war jedoch nicht sicher, ob sie den Weg bergab im Schneegestöber finden könnten. Auch hatten sie eine weitere gefährliche Strecke, die ihm Sorgen machte, noch nicht passiert. Er war auf dieser Route vor mehreren Jahren gereist, doch als er versuchte, sich den Wegverlauf vor Augen zu halten, gelang es ihm nicht, in dem Sturm irgendeine Landschaftsmarke zu finden. Von Weiß umhüllt konnte er nur wenige Schritte weit sehen. Es blieb ihm nichts anderes übrig, als auf den Instinkt des Schecken zu vertrauen und ihm bergab freien Lauf zu lassen.

Wase blieb mehrmals stehen, schnaubte und schnupperte, als versuche er eine Witterung aufzunehmen, dann zog er weiter. So ging es eine Weile, dann blieb er stehen und war nicht mehr weiterzubewegen, so sehr Tatanka ihn auch antrieb. Da er wusste, es musste einen guten Grund haben, dass er nicht weiterging, glitt Tatanka von seinem Rücken und ging vorsichtig voran, in der Annahme, das Pferd sei am Rand eines Abgrunds stehen geblieben. Da erst merkte er, dass der Boden eben war, und er konnte zwischen Schwaden des Schneegestöbers den dunklen Umriss eines Wäldchens von Nadelbäumen vor sich ausmachen. Wase hatte sie nicht nur den Berg hinuntergeführt, er hatte sie auch zu einem natürlichen Windschutz auf der Leeseite des Sturmes geführt.

Er schaute sich nach Bright Heart um, sah jedoch nur weißen wirbelnden Schnee. Dann merkte er, dass der Pferdezug zum Stehen gekommen war und darauf wartete, dass das Leitpferd weiterzog, also führte er den Schecken und die drei Packpferde, die vorne bei ihm gingen, zu dem Nadelwald hinüber. Er nahm Wase den Sattel, Decke und Hackamore ab und legte alles unter die überhängenden Äste einer großen Kiefer. Unverzüglich ging der Schecke in den Wald und führte die anderen Pferde aus der unmittelbaren Wucht des Schneesturms.

Als Bright Heart mit den anderen drei Lasttieren eintraf, hatte Tatanka bereits den Packpferden der drei Trapper die Satteltaschen abgenommen. Er wollte Bright Heart etwas zurufen, doch der Wind war zu laut, als dass sie ihn hätte hören können. Die Sicht im Schneegestöber war so schlecht, dass man sich auch nicht mit Handzeichen verständigen konnte. Das war nur nahe bei dem Baum möglich, der den Schnee ein wenig abhielt, sodass man besser sah.

Nachdem sie ihren Pferden die Packsättel abgenommen hatten, stellten sie diese neben die anderen und bauten so die Barriere aus, die er begonnen hatte, damit der Schnee nicht unter die tief hängenden Äste der großen Kiefer geweht wurde. Als sie die Bündel in einen weiten Halbkreis gelegt hatten, begann der Schnee sich an der Außenseite und den Zweigspitzen aufzutürmen. So entstand unter dem Baum ein geschützter Bereich, der breit und hoch genug war, dass sie darunter stehen und sich ungehindert bewegen konnten.

Tatanka ging auf Bright Heart zu und wollte ihr etwas zuschreien, merkte dann aber, dass die Schneemauer auch den Wind abhielt und sie einander nun hören konnten.

»Was ist mit den Pferden?«, fragte sie.

»Sie werden unter den Bäumen Deckung suchen oder zum Schutz dichte Gruppen bilden«, erklärte er. Dann steuerte er auf den kleinen Durchgang zu, den sie zwischen den Packsätteln offen gelassen hatten, und sagte: »Bleib hier. Ich will versuchen, Totholz für ein Feuer zu finden, bevor alles unterm Schnee begraben ist.«

Als er sich unter den Spitzen der langen Äste duckte, die nun vom Gewicht des Schnees niedergedrückt schon fast den Boden berührten, antwortete Bright Heart: »Ich komme mit, Feuerholz suchen.« Aber er hörte sie nicht mehr, denn er war bereits wieder in den Sturm hinausgetreten.

Sie packte erst noch die Kochtöpfe und Vorratsbehälter aus den Packtaschen aus. Dann schlüpfte sie unter den tief hängenden Zweigen hindurch und hielt nach ihm Ausschau, doch er war bereits verschwunden. Alles, was sie sehen konnte, war das weiße Gesicht des Schneesturms, der noch heftiger geworden war. Beim Blick zurück erinnerte sie der schneebedeckte Baum an ein großes weißes Tipi. Dabei fiel ihr das Tipi ein, das sie bei den anderen zurückgelassen hatten, die sich um den verletzten Frenchie kümmerten. Es hätte ihnen weitaus besseren Schutz geboten als dieser Baum. Sie wandte sich in die Richtung, in die Tatanka ihrer Meinung nach gegangen war, und glaubte seinen dunklen Umriss in einer Wand weiß wirbelnden Schnees verschwinden zu sehen. Eilig ging sie ihm nach und versuchte im Schneegestöber seine Silhouette auszumachen, konnte aber nichts anderes vor sich erkennen als Schneeflocken.

Beunruhigt ging sie schneller und versuchte ihn einzuholen. Als sie einen dunklen Schatten sah, eilte sie darauf zu. Durch seine Nähe beruhigt schalt sie sich selbst für ihre Angst, ihn zu verlieren. *Wie dumm von mir! Ich will doch nicht, dass er mich für ein hilfloses Kind hält. Selbst wenn er nicht dicht vor mir wäre, brauche ich ihn doch nicht, um den Weg zum Unterstand zurückzufinden.*

Auf seine Silhouette zugehend stolperte sie über einen großen, unter dem Schnee begrabenen Ast. Als sie nach vorne taumelte, streckte sie die Arme aus, um sich an ihm festzuhalten. Doch sie umfasste nicht Tatanka, sondern den Stamm einer Espe.

Als sie die Überraschung überwunden hatte, fragte sie

sich, warum er nicht hier haltgemacht hatte, um Feuerholz aufzulesen. Wenn sie suchte, würde sie am Boden bei dem Ast, über den sie gestolpert war, sicher noch weitere Espenzweige finden.

Erst nachdem sie den letzten toten Zweig aufgelesen hatte und losging, um den Arm voll Feuerholz zum Unterstand am Baum zurückzubringen, merkte sie, dass sie nicht mehr genau wusste, wo sich dieser befand. Sie war entsetzt darüber, wie sie beim Umhergehen auf der Suche nach abgebrochenen Ästen als Feuerholz die Orientierung verloren hatte. Als sie stehen blieb, merkte sie, wie sie zitterte.

Sie wusste, sie musste aus dem Schneetreiben raus, bevor sie noch mehr Körperwärme verlor. So wie sich der Schnee anfühlte, der ihr ins Gesicht wehte, merkte sie, dass der Wind stärker und es insgesamt kälter geworden war. Zuvor waren die Schneeflocken auf ihrer Haut noch geschmolzen. Nun hatten sich an den Haarsträhnen, die unter ihrem Hirschledertuch hervorschauten, Eiszapfen gebildet. Sie spürte den Temperaturabfall und war froh, dass sie ihr Kopftuch umgebunden hatte, als es auf dem Pass zu schneien begonnen hatte. Es war ein dreieckiges Stück Hirschleder, das sie am Kopf befestigt hatte, indem sie die beiden längeren Ecken unter ihrem Kinn verknotete, während die dritte Spitze auf ihren Rücken hing und ihre Haare bedeckte. Dadurch waren ihr Kopf und ihre Ohren beim Ritt bergab trocken und halbwegs warm geblieben. Nun war das Leder vom nassen Schnee jedoch durchweicht. Es bot noch immer gewissen Schutz vor dem Wind, doch da es nun kälter wurde, begann es zu gefrieren.

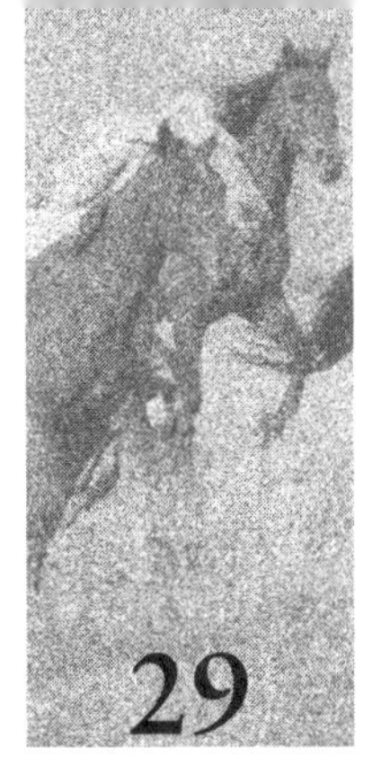

29

Als Tatanka unter dem Schutz des Baumes hervortrat, schlug ihm eine Windbö entgegen, die ihm den kurzkrempigen Lederhut vom Kopf geweht hätte, wenn er jenen nicht mit einem breiten Hirschlederstreifen unter dem Kinn festgebunden hätte. Der Hut war sein einziges Kleidungsstück, das der in der Familie seines Vaters üblichen Garderobe ähnelte. Er war jedoch nicht aus Filz oder Hirschleder wie die Hüte der weißen Männer, sondern aus einem Stück rauchgehärteter Schwarzhornhaut. Morning Dove hatte diesen Hut für ihn angefertigt. Als er die nach unten gebogene Krempe seiner Kopfbedeckung berührte, fiel ihm ein, wie sie sich geärgert hatte, als er ihr erklärt hatte, er wolle einen Hut aus der Dach-Abdeckung ihres Tipis.

* * *

Die Abdeckung war beim Umzug zu ihrem letzten Sommerlager mit dem Clan beschädigt worden. Er hatte ihr gesagt, er wolle ein Stück der ausrangierten Haut für einen Hut verwenden, um seinen alten zu ersetzen.

Doch, typisch Mann, wäre er nicht darauf gekommen, dass an seinem Wunsch etwas auszusetzen sei, bis sie mit halb gekränktem, halb verärgertem Blick erwiderte: »Du bist mit meinen Nähkünsten wohl nicht zufrieden?«

»Das habe ich nicht gesagt. Mir gefallen die Kleider, die du für mich gemacht hast. Ich wollte nur …«

»Ich hatte ohnehin vor, dir einen neuen Hut zu machen, anstelle des abgetragenen, den du aufhast. Du hattest mir gesagt, er sei noch gut genug. Nun willst du, dass ich das Gesicht verliere und als schlechte Frau dastehe. Du willst einen Hut aus einem alten Stück Schwarzhornhaut, das von den Lagerfeuern rußig und steif geworden ist. Was würden die Leute denken, wenn sie dich so einen Hut tragen sehen?«

Die Idee, den Hut zu ersetzen, war ihm erst gekommen, als er sie das beschädigte Stück der Tipi-Abdeckung hatte entfernen sehen. Er hatte sich gedacht, dass die rauchgehärtete Haut Regen und Schnee sicher besser abhielte als Hirschleder. Doch zu seinem Bedauern hatte er ihr das nie genauer erklärt. Stattdessen hatte er seinen alten Hut tiefer ins Gesicht gezogen und war brummelnd davongestapft mit den Worten: »Der Hut, den ich habe, ist gut. Ich will keinen anderen.«

Am Abend dieses Tags, nach dem Essen, hatte Morning Dove ihm den allerfeinsten Hut geschenkt, verziert mit Stachelschweinborsten und Perlen, die sie von ihrem Festtagskleid genommen hatte. Er war dunkler als jeder andere Hut, den er je gesehen hatte, mit wunderschönen aufgemalten Mustern. Erst als er ihn in Händen hielt und auf den Kopf setzen wollte, merkte er, dass der Hut aus dem Stück rauchgeschwärzter Tipi-Haut gemacht war.

Bevor er seine Dankbarkeit äußern und sich für sein Verhalten entschuldigen konnte, hatte Morning Dove gesagt: »Ich fand, der Vater unseres Kindes sollte einen neuen Hut haben.«

»Du wirst … Ich meine, wir werden …«, fragte er sie aufgeregt, bis sie ihm antwortete: »Ja. Du wirst Vater.«

»Wann wirst du …«

»In sechs Monaten.« Und voller Vorfreude fügte sie hinzu: »Im Mond der berstenden Bäume.«

Wenn er nun diesen Hut betastete, spürte er, wo manche der Quills und Perlen im Lauf der Jahre abgefallen waren. Man sah nur noch wenige der schönen aufgemalten Verzierungen. Sie waren verwischt und von der Sonne ausgebleicht.

Er war so außer sich gewesen vor Freude darüber, Vater zu werden, dass er ihr die Sache mit dem Hut nie erklärt und ihr auch nicht gesagt hatte, dass ihm sein Verhalten leidtat. Er hätte sich entschuldigen können, doch er hatte es versäumt, und nun war es zu spät. Es gab so vieles, das er ihr vor ihrem Tod noch hätte sagen wollen.

Eine weitere Windböe schlug ihm ins Gesicht und riss ihn aus seinen Gedanken. Er hatte keine Ahnung, wie lange er so dagestanden und an Morning Dove gedacht hatte. Der Hut, den sie ihm gemacht hatte, war schneebedeckt, es könnte also eine ganze Weile gewesen sein. Er versuchte die reumütigen Gedanken beiseitezuschieben und ging los. Auf dem Weg durch das Schneegestöber kam er an mehreren schneebedeckten Nadelbäumen vorbei und hoffte, ein Gehölz von Laubbäumen zu finden. Sie wären trockener, hätten ihre Blätter abgeworfen und unter ihnen lägen eher tote Äste, die sich als Feuerholz eigneten. Wenn er keine Espen oder Eschen fände, die in dieser Höhe eigentlich wachsen sollten, müsste er abgestorbene Nadelholzzweige verwenden. Die Nadeln jedoch würden in dem Unterstand sehr viel mehr Qualm verursachen.

Er wollte es schon aufgeben, im Schneesturm noch Äste von Laubbäumen zu finden, als er zu demselben Espengehölz kam, das Bright Heart gefunden hatte. Ohne zu wissen, dass sie beide dieselbe Baumgruppe entdeckt hatten, wären sie beim Aufsammeln abgebrochener Äste beinahe zusammengestoßen. Unglücklicherweise geschah dies aber nicht, da sie einander in dem Blizzard weder sehen noch hören konnten. Man sah vor lauter Weiß kaum die Hand vor Augen und der Sturm heulte ohrenbetäubend.

Als Tatanka mit einer Ladung toter Äste zu ihrem Unterstand zurückging, lief er nur wenige Schritte an Bright Heart vorbei, die mit einem Arm voller Feuerholz das Schutzdach zu finden versuchte. Er hatte nach Verlassen des Unterstands sorgsam darauf geachtet, aus welcher Richtung er gekommen war, um nicht die Orientierung zu verlieren. Doch der Schneesturm war so viel heftiger geworden, dass er kaum noch einen Schritt weit sehen konnte, und als er auf dem Rückweg zu einer schneebedeckten Kiefer kam, war er sich zuerst nicht sicher, ob er vor dem richtigen Baum stand. Der Schnee war hoch gegen die Äste und die Packsättel geweht und die Fläche um den Baumstamm herum war vollständig abgeschirmt, abgesehen von der engen Öffnung, durch die er hereingekommen war. Auch hielt der Schnee, außer am Eingang, jegliches Licht von draußen ab.

Tatanka versuchte, seine Augen auf die Dunkelheit einzustellen, und rief: »Bright Heart, wo bist du?«

Als sie nicht antwortete, rief er lauter, weil er dachte, sie könne ihn nicht hören. Als sie noch immer nicht reagierte, ging er im Inneren des Unterstands herum, in der Hoffnung, sie sei eingeschlafen, und nicht ins Freie gegangen. Als er sie nicht finden konnte, begann er sich zu sorgen, sie könne sich im Schneesturm verirrt haben. Geduckt trat er wieder hinaus, tat ein paar Schritte und blieb stehen. Er hatte keine Ahnung, wohin sie gegangen war. Er legte die Hände um seinen Mund, damit seine Stimme weiter getragen würde, und rief ihren Namen, so laut er konnte. Als sie nicht antwortete, rief er erneut. Als auch diesmal keine Antwort kam, drehte er sich und rief nach links und dann nach rechts, weil er dachte, sie könne in eine dieser Richtungen gegangen sein. Doch das Einzige, was ihm daraufhin antwortete, war der durch die Bäume pfeifende Wind.

Gegen alle Vernunft lief er von dem Unterstand fort und rief immer wieder ihren Namen. Als er zu seiner Linken etwas Dunkles sah, eilte er darauf zu. Doch als er näher kam, merkte er, dass es ein Baum war. So groß war Bright Heart nicht. Er wollte schon weitergehen, da kam er wieder zu Sinnen. Er hatte keine Ahnung, welche Richtung sie eingeschlagen haben könnte. Wenn er weiterlief, würde auch er sich verlaufen und ihr nicht helfen können. Als er umkehrte, ging ihm auf, wie dumm er sich verhalten hatte. Er wusste nicht, ob er in dem Schneesturm den Weg zum Unterstand noch finden konnte.

Er sah nach unten auf den schneebedeckten Boden, weil er dachte, er könne seine eigenen Spuren zurückverfolgen, entdeckte aber, dass im Schnee keinerlei Vertiefungen zu erkennen waren. Alles was er sah, war eine flache weiße Decke. Er bückte sich und versuchte nach Eindrücken zu tasten. Doch mit den Fäustlingen, die Bright Heart für ihn gemacht hatte, waren im Schnee keinerlei Unterschiede zu erkennen.

Er zog sie aus und fuhr mit der bloßen Hand über die Schneedecke. Gleich darauf spürten seine nackten Finger die Oberfläche absinken, wo der Schnee seine Fußstapfen noch nicht vollständig aufgefüllt hatte. So tastete er den Weg vor sich ab und verfolgte durch den immer tiefer werdenden Schnee langsam seine Fährte zurück. Eine vereinzelte Windbö riss den Vorhang fallenden Schnees kurz auf und klärte die Sicht gerade lange genug, dass er die leichten Eindrücke seiner Fußspuren sehen konnte, die ihn zum Unterstand zurückführten. Dann kehrte das Schneegestöber mit aller Macht zurück und er sah in all dem Weiß nicht einmal mehr die Hand am Ende seines Armes.

Als er sich an seinen Spuren entlang den Rückweg ertastete, musste er ab und zu stehen bleiben und sich die Hände in den Achselhöhlen wärmen, wenn seine Finger so kalt geworden waren, dass er keinen Unterschied der Schneehöhe mehr fühlen konnte. Hin und wieder erlaubte ihm eine Bö einen Blick auf die Spuren, die er im Schnee hinterlassen hatte, und bestätigte ihm, dass er sich noch immer auf dem richtigen Pfad zurück zum Unterstand befand. Dennoch war er nicht sicher, ob er vor dem richtigen Baum stand, als die tief hängenden Äste einer schneebedeckten Kiefer ihm den Weg versperrten.

Als er sich unter den Zweigen bückte, wäre er fast über den Haufen Espenäste gestolpert, die er hatte liegen lassen. Er rief laut »Bright Heart!«, in der Hoffnung, sie sei während seiner Abwesenheit zurückgekehrt, doch als sie nicht antwortete, machte er sich noch größere Sorgen, dass sie sich in dem Schneesturm verlaufen hatte. Er hatte mit der Suche nach ihr Zeit verschwendet, ohne die Dinge richtig zu durchdenken. Schlimmer noch, ihre Spuren wären nun schon weitgehend mit Schnee gefüllt und noch schwieriger zu verfolgen.

Er dachte nicht richtig nach. Das entsprach nicht seiner Art. Sonst konnte er auch unter Druck immer klar denken. Er ermahnte sich: *Ich lasse zu, dass meine Gefühle für sie mein Urteilsvermögen trüben. Was würde ich normaler-*

weise in so einer Situation tun? Bald wird es dunkel. Wenn ich sie bis dahin nicht finde, ist es vielleicht zu spät.

Entgegen seinem Wunsch sofort aufzubrechen, bevor ihre Spuren vom Schnee überdeckt wären, zwang er sich, sich die Zeit zu nehmen, um ein Feuer zu machen. Er dachte nun klarer und sah ein, dass sie einen warmen Unterschlupf brauchen würde. Im Wissen, dass die Zeit drängte, schabte er eine niedrige Grube aus, etwas größer als ihr Körper. Bis er mit ihr zurückkehrte, hätten die Flammen den Boden darunter erwärmt.

Sie wird kurz vor der Unterkühlung stehen. Ihre Kleider sind inzwischen sicher durchweicht und ihr Körper ist nass und kalt. Sie wird ebensolche Schwierigkeiten haben, den Weg hierher zurückzufinden wie ich auch. Wenn sie hier in die Nähe kommt, könnte ihr der durch die Äste des Baumes schimmernde Feuerschein helfen, den Unterstand zu erkennen.

Dann erinnerte er sich, wie schwer es ihm gefallen war, den Eingang ausfindig zu machen, also nahm er einen Espenast, spitzte ein Ende mit seinem Tomahawk an und schnitt ihn etwa auf Länge seiner Körpergröße zurecht. Diese Stange nahm er mit nach draußen, steckte sie in den Boden und markierte so die Öffnung des Unterstands.

Tatanka war überrascht, wie dunkel es während seines Aufenthalts unter dem Baumschutzdach geworden war. Er wusste, dass die Sonne eigentlich noch am Himmel stehen sollte. Obwohl er sie nicht sehen konnte, nahm er an, dass die dunklen Unwetterwolken, die er vorher im Westen bemerkt hatte, herangeweht worden waren und den Großvater Sonne nun aussperrten. Dadurch und durch den dicht fallenden Schnee, wirkte es später, als es war. Bald wäre Großvater Sonne verschwunden und ohne Licht würde man nichts mehr sehen können. Er bräuchte eine Fackel, damit er überhaupt eine Chance hätte, Bright Heart zu finden.

Er kehrte unter das Schutzdach zurück und hackte ein Stück Kiefernholz ab, kürzte es auf etwa einen Meter und spaltete den Ast vom dicken Ende her bis zur Hälfte. Von einem Stück Espenholz schälte er zwei lange Streifen Rinde und klopfte sie mit der flachen Seite des Tomahawks, bis sie locker und faserig waren. Dann faltete er die Streifen im Zickzack in mehrere Schichten von der Länge seiner Hand und klemmte die Rindenstreifen in das gespaltene Ende des Kiefernhalters, weit genug voneinander entfernt, dass sie nicht gleichzeitig Feuer fingen. Obwohl er wusste, dass er nur geringe Chancen hatte, Bright Heart in dem Blizzard zu finden, entzündete er die Fackel, nahm das restliche Stück Kiefernast mit und schlüpfte in den Sturm hinaus.

Er hielt den Kiefernzweig über die Fackel, um sie gegen den Schnee abzuschirmen, und versuchte Bright Hearts Spuren ausfindig zu machen. Doch die einzigen Fährten, die er erkennen konnte, waren diejenigen, die er selbst hinterlassen hatte. In der Annahme, er sei bei seiner Rückkehr über ihre Spuren getrampelt, folgte er zunächst der nun halb mit Schnee bedeckten Spur, die er vor kurzer Zeit erst verursacht hatte.

In dem Schneegestöber erhellte die Fackel nur einen kleinen Bereich und leuchtete kaum bis zum schneebedeckten Boden. Enttäuscht über die schlechte Sicht ließ Tatanka den schützenden Zweig zur Seite rutschen, die Fackel begann zu flackern und fast wäre die Flamme ausgegangen. Rasch schützte er sie wieder mit dem Kiefernzweig und blies in die Glut, bis das Feuer erneut aufloderte.

Als er die Fackel tiefer hielt, merkte er, dass das flackernde Licht bei Unregelmäßigkeiten in der Schneedecke Schatten warf. Nachdem er dem Pfad ein kurzes Stück weit gefolgt war, entdeckte er schwächere Abdrücke, die von den tieferen, denen er folgte, im Winkel abzweigten. Er folgerte, dass diese schwachen Abdrücke von Bright Heart stammten, als sie an diesem Punkt aus irgendeinem Grund eine andere Richtung eingeschlagen hatte. Er ging ihnen nach in dem Wissen, dass er sich beeilen musste, wenn er sie finden wollte, bevor der fallende Schnee ihre Fährte gänzlich unkenntlich gemacht hatte. Allerdings musste er aufpassen, dass er keinen Fehler machte und auf falschem Weg die Fährte verlor.

Als er zu einem Espengehölz kam, entdeckte er ein Gewirr von Fußspuren im Schnee, wo sie die toten Äste aufgesammelt hatte. Auch erkannte er, dass es dieselben Espen waren, bei denen er selbst Feuerholz sammeln war. Wenn er das geahnt hätte! Sie mussten sich in dem weißen Nebel fast zum Greifen nahe gewesen sein. Ganz sicher hätten sie einander hören können!

Er spürte, wie er zornig wurde. Warum hatte er sie nicht davor gewarnt, das Schutzdach zu verlassen, und sie in diese gefährliche Lage gebracht? Er fürchtete, sie könne in dem Schneesturm ums Leben kommen, und war verzweifelt, dass er nichts dagegen tun konnte. *Ich habe Morning Dove verloren, weil ich nicht da war, um sie zu schützen. Nun ist Bright Heart in Lebensgefahr und es ist wieder meine Schuld. Nutzlos wie ich bin, könnte ich ebenso gut am anderen Ende der Shining Mountains sein. Wahrscheinlich wäre sie in Rufweite, wenn der Sturm nicht so laut tosen würde.*

Es war unerträglich, ihr so nahe zu sein und sie nicht finden zu können. Er musste irgendetwas tun. Aber es musste das Richtige sein. Wenn er versagte, würde es keine zweite Chance geben. Wenn sie die nähere Umgebung verlassen hätte und der Schneesturm weiterwütete, würden all ihre Fährten verwischt. Wenn sie weiter weggegangen war, müsste er ihre Spuren finden, bevor sie unkenntlich wurden.

Als er merkte, dass er in diesem Gewirr von Spuren, da er sich nur an schwachen Abdrücken orientieren konnte, unmöglich unterscheiden konnte, in welcher Reihenfolge diese entstanden waren, ging er nach ihr rufend zwischen den Espen umher, die mit den schneebedeckten entlaubten Ästen wie Fabelwesen aussahen.

Als er sie nicht fand, vermutete er, dass sie das Espengehölz verlassen hatte. Er beschloss, der einzige Weg sie zu finden bestünde darin, in weiten Kreisen um das Gehölz herumzugehen. Wenn er ihre Fährte kreuzte, würde er ihr folgen, bis er sie einholte. Wenn er keinerlei Fährte kreuzte, wüsste er, dass sie sich noch innerhalb des Kreises befinden musste. In dem Fall könnte er immer engere Kreise ziehen und sie auf diese Weise hoffentlich ausfindig machen.

Er hatte das Espengehölz beinahe umrundet, als die Fackel zu flackern begann und gerade noch lange genug aufflammte, dass er sah, wie die zu rot glühender Kohle verbrannte Rinde aus der gespaltenen Halterung mit einem Zischen in den Schnee fiel, sodass er im tobenden Schneesturm in völliger Dunkelheit zurückblieb, ohne jede Möglichkeit Bright Heart zu finden.

30

Vor Kälte zitternd stolperte Bright Heart und wäre beinahe hingefallen. Das Brennholz in ihren Armen immer noch festhaltend gewann sie das Gleichgewicht zurück. Ohne zu merken, dass sie bereits die ersten Anzeichen von Unterkühlung aufwies, ging sie auf etwas Dunkles zu, das sie zwischen den wirbelnden Schneeflocken undeutlich ausmachen konnte. Sie erhaschte noch einen kurzen Blick darauf, dann versank es in einer weißen Nebelwand. Das letzte Licht schwand rasch dahin und sie wusste, dass sie den Baumunterstand finden musste, bevor es ganz dunkel wurde. Mit schweren Beinen stapfte sie weiter durch den Schnee, der nun schon fast über den Rand ihrer kniehohen Wintermokassins reichte.

Im Versuch, die aufsteigende Panik zu bezwingen, blieb Bright Heart stehen und holte ein paar Mal tief Luft. Sie lauschte in der Hoffnung, Tatankas Stimme ihren Namen rufen zu hören. Doch alles, was sie vernahm, war das von den Bergen kommende, schneegedämpfte Heulen des Sturmes. Sie sagte sich: *Keine Panik. Unser Baum ist hier irgendwo, ich werde ihn finden. Tatanka wird nicht zulassen, dass mir etwas geschieht.*

Sie stand da und schaute sich um, im Versuch irgendetwas zu erkennen. Alles wäre besser als diese weiße Wand. Da war ihr, als hätte sie in der Ferne ein Licht gesehen.

Ihr ihrem vor Kälte verwirrten Geisteszustand versuchte sie zu überlegen, was das zu bedeuten hatte, als eine Windbö den weißen Vorhang beiseiteschob und sie direkt vor sich die schneebedeckten Äste eines Baumes sah. In der Annahme, es sei der Unterstand, wollte sie sich unter die Zweige ducken, merkte aber, dass dies nicht möglich war, weil sich das Feuerholz, das sie trug, in den Ästen verfing. Sie kämpfte einen Moment, dann ließ sie das Brennholz widerstrebend los. In ihren verworrenen Gedanken war dies wie ein Verlust, als ließe sie etwas Wertvolles zurück.

Sie kroch unter das Schutzdach und rief nach Tatanka, in der Hoffnung, sie hätte den richtigen Baum gefunden und er würde ihr antworten. Doch sie zitterte und ihre Zähne klapperten so sehr, dass sie nur ein Klickern herausbrachte, als sie auf dem Teppich heruntergefallener Kiefernnadeln kniete.

Mühsam stand sie auf und taumelte im Dunkeln umher, um Tatanka zu finden, bis sie schließlich merkte, dass sie sich unter dem falschen Baum befand. Ihr war so kalt und sie war so müde, dass sie nicht mehr klar denken konnte. Hatte sie ein Licht gesehen, bevor sie unter diesen Baum gekrochen war? Stammte das Licht von einem Feuer, das Tatanka entfacht hatte? Sie wollte sich zwingen, wieder in den Schneesturm hinauszugehen, doch abgeschieden von Sturm und Schnee war es so friedlich unter dem Baum. Sie sagte sich: »Ich will mich nur einen Moment hier ausruhen.«

Zitternd kauerte sie sich zusammen, ohne sich länger wegen der frostigen Temperaturen zu ängstigen und ohne sich darüber im Klaren zu sein, dass sie nicht wieder aufwachen würde, wenn sie einschliefe.

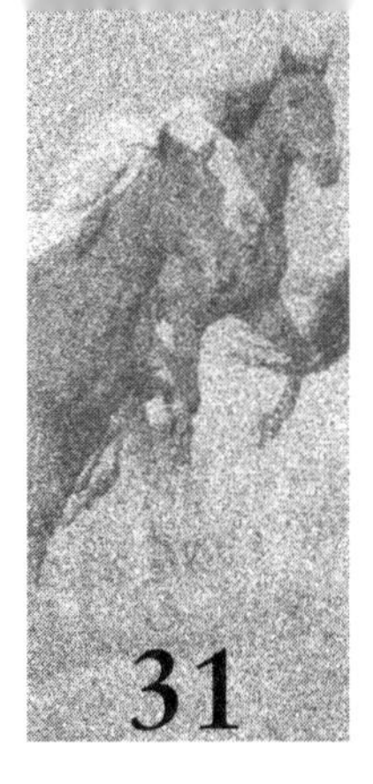

31

Tacincala entfernte den breiten Hirschlederstreifen, der um Frenchies Taille gebunden war, um den Verband zu befestigen. Bemüht, behutsam vorzugehen, hob sie den Wickel von der Schusswunde in seinem Rücken. Ein Geruch wie von fauligem Fisch stieg ihr in die Nase. Die Wundränder waren rot, entzündet und so stark angeschwollen, dass die Haut darum herum so straff gespannt war wie das Fell einer Trommel. Nachdem sie den Umschlag durch eine frische Kompresse mit Chia-Samen gegen die Entzündung und Schafsgarbenwurzel zur Schmerzlinderung ersetzt hatte, wickelte sie den Lederstreifen vorsichtig wieder um Frenchies Bauch.

Im Inneren des Tipis war es warm, doch der Franzose zitterte. Tacincala fühlte seine Stirn und sagte: »Deine Haut ist heiß und trocken. Du hast immer noch Fieber.«

Sie hielt ihm eine hölzerne Schale an die Lippen und erklärte: »Trink diesen Tee, den Mutter aus der Rinde der Weiden weiter unten am Bach gemacht hat.« Ohne recht zu wissen, ob ihre Worte nicht mehr sie selbst überzeugen als ihn beruhigen sollten, fuhr sie fort: »Er sollte besser wirken als die Aufgüsse von Cottonwood- und Espenrinde, die du bislang bekommen hast. Das Fieber und der Schüttelfrost werden davon sicher vergehen.«

»Die Gewehrkugel aus Blei vergiftet ihn«, sagte Jeremiah, der ihr über die Schulter sah. »Wenn diese Chia-Samen die Kugel nicht bald rausziehen, muss ich versuchen, sie mit meinem Messer zu entfernen.«

Tacincala setzte zu einer Antwort an, überlegte es sich jedoch anders und wandte ihre Aufmerksamkeit wieder dem Verwundeten zu. Die dunklen Ringe unter ihren Augen ließen erkennen, wie sehr Tacincala sich um ihn sorgte. Sie war Frenchie kaum von der Seite gewichen, seit sie ihn verletzt aufgefunden hatte. Sie sah müde und ausgelaugt aus. Als Mahtowin den Schmerz im Blick ihrer Tochter sah, der sie so sehr belastete, sagte sie zu ihr: »Tochter, weil er ein *wašičun*, ein weißer Mann ist, haben wir ihn lediglich mit *pezuta*, mit Medizin behandelt. Wir müssen den Großen Geist um Hilfe bitten. Wir werden eine Schwitzhütte bauen und die Heilenden Gesänge anstimmen.«

Mahtowin suchte sich fern vom Tipi eine abgeschiedene Stelle nahe am Fluss und betete zu *Wakan tanka*:

»Oh großes Heiliges Geheimnis
mit schwacher Stimme bitte ich dich,
hör mich, oh Großer Geist
bittend komme ich zu dir,
hör meine Stimme!«

Frenchie war eingeschlafen, nachdem er den Weidenrinden-Tee getrunken hatte. Mahtowin führte Tacincala und Jeremiah bachabwärts wieder zu der Stelle, an der sie mehrere Weiden gefunden hatte. Bei einem Sturm waren einige der Bäume umgestürzt und nun wuchsen seitlich Schösslinge daraus hervor.

Mahtowin sagte zu ihrem Mann: »Schneide die längeren Ruten, die etwa so dick sind wie deine Finger, für das Gerüst. Tacincala und ich schälen Rindenstreifen von den kleineren Trieben, um die Stangen miteinander zu verbinden.«

Während Jeremiah die größeren Schösslinge mit seinem metallenen Tomahawk abschlug, schnitten die beiden Frauen die kleineren Ruten. Mahtowin legte einen Trieb auf den umgestürzten Baum und zog die Schneide ihres Messers längs darüber, sodass die Rinde sich an einer Seite teilte. Am dickeren Ende beginnend zog sie die Rinde eine Handbreit ab. Dann nahm sie das Innenholz der Weide in die andere Hand und schälte die Rinde der Länge nach von dem ganzen Stock. Im Nu hatten die Frauen genügend Rindenstreifen, um das Gerüst der Schwitzhütte zu verschnüren. Nachdem sie mit den Bündeln von Weidenzweigen ins Lager zurückgekehrt waren, zeigte Mahtowin den anderen, wie man den Rahmen bog und verknüpfte, um ein kleines kuppelförmiges Gerüst herzustellen.

Mahtowin war nicht sicher, ob sie fähig wäre, die Heilungszeremonie ohne einen Schamanen zu leiten. Sie sagte: »Wie das Medizinrad ist auch der Boden der Schwitzhütte kreisrund. Dies steht für das Verbundensein aller Dinge mit dem Großen Geheimnis. Die Form der Hütte entspricht den vier Quadranten des Universums und enthält die Kraft der fünf Elemente: Holz, Stein, Erde, Feuer und Wasser.«

Jeremiah, der lange bei den Lakota gelebt hatte, teilte zwar nicht uneingeschränkt deren Glauben, respektierte aber ihre Lebensweise und Religion, die ihm eine Einheit zu bilden schienen. Was ihn an den Lakota am meisten beeindruckte, war, dass bei ihnen alles im täglichen Leben einen religiösen Sinn hatte. Es gab bei ihnen keinen besonderen Tag für die Religion. Sie war Teil eines jeden Tages und lebte in allem, was sie taten und dachten. Als er seine Frau nun ansah, dachte er: *Sie ist wie eine Verkörperung ihres Glaubens.*

Auch fiel ihm auf, wie anmutig sie gealtert war: *Sie ist*

fast noch genauso schlank und zierlich wie damals, als ich sie und Tacincala aus dem Schneesturm gerettet habe. Durch die kleinen Krähenfüße wirken ihre großen dunklen Augen nur umso interessanter. Und auch wenn ihr langes schwarzes Haar allmählich von immer mehr Grau durchzogen wird, betont es noch immer ihre hohen Wangenknochen und ihr schönes Gesicht.

Er lauschte ihren Worten, staunte inzwischen aber nicht mehr über das Wissen und die Weisheit der Frau, in die er sich verliebt und die er geheiratet hatte. Als sie das Gerüst mit Häuten und Roben bedeckten und sich vergewisserten, dass alles straff genug gespannt war, damit der Dampf nicht entwich, dachte Jeremiah: *Außerdem ist sie die stärkste und liebevollste Person, die ich kenne … abgesehen von Tacincala, der Tochter, die ich an jenem Tag im Schneesturm gewonnen habe.*

Wenn er an seine ersten Eindrücke von den Lakota zurückdachte, als er nach Westen gekommen war, gluckste der grauhaarige *Mountain Man*. Wie sehr er sich getäuscht und seine Sichtweise sich doch geändert hatte:

Kaum zu glauben, was für Vorurteile ich hatte. Sie sind nicht im Entferntesten so, wie ich zuerst erwartet hatte. Man hatte mir erzählt, sie wären ein Haufen blutdürstiger Wilder, die in armseligen Hütten leben und sich mit Handzeichen und Grunzen verständigen. Weiter hätte ich kaum danebenliegen können. Ihre Kultur wird durch ihre Sprache bestimmt, und die ist ebenso vielschichtig und ausdrucksstark wie Englisch. Ich habe großartige Redner bei den Lakota gehört. Man braucht nur an einer ihrer Ratsversammlungen teilzunehmen. Ich fürchte, das einzige Grunzen war von mir zu hören, als ich gelernt habe, ihre Sprache zu sprechen. Wahrscheinlich klingt mein Lakota immer noch wie Grunzen, aber aus Höflichkeit sagen sie nichts dazu, um mich nicht in Verlegenheit zu bringen. Das heißt, abgesehen von Tatanka, Eagle Catcher und ein paar anderen guten Freunden, die an kaum etwas mehr Freude haben als an einem gelungenen Scherz, sowohl über andere als auch über sich selbst. Die Lakota sind so gutwillig und gastfreundlich, wie man es sich nur vorstellen kann. Ich hab schon erlebt, wie ein hungriges Dorf mitten im Winter, als die Vorräte knapp waren, alles, was sie hatten, mit weniger gut ausgestatteten Durchreisenden geteilt haben. Nie habe ich sie ihre Kinder misshandeln sehen und ihre Alten werden geachtet, in hohen Ehren gehalten und als wertvolle Mitglieder der Gemeinschaft umsorgt. Es ist für sie eine Sache des Stolzes, ihr Wort zu halten. Das heißt aber nicht, dass es eine gute Idee wäre, sich mit ihnen anzulegen. Sie sind die furchtloseste Kriegerschar, mit der ich je zu tun hatte.

Mahtowin unterbrach seine Gedanken und sagte: »Mach einen Eingang nach *wiyohiyanpata*, wo der Großvater aufsteigt. Bedeck den Durchgang mit einer Rehlederklappe. In der Mitte der Hütte, zum Ausgang hin, grab eine *iniowaspe*, wo die heißen Steine hingelegt werden, nachdem sie außerhalb der Hütte erhitzt wurden. Die *iniowaspe*«, sagte sie, »entspricht dem Zentrum des Universums, wo der Große Geist lebt. Nimm die Erde aus der *iniowaspe* und streu einen Pfad bis vier Schritte vor dem Eingang. Am Ende dieses heiligen Weges häufst du den Rest vorsichtig auf zu einem *hanbelachia*, einem kleinen Visionshügel. Als Nächstes schichtest du Feuerholz und Steine auf, damit sie im ›ewigen Feuer‹ erhitzt werden.«

Als sie merkte, dass Frenchie aufgewacht war, sich aus dem Tipi geschleppt hatte und ihnen nun beim Bau der

Schwitzhütte zusah, sagte sie: »Du hast bei den Lakota gelebt und kennst und verstehst das Schwitzbad-Ritual, das zur Läuterung erforderlich ist. Es muss *wákan*, nach heiligen Regeln, erfolgen, um dich zu reinigen und alles Übel aus deinem Körper zu entfernen.«

Mit einem Lächeln, das eher wie eine Grimasse aussah, antwortete er: »Wenn ich auf diese Weise das Stück Blei aus meinem Rücken loswerde, tue ich alles dafür, um es richtig zu machen und mich von diesen üblen Schmerzen zu befreien.«

Mahtowin versuchte, sich an die Heilungszeremonie zu erinnern, und bat in erneutem Gebet zum Großen Geist um Führung. Dann sagte sie zu Jeremiah: »Füll deine Pfeife mit Tabak und leg sie der Länge nach auf den Altarhügel, sodass der Stiel nach Osten und der Kopf nach Westen zum Eingang hin zeigt.« Zu Tacincala sagte sie: »Als Opfergaben häng vier kleine Bündel Tabak an Stöcke und steck sie bei den vier Himmelsrichtungen rund um den *hanbelachia*. Wir haben nicht genügend heiligen Salbei, um den Boden damit zu bedecken, da er nur auf den Ebenen und in tieferen Lagen wächst. Stattdessen müssen wir Zweige der heiligen Kiefer verwenden und sie auf dem Boden der Schwitzhütte auslegen«, wies Mahtowin Jeremiah an.

Als die Schwitzhütte fertig war und die Steine im »ewigen Feuer« erhitzt wurden, hob Mahtowin die Hände und betete zum Heiligen Geheimnis.

»Oh mächtiger *Wakan tanka*!
Erhör unsere Gebete.
Vergib uns die Fehler, die wir machen,
denn wir sind nur klein und schwach.
Erhör unsere Gebete …«

Sie nahm mehrere kleine getrocknete Salbeizweige aus einer Parflèche und legte sie auf das Feuer, dann fügte sie duftendes Mariengras hinzu. Als der Geruch des brennenden heiligen Salbeis und des Süßgrases die Luft erfüllte, sagte sie zu Jeremiah und Frenchie: »Zieht eure Kleider aus und reinigt euch im heiligen Rauch, dann reibt eure Körper mit Süßgrasbüscheln ab.«

Nachdem die beiden Männer sich im Rauch geläutert hatten und in die Hütte gekrochen waren, erklärte Frenchie Jeremiah: »Ich weiß, dass für die Lakota das Schwitzbad und jeder Schritt der Heilungszeremonie heilig ist. Männer und Frauen nehmen die Schwitzbäder getrennt voneinander ein und auch die Helfer sind normalerweise vom selben Geschlecht. Ich weiß sehr zu schätzen, was Mahtowin und Tacincala für meine Heilungszeremonie auf sich nehmen. Sie müssen sicher befürchten, ihre Götter zu erzürnen. Ich nehme das hier also sehr ernst«, fügte er hinzu, als die Frauen zum Feuer hinübergingen und mit gegabelten Stöcken jede einen heißen Stein hochhoben. Als sie ihn zur Hütte getragen hatten, übergab jede ihren gegabelten Stock mit dem heißen Stein durch den offenen Eingang an Jeremiah.

Nachdem beide einen zweiten Stein für die vorgeschriebene viersteinige *iniowaspe* gebracht hatten, nahm Mahtowin die langstielige Pfeife von dem Altar. Mit einem Stück Rinde hob sie ein kleines glühendes Stück Holzkohle aus dem Feuer und legte es in den Pfeifenkopf auf den Tabak, dann zog sie traditionsgemäß einige Male an der Pfeife, sodass sich der heilige Tabak entzündete. Die Pfeife in die Höhe haltend ehrte sie *Wakan tanka* und dankte dem Schöpfer für allumfassende Heilung.

Sie setzte die Pfeife an den Mund und zog erneut daran, dann blies sie den Rauch nach Osten und sprach: »*Wiyohiyanpata* ist es, wo alles Leben beginnt und wo sich der

Großvater erhebt, um unsere Pfade zu beleuchten, damit wir auf unserer Reise durchs Leben den richtigen Weg finden.«

Dann blies sie heiligen Rauch nach Süden und sagte: »In *itokagata* steht der Großvater am höchsten. Dort lernen wir, stark, aber unzerbrechlich zu sein wie das Schilf, das nachgibt und sich dem Wind beugt. Der Süden ist auch die heilige Richtung, die uns lehrt, einander beizustehen und einander zu achten.«

Dann wandte sie sich um und blies Rauch nach Westen mit den Worten: »*Wiyohpeyata* ist, wo der Großvater verschwindet. Dort lernen wir nachzudenken, in Eintracht zu leben und die Verbindung zum Schöpfer zu suchen.«

Schließlich, in Ehrung der vierten Himmelsrichtung, blies sie Rauch nach Norden. »*Waziyata* ist die Richtung der Winterkälte. Vom Norden lernen wir geistige Disziplin.« Nach einer Pause sagte sie: »Wir müssen jede heilige Himmelsrichtung ehren und von ihr lernen.«

Nachdem sie die Asche ausgeklopft hatte, füllte sie die Pfeife erneut mit Tabak. Dann nahm sie ein weiteres kleines Stück Glut aus dem Feuer, legte es in den Pfeifenkopf auf den Tabak, reichte die Pfeife Jeremiah und sagte: »Nimm diese heilige Pfeife und ehre *Wakan tanka*.«

Auch Jeremiah zog mehrmals an der Pfeife, um den heiligen Tabak zu entzünden. Dann hielt er die Pfeife hoch und *Wakan tanka* ehrend dankte er dem Schöpfer für allumfassende Heilung.

Dann setzte er die Pfeife an den Mund und nachdem er erneut daran gezogen hatte, blies er Rauch in die vier Himmelsrichtungen. Nach kurzem Innehalten hielt er die Pfeife noch einmal empor, wie es Brauch war, und übergab sie dann an Frenchie.

Der verwundete Franzose nahm die Pfeife von Jeremiah, ehrte ebenfalls den Großen Geist und blies dann Rauch in die vier Himmelsrichtungen. Nachdem er Jeremiah die Pfeife zurückgegeben hatte, legte sich Frenchie wieder auf die Kiefernzweige, weil ihm das aufrechte Sitzen starke Schmerzen bereitete.

Tacincala nahm von Jeremiah die Pfeife entgegen und schloss die Türklappe. Dann klopfte sie die Asche aus, füllte erneut Tabak hinein und legte die Pfeife wieder in ihre Halterung auf dem Altarhügel.

Nachdem die Türklappe herabgelassen war und die Schwitzhütte verschlossen, schöpfte Jeremiah mit einer Hornkelle Wasser aus der Blase, die Mahtowin neben der *iniowaspe* gelassen hatte. Dann besprengte er damit nach Mahtowins Anweisung die vier Steine, sodass die Schwitzhütte mit heißem Dampf und Schwaden von Salbei und Süßgras erfüllt wurde, die von der heiligen *iniowaspe* aufstiegen.

Nachdem sie dieses Heilungsritual viermal wiederholt hatten – jedes Mal waren vier weitere heiße Steine hinzugefügt worden und sie hatten die Pfeife geraucht, bevor sie jene mit Wasser besprengten –, war ihnen sehr heiß und sie schwitzten heftig. Als Jeremiah helle Flecken auf ihrer beider Körper entdeckte, erinnerte er sich an Mahtowins Warnung: »Die Hitze durch den Dampf kann so stark werden, dass Hitzeflecken auf deinem Körper entstehen. Dies sind Unreinheiten unter deiner Haut oder Stellen, an denen Übles aus deinem Körper auszutreten versucht. Nimm diesen heiligen Salbei und zerkaue ihn«, hatte sie gesagt und ihm einen Zweig gereicht. »Dann spuck ihn aus und reib ihn auf die Hitzeflecken.«

Jeremiah steckte ein Stück in den Mund und reichte Frenchie einen Zweig getrockneten Salbeis, wobei er ihm erklärte: »Hier, kau das und reib es auf die Hautflecken, wie Mahtowin gesagt hat.«

Überrascht, wie die Flecken verschwanden, sobald sie mit dem nassen Klumpen zerkauten heiligen Salbeis abgerieben wurden, sagte Jeremiah: »Meine Frau da draußen weiß wirklich für alles ein Mittel. Wenn sie sagt, man soll dreimal den Mond anbellen, um von irgendwas geheilt zu werden, dann fängt man am besten an zu bellen.«

Er zeigte dem Franzosen seine Handflächen und sagte: »Kurz bevor wir dich gefunden haben, waren meine Hände so dunkel und geschwollen, dass ich dachte, ich müsste sie mir wegen Wundbrand bald abschneiden. Und auch falls sie heilen würden, war ich mir nicht sicher, ob ich sie je wieder verwenden könnte. Aber wie du siehst, sind sie nach all den Wickeln und Salben, die Mahtowin daraufgetan hat, so gut wie neu.«

Als er sah, dass er Frenchies Aufmerksamkeit gewonnen hatte, fügte er glucksend hinzu: »Jawoll, und damit du weißt, wie sehr ich an ihre Medizin glaube, und was für ein guter Freund ich bin: Wenn sie sagen würde, dass dein Rücken kuriert werden kann, indem du Wapitipisse trinkst, würd ich sofort rausgehen, um mit dem Lasso einen dieser großen Hirsche für dich einzufangen.«

Zum ersten Mal, seit Jeremiah ihn kennengelernt hatte, erhellte ein Lächeln die Züge des Franzosen und er antwortete: »Frenschie weiß es sehr zu schätzen, so einen guten Freund zu haben wie Jeremiah, der nischt nur so freundlisch wäre, ihm einen Wapiti zu fangen, sondern auch ... A-ah-Aha!« Plötzlich krümmte sich der Trapper in einem Muskelkrampf zusammen. Dann sank er zurück und sein Körper lag reglos auf den Kiefernzweigen am Boden der Schwitzhütte.

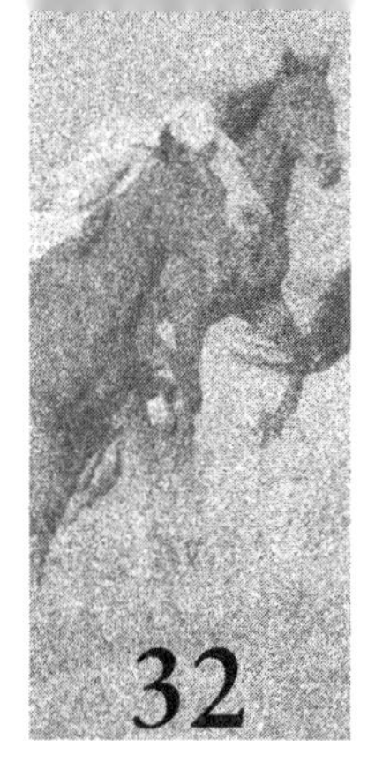

32

Verärgert, dass er nicht besser auf die Fackel geachtet hatte, griff Tatanka nach der Stelle, wo das Rindenstück in den Schnee gefallen war. Er nahm die glühende Holzkohle mit der bloßen Hand, hob sie hoch und blies dagegen, bis sie wieder rot glühte. Dann hielt er sie an den zweiten zusammengedrückten Espendocht.

Erst nachdem der zweite Docht Feuer gefangen hatte, merkte Tatanka, dass er die heiße Kohle in der Hand hielt. Dabei fielen ihm zwei Menschen ein: seine Lakota-Großmutter, die Schamanin She-who-sees-far, und Yong Tong, der Shaolin-Priester. Einen halben Erdball voneinander entfernt, hatten ihn beide, wenn auch auf verschiedene Weise, dasselbe gelehrt: mit der Kraft seines Geistes den Körper zu beherrschen.

Als er die Holzkohle losließ, riss ihn das erneute Zischen, mit dem sie in den Schnee zurückfiel, aus seinen Gedanken.

Da er die Fackel nun in einem veränderten Winkel hielt, damit die Flamme den restlichen Docht weniger schnell verzehrte, hätte er die Fährte beinahe übersehen. Es war schwer zu sagen, in welche Richtung die Spuren liefen. Alles, was er sehen konnte, waren schwache Eindrücke, bei denen vorne oder hinten jedoch nicht zu unterscheiden war. Auf der Suche nach einem Hinweis, in welche Richtung sie gegangen war, folgte er der Fährte mehrere Schritte nach links zurück, bis er am hinteren Ende eines Abdrucks eine leichte Erhebung wahrnahm. Als er die Fackel näher hinhielt, konnte er sehen, wie ihr Fuß bei einem Schritt nach vorne den Schnee aufgeworfen hatte.

In dem Bewusstsein, dass die Zeit drängte und es Bright Heart das Leben kosten könnte, wenn seine Entscheidung falsch wäre, kehrte er um und lief in die entgegengesetzte Richtung. Er betete, dass er richtig läge, und verfolgte die allmählich verwischenden Abdrücke diagonal zu der Richtung, aus der er gekommen war. Wenn sein Kurs stimmte und ihre Spuren nicht die Richtung änderten, müssten sie seines Erachtens dicht am Baumunterstand vorbeiführen. Wenn er sich irrte und die Fährte in entgegengesetzter Richtung verlief, dann wäre es zu spät, ihr zu folgen, denn bald wäre sie unterm Schnee begraben.

Als er der undeutlichen Spur nachging, wurden die Abdrücke klarer umrissen und leichter erkennbar, was ihm sagte, dass er sich ihr näherte. Die Fußspuren schwankten nun auch leicht hin und her, so als ob sie zu taumeln begonnen hätte. Als die Fährte nun deutlicher sichtbar wurde, beschleunigte Tatanka seinen Schritt. Als der Wind einen Moment lang nachließ, war ihm, als sähe er zu seiner Linken ein Licht.

Je weiter er ging, umso tiefer wurden die Fußabdrücke, bis er sicher war, sie könnte nicht mehr allzu weit vor ihm sein. Dann flackerte die Fackel und begann zu erlöschen. Als er diesmal dagegenblies, leuchtete die Flamme noch einmal kurz auf und er sah, wie das verbliebene Stück Rinde ausbrannte und mit einem Zischen in den Schnee fiel, sodass er wieder im Dunkeln stand. Die Flamme hatte jedoch lang genug geflackert, dass er erkennen konnte, wie die Spuren unter den niedrigen Ästen einer Kiefer direkt vor ihm verschwanden. Auch bemerkte er einen Haufen Espenäste neben dem Baum.

Als Tatanka das Brennholz fand, das Bright Heart fallen gelassen hatte, ehe sie unter die schneebedeckten Äste gekrochen war, schob er diese beiseite und schlüpfte unter die Zweige. Er rief sie, erhielt aber keine Antwort, kroch dann vorwärts und stolperte fast über ihren auf dem Bett aus Kiefernnadeln zusammengerollten Körper.

»Bright Heart, geht es dir gut?«, fragte er und rüttelte sie sanft an der Schulter.

Als sie noch immer nicht antwortete, beugte er sich dicht zu ihr hinab. Ihm war, als höre er sie seinen Namen flüstern, doch ihre Zähne klapperten so laut, dass sie kaum zu verstehen war. Als er spürte, wie sie zitterte, wurde ihm klar, dass sie an Unterkühlung sterben würde, wenn er sie nicht aufwärmte. Er dachte daran, an Ort und Stelle mit den Espenästen ein Feuer zu machen, verwarf den Gedanken aber wieder. Sie musste aus den nassen Kleidern raus, die ihrem Körper Wärme entzogen, und in die Schwarzhorn-Roben gehüllt werden, die bei den Packsätteln unter dem Baumschutzdach lagen.

Als ihm das Licht einfiel, das er erspäht hatte, schlüpfte er unter den Zweigen wieder in den Schneesturm hinaus. Die Augen zum Schutz vor dem wirbelnden Schnee mit den Händen beschirmt, schaute er in die Richtung, in der er den Schein erspäht zu haben glaubte. Alles, was er sah, war ein Schneevorhang vor einer Mauer aus Dunkelheit. Er nahm an, er habe sich das Licht wohl nur eingebildet, und hob das Brennholz auf. Dann fiel ihm ein, dass Bäume ihm möglicherweise die Sicht auf das Feuer versperrten. Er ließ das Holz fallen und ging mehrere Schritte zurück bis zu der Stelle, von der aus er das Licht gesehen zu haben glaubte.

Bemüht, in der himmellosen Finsternis nicht die Orientierung zu verlieren, wandte er sich vorsichtig nach rechts und beschirmte die Augen. In der Ferne erkannte er einen gelblichen Schein. Der musste von dem Feuer stammen, das er unter dem Baum entzündet hatte.

Er kehrte um, in die Richtung, aus der er gekommen war, und eilte zu Bright Heart zurück. Sie war so leicht in seinen Armen. Als er sie gegen seine Brust gedrückt trug, hörte er zwischen dem Klappern ihrer Zähne keuchende Atemzüge. Er folgte dem Pfad, den er durch den Schnee getreten hatte, und war erleichtert, als er sich umwandte und in der Ferne den Feuerschein sah.

Als er unter das Schutzdach trat, spürte er gleich den Temperaturunterschied. Auch wenn es nicht warm war, so war es doch ein deutlicher Kontrast zu der Eiseskälte des Blizzards, den *Waziyata*, der Schneeriese, mitgebracht hatte. Bright Heart zitterte an seiner Brust, während ihr Körper sich zu erwärmen versuchte.

Tatanka legte sie auf die Nadeln unter dem Baum und harkte die heißen Kohlen von der länglichen Feuerstelle in eine kleinere runde Mulde, aus der er die trockenen Kiefernnadeln entfernt hatte, damit sie nicht Feuer fingen. Dann bedeckte er den erwärmten Boden mit abgeschnittenen Zweigen und entrollte darauf die Schlafdecken aus Schwarzhornfell. Er zog ihr die nassen Kleider aus und wickelte sie mit der Fellseite zu ihrem nackten Leib gewandt in die Roben. Er wusste, wenn sie noch mehr Körperwärme verlöre, würde sie wahrscheinlich sterben. Ihre Kleider hängte er an einen Ast über dem Feuer, dann holte er mehrere Parflèches und zwei Eisentöpfe aus einem der Packsättel. Nachdem er die Töpfe mit Schnee befüllt hatte, stellte er sie an den Rand des Feuers. Ohne auf das unbehagliche

Gefühl in seiner kalten nassen Hirschlederkleidung zu achten, wartete er neben dem Feuer hockend, dass der Schnee zu Wasser schmolz.

Als das Wasser heiß war, war der Raum unter dem Baum vom Geruch trocknenden Hirschleders durchdrungen. Mit seinem Jagdmesser schnitt Tatanka Scheiben von Dörrfleisch und Yampawurzel in einen der Töpfe. Aus verschiedenen Parflèches fügte er getrocknete Kräuter sowie Stücke von getrocknetem Fisch, Zwiebeln und Rohrkolbenwurzeln hinzu. Aus einer anderen Tasche nahm er eine Prise getrockneter Holunderblüten und gab sie für einen Tee in den zweiten Wassertopf. Bald mischte sich der Duft des Eintopfs mit dem Geruch des trocknenden Leders.

Die Schwarzhorn-Roben und der erwärmte Boden schienen Bright Hearts Kälteschauer gelindert zu haben, doch er wollte, dass sie heißen Tee trank, um auch von innen warm zu werden. Als er versuchte, sie so weit zum Sitzen aufzurichten, dass sie aus einer hölzernen Schale trinken konnte, bereute er erneut seine Entscheidung, den Pass bei diesem Wetter zu überqueren. Wenn sie sterben würde, könnte er sich das niemals verzeihen. Wenn sie nach dem heißen Tee nicht aufhörte zu zittern, würde er sie mit seinem eigenen Körper wärmen, indem er sich mit ihr in die Felle einwickelte.

Mit einem Arm stützte er sie, mit dem anderen hob er die Schüssel an ihre Lippen. Zuerst widersetzte sie sich, da sie nicht wusste, was er von ihr wollte. Dann, als sie die warme Flüssigkeit ihre Kehle hinunterrinnen spürte, hob sie die Hände, um die Schale zu kippen, sodass die Schwarzhorn-Robe verrutschte. Als sie den kalten Hauch auf ihrer nackten Haut spürte, zog sie die Felle gleich wieder um sich fest, doch nicht ehe Tatanka Gelegenheit hatte zu bemerken, dass sie eine der begehrenswertesten Frauen war, die er je gesehen hatte. Verärgert über solche Gedanken, wo doch durch den allzu langen Aufenthalt im Schneesturm noch immer ihr Leben in Gefahr war, half er ihr, die Schale zu kippen. Nachdem sie den Tee ausgetrunken hatte, fragte er: »Möchtest du etwas Pemmikan-Eintopf?«

Als sie nicht antwortete, erklärte er ihr: »Er wird dich wärmen und dir Kraft geben.«

Ihr Zittern schien nachgelassen zu haben und sie nickte. Rasch füllte Tatanka ihr eine Schale mit Eintopf. Sie aß mehrere Löffel voll, dann schob sie die Schüssel weg. Als er sie fragte, ob sie noch etwas wolle, schüttelte sie den Kopf, lächelte und hüllte sich in die Roben.

Besorgt beobachtete Tatanka, wie sie zitterte, und versuchte zu entscheiden, ob es nötig sei, dass er zu ihr unter das Schwarzhornfell schlüpfte, um sie zu wärmen. Dann ebbten ihre Schauer zu seiner Erleichterung allmählich ab, ihr Atem wurde ruhiger und sie schlief ein.

Er schob die Enden eines dicken Astes, der entzweigebrannt war, tiefer ins Feuer, dann kniete er nieder, betete zu *Wakan tanka* mit der Bitte um Führung und dankte dem Großen Geist, dass er Bright Heart beschützt hatte.

Nachdem er noch einmal nach ihr gesehen und festgestellt hatte, dass sie friedlich schlief, hockte er sich ans Feuer und aß langsam die Schale mit Eintopf leer, die sie kaum angerührt hatte.

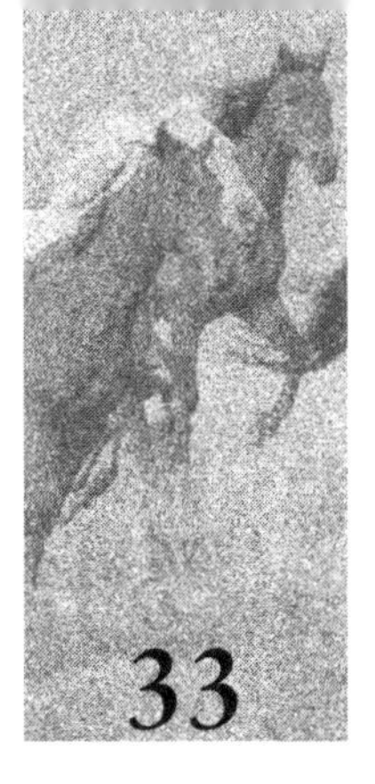

33

Tacincala wickelte das Hirschlederband von Frenchies Bauch und hob vorsichtig den Verband von der Schusswunde an seinem Rücken. »Schau! Der Große Geist hat unsere Gebete erhört«, sagte sie zu ihrer Mutter. »Du hattest recht. Die Schwellung ist fast ganz zurückgegangen und es sieht auch nicht mehr rot und entzündet aus.«

»Siehst du, ich hab dir ja gesagt, dass die Bleikugel ihn vergiftet hat«, meinte Jeremiah, der ihr über die Schulter sah, wie er es ihrem Gefühl nach immer tat, wenn sie Frenchies Verband wechselte. Sie setzte zu einer Antwort an. Doch als sie die leichte Bewegung von Mahtowins Kopf sah, hielt sie sich zurück. Tacincala ersetzte den Umschlag durch eine frische Kompresse mit Chia-Samen und Schafgarbenwurzel und band den Lederstreifen behutsam wieder um Frenchies Rumpf.

Es fiel ihr stets schwer zu beurteilen, ob sie das Band zu stramm zog. Sein Körper war so sehnig fest, als würde sie einen Baumstamm einwickeln.

»So sollte der Umschlag gut halten. Ist es zu straff auf deiner Wunde? Tut es dir auch nicht weh?«, fragte sie, die Hand zärtlich auf seine Seite gelegt.

»*Oui*! Isch meine, *non*. Isch finde, dies ist die beste Verband, die Frenschie je hatte, *ma belle femme*«, sagte er und seine tief liegenden Augen tanzten vor Wohlgefallen über ihre fürsorgliche Zuwendung. Er begann zu lächeln und setzte sich zurecht, da schoss ein scharfer Schmerz durch seinen Rücken und sein Bein hinab und erinnerte ihn daran, dass er zwar allmählich wieder Gefühl in seinen Beinen bekam, dies aber nicht immer nur angenehm war.

Während des heilenden Schwitzbades hatte sich die Bleikugel augenscheinlich bewegt, sodass sie nicht mehr gegen die Wirbelsäule drückte. Die Bewegung hatte ihm große Schmerzen verursacht, die bis in beide Beine hinabgestrahlt hatten. Gestern dann, als Tacincala den Verband gewechselt hatte, war die Bleikugel, durch die Kompresse mit Chia-Samen herausgezogen, nahe der Eintrittswunde sichtbar gewesen.

Jeremiah hatte gesagt, er wolle sie mit seinem Jagdmesser entfernen. Doch während er noch die Klingenspitze im Feuer erhitzte, hatte Mahtowin ihren Mund auf die Wunde gelegt. Einen Moment später hatte sie den Kopf gehoben und die blutige Bleikugel in ihre Hand gespuckt: Sie hatte sie aus der Wunde herausgesaugt. Nach Entfernen der Kugel hatte die Wunde stark geblutet, doch eine Mooskompresse hatte die Blutung gestillt.

Als Mahtowin zusah, wie Tacincala den Franzosen behutsam verband, fiel ihr auf, dass ihre dunklen Augenringe verschwunden waren und ein Funkeln an deren Stelle getreten war. Doch war offensichtlich, dass Tacincala sich noch immer Sorgen um ihn machte, denn sie wich ihm kaum von der Seite. Ebenso offensichtlich war, dass ihre Tochter sich in diesen Mann verliebt hatte.

»*Merci*, die Berührung deiner Hand genügt, um einen Mann gesund zu machen, *ma belle femme*«, sagte Frenchie zu ihr, als er sich, den Arm über ihre Schulter gelegt, aufstützte und ein paar zögerliche Schritte ging. Dann blieb er stehen, weil sein rechtes Bein so sehr wehtat, und sie fragte ihn: »Ist alles in Ordnung? Findest du nicht, du solltest noch ein bisschen warten, bevor du zu gehen versuchst?«

»Die Schmerzen sind gar nichts im Vergleich dazu, keine Schmerzen zu spüren. Wie sagt man? Ich klagte über die Schmerzen in meinen Füßen, bis ich einem Mann begegnete, der keine Füße hatte«, antwortete er.

Bemüht, sich nicht allzu schwer auf sie zu stützen, genoss er jedoch das Gefühl ihrer Nähe und fügte hinzu: »Ein bisschen Schmerz ist ein geringer Preis dafür, wieder gehen zu können.«

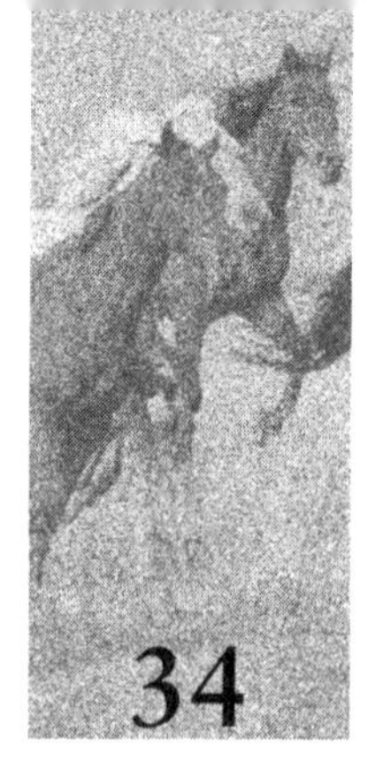

34

Der Schneesturm dauerte die ganze Nacht an und Tatanka legte immer wieder Holz ins Feuer nach. Stundenlang hockte er in der gleichen Stellung. Die meisten Menschen hätten sich schon längst bewegt, weil ihre Muskeln und Sehnen in solch einer zusammengekauerten Haltung schrecklich geschmerzt hätten. Er jedoch schien derlei Unbehagen gar nicht wahrzunehmen. Er hatte seine eigene Art, sich zu entspannen, ja sogar immer wieder kurz zu schlafen.

Als es dämmerte, war der Wind abgeflaut und es hatte aufgehört zu schneien. Tatanka spürte, dass jemand ihn beobachtete. Als er aus seinem Nickerchen erwachte, sah er, dass Bright Heart wach war und ihn anschaute. Besorgt, weil sie nur sehr wenig gegessen hatte, nahm er die Holzschale und füllte sie mit Pemmikan-Eintopf aus dem warmen Topf am Rand der Feuerstelle. Damit ging er hinüber zu ihr, die auf den Schlaffellen lag, und sagte: »Du solltest dies essen.«

»Du hast mir schon zu essen gegeben«, antwortete sie und setzte sich in die Felle gehüllt auf.

»Ja, aber du hast kaum etwas zu dir genommen, bevor du eingeschlafen bist«, erwiderte er und hielt ihr einen Löffel voll an den Mund.

Sie klemmte sich den Saum der Schwarzhorn-Robe unter die Achseln, um sie oben zu halten, sagte: »Danke, ich kann selbst essen«, und nahm ihm den Löffel samt der Schüssel ab.

Nachdem sie den ersten Mundvoll gekostet hatte, versuchte sie sich zurückzuhalten. Doch als sie die Schüssel leer gegessen hatte, kam es ihr so vor, als habe sie das Essen heruntergeschlungen und sich unmanierlich benommen. Auch war es ihr peinlich, dass nicht sie den Eintopf gemacht hatte. Das Kochen war eigentlich ihre Aufgabe …

Ihre Gedanken wurden unterbrochen, als er die Schüssel nahm und fragte: »Möchtest du noch ein wenig mehr? Es wird dich wärmen.«

Bright Heart bekam einen roten Kopf und im Versuch, ihre Verlegenheit zu überspielen, antwortete sie heftiger als beabsichtigt: »Nein!«

Dann, noch stärker errötend, verbesserte sie sich: »Ich meine, es war köstlich, aber ich bin satt.«

Tatanka wollte zum Feuer zurückkehren, doch da streckte sie die Hand aus und fasste ihn am Arm. Bei ihrer Berührung hielt er inne und fragte sich: *Wie kann so eine Kleinigkeit wie ein Lächeln oder eine Berührung von ihr mich so unglaublich glücklich machen?*

Als sie die Feuchtigkeit an seinem Ärmel spürte, merkte sie, dass seine Kleidung noch klamm war. Sie fuhr mit der Hand über das dunklere Hirschleder an seinem Rücken, das der Hitze des Feuers abgewandt gewesen war, und sagte: »Dein Jagdhemd ist feucht und kalt. Warum hast du es nicht übers Feuer gehängt und dich in deine Schwarzhorn-Robe gehüllt?«

Scheinbar ohne ihre Frage zu beachten, stand er unvermittelt auf, ging zum Eingang hinüber, duckte sich unter den Zweigen und sagte: »Es hat aufgehört zu schneien. *Waziyata* hat sich in die Berge zurückgezogen. Ich werde die Pferde zusammentreiben, während du dich zum Aufbruch bereit machst.«

Zuerst konnte sie diesen plötzlichen Umschwung in seinem Verhalten nicht verstehen. Sie glaubte sich bruchstückhaft an die Geschehnisse der vergangenen Nacht erinnern zu können, doch als sie sich unter dem Schutzdach umsah, trat es ihr wieder deutlicher vor Augen. Sie wusste noch, dass sie draußen im Schneesturm gewesen war und getragen wurde … dann verschwammen die Bilder. Sie erinnerte sich, dass er ihr die nassen Kleider ausgezogen und sie in die Schwarzhornfelle gehüllt hatte. Sie war verwirrt … war er zu ihr unter die Felle geschlüpft, um sie zu wärmen, oder hatte sie das geträumt? Sie musste es wohl geträumt haben, denn als sie erwachte, hatte er in feuchter Hirschlederkleidung am Feuer gehockt … Deshalb war er fortgegangen und hatte keine Antwort gegeben! Er hatte ihr seine Schwarzhorn-Robe gegeben und selbst die ganze Nacht kalt und nass zugebracht, damit sie es warm hatte.

Bright Heart schlüpfte in ihr warmes, trockenes Rehlederkleid und die pelzgefütterten kniehohen Mokassins und begann die Schlaffelle aufzurollen, dann stutzte sie. War es wirklich nur ein Traum gewesen?

Als Tatanka mit der Pferdeherde zurückkam, hatte Bright Heart die Sachen gepackt, bis auf den von ihr frisch aufgefüllten Kessel mit Pemmikan. Als sie den Eintopf verspeist hatten, nahm Bright Heart sich im Stillen vor, für Tatanka ein Festessen zu bereiten, wenn sie ihr nächstes Nachtlager aufschlugen. Und noch immer dachte sie an ihren Traum.

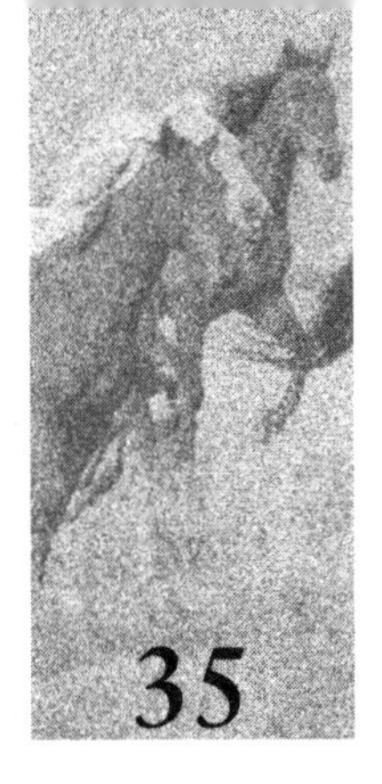

35

Als Bright Heart aus dem Wäldchen schneebedeckter Kiefern heraustrat, war sie von dem atemberaubenden Panorama überwältigt. Im Schneesturm der Sicht beraubt, hatte sie nicht geahnt, dass sie am Rand eines weiten Tales Zuflucht gesucht hatten. Schneebedeckt erstreckte sich die ebene, von Wiesen durchzogene Talsohle, so weit das Auge reichte. Und in der Mitte lag das größte Gewässer, das sie je gesehen hatte. Später einmal würde dieser See Jackson Lake heißen; die drei zerklüfteten Gipfel, die sich in der kristallklaren Wasseroberfläche spiegelten, nannte man die Grand Tetons. Die hohen Felsnadeln ragten in den klaren blauen Himmel wie die Spitzen dreier prächtiger Naturkathedralen.

Auf der Hälfte des Tales floss ein breiter, von Gras und Bäumen flankierter Fluss nach Osten aus dem See, wandte sich dann nach Süden und schlängelte sich vorbei an Herden von Wapitis und Weißwedelhirschen. Nachdem sie den Sommer in höheren Gefilden verbracht hatten, waren sie in tiefere Lagen des weitläufigen Tales hinabgewandert. Hier würden sie sich paaren, Nachwuchs bekommen und dann im folgenden Frühjahr wieder ins Gebirge zurückkehren, ihrem immer gleichen Lebenszyklus entsprechend.

Locker über das Tal verstreut teilten sich knapp hundert Wapitis ihre Winterzuflucht mit viermal so vielen ihrer kleineren, sich stärker vermehrenden Verwandten, den Weißwedelhirschen. Mit scharfen Hufen legten diese Frühaufsteher das unter der Schneedecke vergrabene Wiesengras frei und richteten die Ohren auf, als sie die Pferde nahen hörten, lange bevor diese in Sicht kamen.

Als sich der Pferdezug am Ostufer des Flusses ins Tal hinabbewegte, schrak Bright Heart beim lauten Röhren eines Wapitis zusammen. Am Ufer direkt gegenüber hob ein großer Bulle den Kopf und beantwortete lautstark die Herausforderung. Das stämmige Tier hatte eine Schulterhöhe von anderthalb Metern und wog etwa fünfhundert Kilo. Es reckte den kräftigen Hals und schüttelte sein todbringendes, riesiges Vierzehnender-Geweih.

Bei der letzten Brunft war der Herausforderer bei dem Versuch, mehrere Kühe aus dem Harem des Bullen zu stehlen, nur knapp mit dem Leben davongekommen. Nun, zur neuen Paarungszeit und nachdem der ohnehin bereits kräftige Jungbulle ein weiteres Jahr lang gewachsen war, trat der Herausforderer vor und tat seinen Besitzanspruch auf die Kühe unumwunden lautstark kund. Der ältere Hirsch röhrte eine letzte Warnung, dann senkte er den Kopf und griff den Eindringling an.

Auch wenn er nicht mehr so schnell war wie einst, war der alte Bulle nicht nur allein durch Kraft zum Platzhirsch geworden. Im Laufe der Jahre hatte er Hunderte von Kämpfen geführt und aus jedem davon etwas gelernt. Als er in seiner dritten Brunftzeit gewesen war, hatte er einen Wapitibullen um dessen Harem herausgefordert. Diese Erfahrung hätte ihn beinahe das Leben gekostet. Die Narben von jenem Kampf sah man noch immer.

Der alte Bulle wählte den Zeitpunkt seines Angriffs so, dass der Herausforderer darauf nicht gefasst war, weil er unmittelbar vor ihrem Zusammenprall gerade einen kleinen Sumpf bei einer Sickerquelle überquert hatte. Das Krachen der Geweihe war durchs ganze Tal zu hören. Der Herausforderer hielt einen Moment lang stand, dann verlor er an Boden und der alte Bulle drängte ihn zurück. Der Kampf war vorüber, bevor er richtig begonnen hatte; der jüngere Hirsch ergriff abermals die Flucht mit nichts als einigen geringfügigen Wunden als Lohn für seine Mühe.

Der alte Hirsch warnte röhrend noch einmal die anderen Bullen, sich von seinem Harem fernzuhalten. Mit hoch erhobenem Kopf stolzierte er zurück. Die erfolgreiche Verteidigung seiner mehr als dreißig Kühe bedeutete, dass er abermals eine Generation von Kälbern zeugen würde, um seinen kraftvollen Stammbaum fortzusetzen. Fernab der Herde leckte der Herausforderer seine Wunden und sah sich nach anderen Harems mit kleineren oder schwächeren Bullen um, mit denen er um die Brunftrechte kämpfen könnte.

Als Bright Heart ins Tal hinabritt, erinnerte sie sich daran, wie ihr Vater ihr vom Fund der von Geiern abgenagten Gerippe zweier Hirsche erzählt hatte. Sie waren gestorben, weil ihre Geweihe sich zur tödlichen Falle ineinander verfangen hatten. Unfähig, sich zu trennen, hatten sie eine Weile so gelebt, bis einer von beiden starb. Als dann der andere allmählich zu schwach geworden war, um den toten Hirsch hinter sich herzuziehen, starb auch er. Sie schauderte bei dem Gedanken daran.

Dies brachte sie ins Grübeln: *Menschen sind nicht viel anders. Ich frage mich, wie die Männer meines Dorfes auf Tatanka reagieren werden und er auf sie … Ich war Tatanka gegenüber nicht ganz ehrlich. Ich habe ihm erzählt, zu Hause in meinem Dorf gäbe es keinen, an dem ich inter-*

essiert sei, was wahr ist. Aber ich hätte ihm von Cunning Fox erzählen sollen.

Bevor sie gefangen genommen wurde und Tatanka sie gerettet hatte, war Cunning Fox, ein Nez-Percé-Krieger an ihr interessiert gewesen. Er hatte dies einige Male gezeigt, als sie kurz miteinander allein gewesen waren. Auch wollte er mehr als nur reden. Weil er älter war und ein Krieger, hatte er gedacht, sie würde sich seinen Wünschen fügen. Wenn sie nachgegeben hätte, hätte er die Situation rückhaltlos ausgenutzt.

Seit sie mit Tatanka zusammen war, hatte sie jedes Interesse, das sie an Cunning Fox gehabt haben könnte, verloren. Er wirkte so herrschsüchtig und ungehobelt, verglichen mit Tatanka. Sie überlegte: *Sollte ich Tatanka von ihm erzählen, bevor wir zu meinem Dorf gelangen? Was wird er denken, wenn Cunning Fox ihn auf mich anspricht, aber ich Tatanka nichts gesagt habe?*

»Dies wäre ein guter Platz, um anzuhalten und die Pferde zu weiden«, sagte Tatanka und riss sie aus ihren Gedanken. Sie lächelte und wollte ihm zustimmen, doch er fuhr fort: »Aber nach dem Schneesturm von gestern will ich aus dem Gebirge heraus sein, bevor ein echter Blizzard kommt und uns für den Rest des Winters einschneit. So schlimm das Unwetter gestern auch war, können wir von Glück sagen, dass es nicht noch länger angedauert hat.«

Nachdem sie schon gedacht hatte, sie würden bleiben, bemühte sich Bright Heart, ihre Enttäuschung zu verbergen, und deutete auf die drei großen Berge im Westen, als sie mit besorgter Miene fragte: »Müssen wir dort hinüber?«

Lächelnd beruhigte Tatanka sie: »Nein. Wir werden weiterhin diesem Fluss folgen, den man Snake, die Schlange, nennt. Südlich von diesem Gebirgszug mit den drei großen Gipfeln, die bei den Trappern die Tetons heißen, werden wir den Fluss überqueren und die Shining Mountains nach Westen hinter uns lassen.«

Weil er ihre Enttäuschung wahrnahm, zeigte er zu den südlichen Ausläufern der Tetons und erklärte: »Wenn wir diesen letzten Kamm erst hinter uns haben, nähern wir uns der nördlichen Hochebene, wo deine Leute leben.«

Dann erlag er einer seiner Schwächen und sagte wider besseres Wissen, um ihr eine Freude zu machen: »Da wir nur noch wenige Tagesritte vom Land der Nez Percé entfernt sind, würde es wahrscheinlich nicht schaden, ein paar Tage hier zu bleiben, damit die Pferde ein bisschen Gewicht zulegen können.«

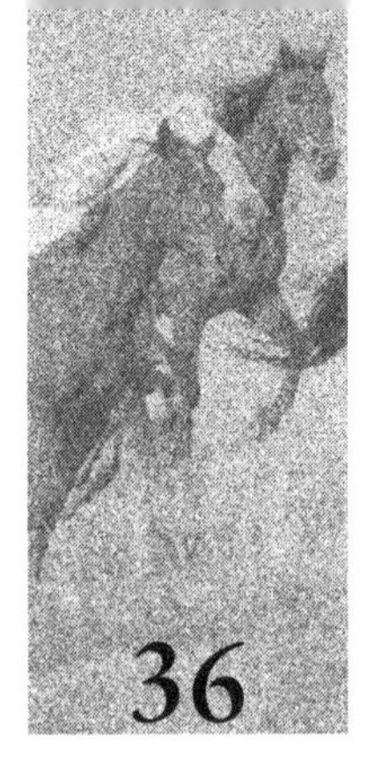

36

Bis zum Mittag hatte die Sonne den Schnee so weit geschmolzen, dass behelmter blauer Eisenhut und fransige gelbe Akelei am Rand der kleinen Sickerquelle, auf die Bright Heart zusteuerte, ihre Köpfe hervorstreckten. Auch wenn ihr Interesse eigentlich dem galt, was sich im Teich befand, blieb sie stehen, um sich an der friedlichen Schönheit der schneebedeckten Landschaft zu erfreuen. Vor weißem Hintergrund brach sich die tief stehende Herbstsonne im Blau und Gelb der Blumen und spiegelte die Farben über die unzähligen glitzernden Kristalle der Schneedecke auf die glänzende Wasseroberfläche des Teiches.

Hingerissen von diesem Anblick stand sie eine Weile da, dann wandte sie den Blick himmelwärts. Hoch über ihr lenkten die Rufe von Gänsen ihre Aufmerksamkeit auf deren v-förmige Formationen, in denen sie anmutig zu den Wasserwegen des Tales herabschwebten. Manche, um auf ihrer Tausende von Meilen langen Wanderung nach Süden Rast zu machen, für andere hingegen war dies das Ende ihrer Reise. Sie würden hier überwintern.

Sie lauschte den Klängen ihrer Umgebung und ging dann weiter. Der Sonne entgegen, damit nicht ihr Schatten die Fische verschreckte, schlich sie leise zum Ufer des quellengespeisten Teiches. Das Wasser war so klar, dass sie die Forellen darin schwimmen sah. Nachdem sie den knöchernen

Haken als Köder mit einem der zuvor ausgegrabenen Würmer bestückt hatte, ließ sie die Rute durch die Luft schnellen, sodass der Haken mit dem Köder oberhalb der Forelle sanft auf dem Wasser landete. Der Köder begann gerade erst abzusinken, als sie schon einen Ruck an der Angelrute spürte, weil eine der Forellen angebissen hatte. Innerhalb kurzer Zeit hatte sie sechs schöne große Forellen gefangen. Zwei davon würden sie wohl essen, zusammen mit gerösteten wilden Zwiebeln und Rüben. Außerdem hatte sie Fladenbrot gebacken, von dem sie wusste, dass Tatanka es besonders gerne aß. Die anderen Forellen würde sie zum späteren Verzehr räuchern.

Als Tatanka sich vom Rande eines gemischten Nadelbaumgehölzes dem Lager näherte, roch er schon die von der Feuerstelle her wehenden Düfte. Bright Heart zuckte zusammen, als er so unvermittelt neben ihr auftauchte. Erschrocken dachte sie bei sich: *Wie gelingt es ihm, mich immer wieder so zu überrumpeln? Ich glaube nicht, dass er das absichtlich macht, doch er bewegt sich so lautlos, dass ich ihn immer erst dann sehe oder höre, wenn er direkt neben mir steht. Es wäre mir lieber, er täte das nicht, es ist so nervenaufreibend.* Dann fiel ihr schuldbewusst wieder ein, wie sie ihm früher am Tag nachspioniert hatte:

Es war nicht ihre Absicht gewesen. Sie war gerade durch einen Nadelwald gegangen, auf der Suche nach dem Teich, von dem er ihr erzählt hatte, als sie zwischen den Bäumen eine Bewegung wahrnahm. Vorsichtig bewegte sie sich darauf zu und entdeckte, dass es Tatanka war. Sie wollte ihn ansprechen, doch da bemerkte sie, dass er den Tanz vollführte, bei dem sie ihn im Tal des Bären schon einmal beobachtet hatte.

Auch diesmal hatte Tatanka sich bis auf den Lendenschurz ausgezogen. Schweiß glänzte auf seinem Körper, während er sich anmutig über die sonnenbeschienene Lichtung bewegte. Als sie ihm dabei im Tal des Bären zum ersten Mal zugesehen hatte, war ihr nicht klar gewesen, was er da tat. Es hatte ausgesehen wie ein fremdartiger ritueller Tanz. Als er nun in die Luft sprang und mit dem nackten Fuß hoch über seinen Kopf austrat, erinnerte sie sich, dass Tatanka ihr erklärt hatte, es sei eine Art Übung, die er von einem Shaolin-Mönch gelernt hatte. Wie angewurzelt stand sie da und sah zu, wie Tatanka herumwirbelte, vom Boden hochsprang und mit beiden Füßen in entgegengesetzte Richtungen austrat oder mit den Händen die Luft durchschnitt.

Noch nie hatte sie so einen Mann gesehen. Ohne Hemd erinnerte er sie an einen Puma. Sie staunte, wie schnell er mit seinen Händen und Füßen ausschlug und wie hoch er treten konnte. Am meisten aber beeindruckte sie die Anmut seiner Leibesübungen. Er bewegte sich so fließend, als befände er sich in völliger Harmonie mit allem, was ihn umgab. Seine Füße schienen kaum den Boden zu berühren und sie fragte sich, ob er überhaupt Abdrücke hinterließ.

Sie wusste nicht, was ein Shaolin war, aber als sie Tatanka so beobachtete, fand sie, das müsste ein ganz besonderer Lehrer gewesen sein.

»Ich konnte das köstliche Aroma über die ganze Wiese hin riechen«, sagte Tatanka und riss sie aus ihren Gedanken.

»Du kommst genau rechtzeitig. Wenn wir noch länger warten, würde es anbrennen«, antwortete sie und versuchte, das Bild seines Tanzes aus ihrem Kopf zu verbannen.

Als sie ihm seinen Teller füllte, sagte sie: »Ich hoffe, dieses Essen erfreut dich. Ich habe Forellen gebraten und es gibt Zwiebeln und Möhren zu dem Fladenbrot, das ich für dich gebacken habe.« Verlegen verbesserte sie sich: »Ich meine, für uns.«

»Es duftet köstlich«, sagte er, als er den Teller aus ihren Händen entgegennahm. Dann rieb er sich den Bauch und fügte er hinzu: »Es gibt nichts Herrlicheres als den Duft deiner Speisen, abgesehen von ihrem Geschmack.«

Sie wurde ganz rot im Gesicht und sagte: »Ich hoffe, du genießt die Mahlzeit.«

Nachdem er einen Bissen Fladenbrot probiert hatte, erklärte er ihr: »Dein Brot könnte ich jeden Tag essen.«

Als sie die Mahlzeit beendet hatten, war die Röte weitgehend aus ihrem Gesicht gewichen und sie glaubte, sich allmählich wieder unter Kontrolle zu haben. Dann kam ihr der beunruhigende Gedanke: Ob ihre Gefühle in seiner Nähe wohl immer so in Aufruhr wären? Völlig grundlos ließ sie Sachen fallen und bekam einen roten Kopf. Wie würde es nach ihrer Heirat werden? Sie war noch nie mit einem Mann zusammen gewesen. Er war älter als sie und reifer. Er war schon verheiratet gewesen. Würde sie wissen, wie sie sich verhalten sollte? Sie fühlte sich so jung und unerfahren.

Als sie ihr Mahl beendeten und er den letzten Bissen zum Mund führte, sah man ihm an, wie gut es ihm geschmeckt hatte. Sie freute sich, dass er ihre Kochkünste so schätzte. Mit leuchtenden Augen schaute Bright Heart ihn an. Sie lächelte bei dem Gedanken, wie schön es war, dass sie lange genug in diesem Tal geblieben waren, dass sie für das Fladenbrot, das Tatanka offensichtlich so gerne aß, Mehl aus Rohrkolbenwurzeln hatte herstellen können. Auch war sie froh, dass sie vereinbart hatten, früher zu essen als üblich.

Auf diese Weise könnten sie vor dem frühmorgendlichen Aufbruch zeitiger schlafen gehen. Überrascht hatte sie gesehen, dass er sein Schwarzhorn-Schlaffell neben das ihre in den Unterstand gelegt hatte.

Als sie ihm den leeren Teller abnahm, streiften sich kurz ihre Hände. Einen Moment lang glaubte sie, er würde sie gleich berühren. Sie wusste nicht recht, ob ihr Herz aus Vorfreude so schnell schlug oder aus Furcht, weil sie so unerfahren war. Sie wurde nervös und hatte Schmetterlinge im Bauch – wenn er sich nicht gerade ängstlich verkrampfte. Tatanka versetzte sie in einen Zustand der Erregung, wie sie es noch nie zuvor erlebt hatte.

Schlagartig wurde ihr klar, dass es ihr in seiner Gegenwart womöglich immer so gehen würde. Sie war sich nicht sicher, ob sie immer mit so heftigen Gefühlen leben wollte. Doch trotz ihrer Unerfahrenheit war sie fest überzeugt, dass es noch schlimmer wäre, ohne diese Empfindungen zu leben.

Ihre Gedanken unterbrechend sagte Tatanka: »Ich möchte noch eine Runde durch die nähere Umgebung machen, um sicherzugehen, dass wir nach wie vor allein sind«, und entfernte sich zu den grasenden Pferden. Kurze Zeit später saß er auf Face Paint und ritt an Bright Heart vorbei zum nördlichen Ende des Tales.

»Wir werden am Morgen aufbrechen, bevor der Großvater sich erhebt, und ich will mich vergewissern, dass keine neuen Besucher gekommen sind.« Dann, in der Annahme, seine Bemerkung könne sie beunruhigen, fügte er hinzu: »Ich werde nicht lange fortbleiben.«

Als er das Tal zur Hälfte umrundet hatte, traf er auf Hufspuren. Die Reiter waren von Süden ins Tal gekommen und steuerten nach Norden. Er zählte siebzehn Pferde. Aus der

Tiefe der Spuren und Größe der Schritte schloss er auf sieben Reiter. Sie hatten acht beladene Packpferde bei sich und zwei weitere ohne Last oder Reiter.

Der Schnee an den Rändern der Hufabdrücke begann teilweise bereits einzufallen und zu schmelzen, daraus folgerte er, dass sie etwa zu dem Zeitpunkt entstanden waren, als er sich auf halbem Wege talabwärts befunden hatte. Die Reiter hielten sich zwischen den Bäumen und mieden das offene Gelände. Anderenfalls hätte er sie gesehen, als er auf der gegenüberliegenden Seite des Tales vorbeigeritten war. Die Richtung, die sie eingeschlagen hatten, würde sie geradewegs zu Bright Heart führen.

Kaum hatte er die Zeichen vollständig gedeutet, wendete er *Wase* und trieb ihn den Reitern nach. Als ihm freier Lauf gelassen wurde, jagte der Schecke in Höchstgeschwindigkeit dahin und ließ die vor ihm liegende Strecke in Windeseile hinter sich. Doch trotz seines außerordentlich hohen Tempos wusste Tatanka, dass er kaum eine Chance hatte, die Reiter einzuholen, bevor sie Bright Heart erreichten.

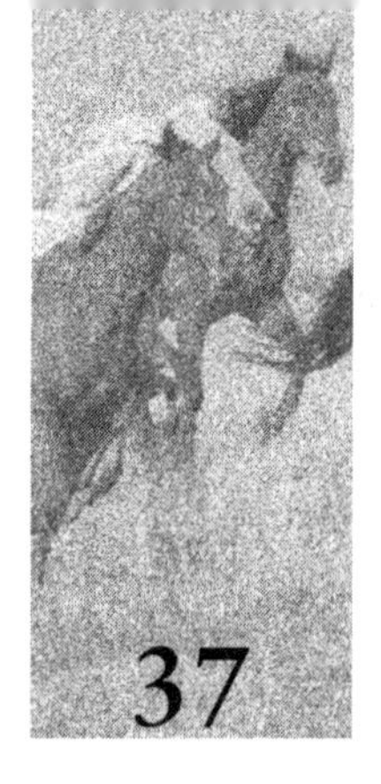

37

Bright Heart war damit beschäftigt, den Aufbruch am nächsten Morgen vorzubereiten, als sie einen Ast knacken hörte. Lauschend spähte sie in die Richtung, aus der das Geräusch gekommen war, und glaubte, zwischen den Bäumen eine Bewegung zu erkennen. Rasch griff sie nach dem Gewehr, das zu laden und abzufeuern Tatanka ihr beigebracht hatte, und schlüpfte zwischen die Bäume.

Kaum war sie im Unterholz in Deckung gegangen, als eine Reiterschar auftauchte. Sie erinnerte sich, dass ihr Vater ihr eingeschärft hatte, keinen Blickkontakt herzustellen, um niemand auf sich aufmerksam zu machen, und musterte die Reiter, ohne ihnen in die Augen zu sehen. Es war schwer, alle von ihnen zu erkennen, da nur ein Reiter ans Licht gekommen war. Ihrem Eindruck nach waren es mehrere in Hirschleder gekleidete weiße Männer und ihr war so, als habe sie weiter hinten auch zwei Indianer gesehen.

»HALLO IM LAGER!«, schrie der Mann.

Als niemand antwortete, rief er: »WIR KOMMEN ALS FREUNDE!«

Als er keine Antwort erhielt, sagte er etwas zu den Reitern, was sie nicht verstehen konnte. Dann kamen zwei Indianer zu ihm geritten. Weiter hinten zwischen den Bäumen hatte sie nur deren dunkle Haut und langes schwarzes Haar sehen können. Sie hatte angenommen, es wären Männer und erkannte nun überrascht, dass zwei indianische Frauen bei den weißen Männern waren.

Der Weiße wandte sich an eine der beiden und sagte: »Erklär ihnen in Crow, dass wir als Freunde kommen und ihnen nichts Böses tun.«

Laut sagte sie etwas, das Bright Heart nicht verstand. Vermutlich hatte die Frau seine Worte in ihrer Sprache wiederholt. Sie traute den Fremden aber nicht und blieb still in Deckung.

Nachdem er keine Antwort bekam, erklärte der Anführer den Reitern: »Sieht aus, als wären sie nur zu zweit. Ich kann nicht erkennen, ob es Rothäute sind oder Weiße. Eins ist der Größe der Spuren nach eine Frau oder ein Junge. Kaum zu glauben, dass nur zwei diese Pferdeherde begleiten. Bei all den Appaloosas könnten es Nez Percé sein oder vielleicht auch Flat Heads. Aber was machen die so weit im Osten?«

Der Anführer wandte sein Pferd zum Canyon hinauf und sagte: »Wer auch immer hier ist, es könnten noch andere in der Nähe lagern. Wir ziehen einfach friedlich unseres Weges. Wir sind hier, um Biber zu fangen, und nicht, um uns Ärger mit Indianern einzuhandeln.«

Die Gruppe ritt los, doch dann hielt der Anführer wieder an.

»Warum bleiben wir stehen, Jim?«, fragte einer der Trapper.

Jim legte den Finger auf die Lippen und bedeutete ihnen, still zu sein, dann zeigte er talabwärts, von wo sie gekommen waren. Kurz darauf hörten die übrigen, was der Anführer gehört hatte, die Hufe eines schnell galoppierenden Pferdes. Dann raste ein schwarz-weißer Schecke rechts von ihnen um das Wäldchen herum und blieb stehen. Alle Blicke, außer die des Anführers, waren dem reiterlosen Pferd zugewandt, als hinter ihnen eine Stimme sagte: »Ich hätte Face Paint die Strapaze ersparen können, wenn ich gewusst hätte, dass du es bist, Jim.«

Erschrocken schaute die Gruppe sich um und sah zu ihrer Linken einen Krieger zwischen den Bäumen hervortreten.

Mit flüchtigem Blick über den restlichen Trupp sagte Tatanka: »Wie ich sehe, sind Milt und Jim noch immer bei dir.«

Auf die vier übrigen Trapper wirkte es wie ein Wettrennen, wer dem Krieger zuerst die Hand schütteln dürfte, als alle drei ihre Pferde zu ihm lenkten. Nachdem er die drei Trapper begrüßt hatte, rief Tatanka Bright Heart zu: »Das sind Freunde, mit denen ich dich bekannt machen möchte.«

Als sie ihr Versteck verließ und auf sie zuging, sahen die drei *Mountain Men* einander wortlos an. Sie kannten die Geschichte von Morning Doves Tod und waren neugierig, wer dieses bemerkenswerte Indianermädchen sein mochte.

»Ich möchte euch Bright Heart vorstellen«, sagte Tatanka, als die schöne Nez Percé mit dem Gewehr in der Hand herankam.

»Das ist Jim Bridger«, erklärte Tatanka ihr und deutete auf einen dunkelhaarigen zweiundzwanzigjährigen ehemaligen Hufschmied, der eines Tages »*King of the Mountain Men*« genannt werden sollte. »Und die beiden anderen sind Jim Clyman und Milt Sublette.«

In den zwei Jahren, seit er den jungen Grünschnäbeln in St. Louis begegnet war, waren sie bereits zu erfahrenen Trappern herangereift und auf gutem Weg, jene legendären

Mountain Men zu werden, als die sie später in die Geschichte eingingen.

Bridger nickte zu den anderen Reitern hin. »Das ist Travis«, sagte er und deutete auf einen langen, dünnen Trapper. »Und der Jungspund da ist Jerome«, er zeigte auf einen neunzehnjährigen flachsblonden Jungen, der nicht viel jünger war als Bridger.

»Dies ist Comes-Looking«, sagte er mit einer Kopfbewegung zur älteren der beiden Indianerfrauen. »Sie ist mit Travis verheiratet. Und das hier ist Morning Star«, fuhr er fort und deutete auf ein hübsches dunkeläugiges Mädchen in etwa Bright Hearts Alter. »Morning Star gehört zu Jim, auch wenn sie für einen hässlichen Kerl wie ihn eigentlich viel zu hübsch ist«, scherzte er.

Zu den vieren, die er vorgestellt hatte, sagte er: »Ich möchte euch mit Tatanka bekannt machen, dem Lakota-Krieger, den man auch Spirit Walker nennt.«

Die beiden Crow-Frauen setzten sich auf ihren Pferden zurecht und sahen einander an. Augenscheinlich kannten sie diesen Namen.

»Nach all den beladenen Packpferden da zu schließen und der Richtung, in die ihr reitet, wollt ihr wohl bei Milts Bruder Bill überwintern, der Booshway für William Ashleys Winterlager ist, wie ich gesehen habe«, meinte Tatanka.

»Du hast meinen Bruder gesehen?«, fragte Milt. »Wie viele Männer hat er? Wie geht es ihm?«

»Du stellst genauso viele Fragen auf einmal wie Bright Heart«, antwortete Tatanka und lächelte ihr zu. »Er hat sein Lager südwestlich vom Absaroka aufgeschlagen. Soviel ich sehen konnte, waren sie mit deinem Bruder sechsundzwanzig. Aber ich schätze, drei davon ist er inzwischen losgeworden.«

Als Tatanka diesen Punkt nicht näher erläuterte, fragte Bridger: »Hat Bill Ärger mit ihnen gehabt?«

»Soweit ich das von ferne hören konnte, fiel es ihnen schwer, Bills Anweisungen zu befolgen«, antwortete Tatanka. »Angesichts der Tatsache, wie sehr sich die drei für diese Herde getupfter Pferde interessiert haben«, fuhr er fort, »haben wir einen Bogen um Bills Lager gemacht, um keinen Staub aufzuwirbeln. Wenn du ihn triffst, sag ihm schönen Dank, dass er sich um die drei gekümmert hat.«

»Mach ich«, gab Bridger zurück, ohne zu wissen, wofür er Bill Sublette genau danken sollte. Da Tatanka hierzu seines Erachtens wahrscheinlich alles Nennenswerte gesagt hatte, wechselte er das Thema, neugierig, wohin er die Herde Appaloosas bringen wollte.

»Ihr seid nur zu zweit mit all den gefleckten Pferden? Sieht aus, als wären es an die fünfzig. Leider zieht ihr in die falsche Richtung, als dass wir euch von Hilfe sein könnten. Anderenfalls wären wir euch gern zur Hand gegangen«, meinte Bridger.

Tatanka antwortete: »Bright Heart wurde zusammen mit den Pferden gefangen genommen, als eine Bande Atsinas auf Raubzug zu ihrer Stammesgruppe kam. Wir bringen die Pferde zu ihrem Dorf zurück.«

»Darf man fragen, wie du zu Bright Heart und den Pferden gekommen bist und was aus den Atsinas geworden ist?«, erkundigte sich der *Mountain Man.*

»Sie waren zu jung, um solch herrliche Pferde zu besitzen«, antwortete Tatanka. Bright Heart sah ihn an und er antwortete: »Also hab ich sie eingetauscht.«

»Das ist aber ein großes Tauschgeschäft. Darf man fragen, was du ihnen dafür geboten hast?«

Seine nächste Antwort verdutzte die Reiter und warf die

Frage auf, wie viel Wahrheit wohl in seiner lässigen Erwiderung steckte: »Die Chance, aus ihren Fehlern zu lernen.«

Bridger war als Einziger in der Gruppe über diese Entgegnung nicht überrascht und meinte: »Klingt wie ein fairer Handel, zumal es für die Atsinas anderenfalls sicher schlimm ausgegangen wäre.«

Um das Gespräch in eine andere Richtung zu lenken, sagte Tatanka: »Wir bringen die Pferde zurück. Wenn es keine Schwierigkeiten gibt, sollten wir die Hochebene der Nez Percé in den nächsten Tagen erreichen.«

»Folgt unserer Fährte den Snake abwärts, bis zu der Stelle, wo wir ihn an einer Biegung nach Westen überquert haben. Haltet euch gut nördlich, bis ihr über die hinteren Ausläufer der Tetons seid. Einen halben Tagesritt westlich kommt ihr zum Snake zurück, wo sich der Pfad in drei Richtungen verzweigt. Dort werdet ihr sehen, wo unsere Fährte vom Bear Lake nach Süden führt. Überquert wieder den Snake in der Nähe der Kreuzung. Dort sind wir einer Bande Weißer begegnet. Die wollten uns überreden, sich ihnen anzuschließen. Haben gesagt, sie wollten den Nez Percé eine Herde Fleckenpferde abkaufen. Aber wenn du mich fragst, haben sie es nicht wirklich darauf abgesehen, etwas zu *kaufen*. Wie auch immer, als wir Nein sagten, wurden sie ein bisschen unfreundlich. Zumindest, bis sie gemerkt haben, dass wir unsere Gewehre im Anschlag hatten, um unsere Ablehnung ihres Angebots zu bekräftigen. Haben nicht gesagt, wo sie genau hinwollten. Wär mir im Traum nicht eingefallen, sie den dritten Weg hinaufzuschicken, der nordwestlich zur Hochebene der Nez Percé und Cayuse führt. Hab mir gedacht, sie sollen sich ihren Weg mal schön selber suchen. Ihr werdet sehen, wo sich ihre Spuren am Snake entlang nach Westen ziehen.«

Da er Tatanka nun mit Bright Heart zusammen sah und noch gut wusste, in welcher Verfassung jener gewesen war, als er versucht hatte, die Mörder seiner Frau zu finden, zögerte Bridger. Es war offensichtlich, dass Tatanka den Rachedurst, der ihn auch zum Trinken getrieben hatte, aufgegeben oder zumindest beiseitegeschoben hatte. Der *Mountain Man* wollte erst nichts weiter dazu sagen. Dann aber fand er, wenn es ihn selbst anginge, würde er es wissen wollen. Außerdem, überlegte er, waren es ja vielleicht gar nicht die Mörder.

»Was ich dir sagen wollte ... Also, du weißt schon, diese Männer, nach denen du in St. Louis gesucht hast ... Ich glaube, es könnten die Anführer dieser Bande sein, der wir da über den Weg gelaufen sind. Du hast damals gesagt, du suchst nach einem fetten Mann und einem Riesen. So haben die beiden ausgesehen. Ich hoffe, damit habe ich jetzt keine schlafenden Hunde geweckt.«

Als er sah, wie Tatankas Blick sich veränderte, war er nicht sicher, ob er die richtige Entscheidung getroffen hatte.

Nachdem sich die Männer mit Handschlag verabschiedet hatten, schwangen sie sich wieder auf ihre Pferde.

»Viel Glück. Macht es gut, du und Bright Heart«, sagte Bridger. »Wir haben noch ein paar Stunden Tageslicht, um vor Einbruch der Dunkelheit über diesen Pass zu kommen. Hoffe, ihr könnt die Pferde ohne Schwierigkeiten in ihr Dorf zurückbringen.«

»Habt einen guten Winter und richte Bill schöne Grüße von mir aus«, sagte Tatanka, als sich der Trupp talaufwärts wandte. Sie konnten nicht wissen, ob sie einander je wiedersehen würden.

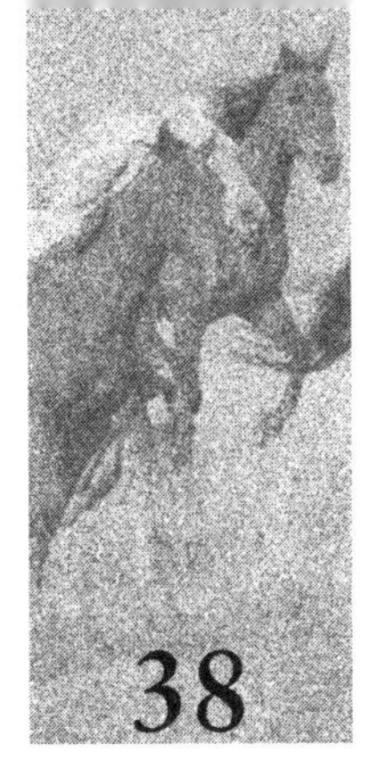

38

Der Fährte im Schnee folgend fand Tatanka mühelos die flache Stelle im Snake River, wo die Trapper den Fluss durchquert hatten. Er winkte Bright Heart, die Herde voranzutreiben, und zog mit den Pferden über die breite, mit Flusskieseln unterlegte Furt. Der Weg am Flussufer entlang hatte sie weiter nach Süden geführt als geplant. Doch dies ersparte ihnen, mit den Pferden hinüberschwimmen zu müssen, wobei all ihre Vorräte nass geworden wären. Als das letzte Pferd mit lediglich nassem Bauch das schlammige Flussufer erklomm, dachte er sich, dass sie durch diesen längeren Umweg einen halben Tag gespart hatten, an dem sie sonst, nachdem die Packpferde hinübergeschwommen wären, ihre Vorräte aus den Satteltaschen hätten trocknen müssen.

Zu dem Zeitpunkt, da der Großvater im Westen allmählich verschwand, schlugen sie am Fuß der westlichen Gebirgsausläufer ihr Lager auf. Als sie hinter sich das Alpenglühen sahen und die Strahlen der sinkenden Sonne auf die majestätischen Tetons einen rotgoldenen Schein warfen, fasste Bright Heart Tatanka am Arm. »Sieh nur!«, sagte sie aufgeregt. »Es sieht aus, als würden die Berge in Flammen stehen.«

Er blickte zurück zu den Gipfeln, wo die untergehende Sonne ihre Strahlen auf die Bergspitzen warf, sodass sie erglühten wie im Schein unzähliger Kerzen, und fand, das Einzige, was diesen Anblick an Schönheit übertraf, war die begeisterte junge Frau an seinem Arm. Da er den Zauber nicht brechen wollte, schwieg er und genoss ihre Nähe. Dann fielen ihm die beiden Männer ein, von denen Bridger erzählt hatte, und ohne sich dessen bewusst zu sein, zuckte er zurück.

Bright Heart betrachtete das Alpenglühen und spürte dann, wie er sich versteifte und sich ihr entzog. Nur einen Augenblick zuvor schien er sie so voller Wärme angesehen zu haben, dass sie Herzflattern bekam. Nun war sein Blick kalt und er sah durch sie hindurch, als wäre sie gar nicht da. Sie entfernte sich, weil sie dachte, er wolle nicht, dass sie ihn berührte.

Ihre Bewegung riss ihn aus seinen Gedanken an die Männer, denen Bridger begegnet war. Er wunderte sich, warum sie auf Abstand ging. Sie nahe bei sich zu haben, machte ihn immer glücklich. Wenn sie ihn zufällig berührte, verspürte er den Wunsch, sie in die Arme zu schließen und an sich zu drücken. Wann immer er ihre Silhouette im Schein des Lagerfeuers sah, erinnerte er sich daran, wie ihr Körper sich anfühlte, wie sie sich auf seinen Heiratsantrag hin an ihn geschmiegt und ihn mit den Armen umschlungen hatte. Er befürchtete, wenn er sie umarmte, würde sein Verlangen überwältigend stark werden. Er wollte ihr jedoch Achtung erweisen und sich nach den Heiratsbräuchen der Nez Percé richten.

Hatte sie ihn nur aus Begeisterung über das Alpenglühen berührt und nicht aus Liebe? Es war ihm unverständlich, welches Auf und Ab der Gefühle sie in ihm verursachte. Sie lächelte ihn an oder berührte seinen Arm und ihm war, als könne das Leben schöner nicht sein. Und dann tat sie im nächsten Moment etwas ganz Nebensächliches, wie etwa ihre Hand wegzunehmen, und sein freudiges Empfinden war dahin. Er sollte seine Gefühle besser unter Kontrolle haben. Er wusste das. Dieses Problem hatte sich ihm zuvor noch nie gestellt. Er war glücklich gewesen mit Morning Dove, doch sie hatten auch manchmal Streit gehabt und waren zornig aufeinander gewesen. Aber mit Bright Heart war es ganz anders. Er fragte sich, ob sie ihn nach ihrer Heirat auch weiterhin innerlich so aufwühlen würde. Er war sich nicht sicher, ob er sich ein so gefühlsbestimmtes Leben wünschte. Doch woran für ihn kein Zweifel bestand, war, dass er den Rest seines Lebens nicht ohne sie verbringen wollte.

Gegen Mittag des folgenden Tages erreichten sie die Wegkreuzung, die Bridger beschrieben hatte. Als Tatanka von Wase herabglitt, wusste er, noch bevor er die Fährten gelesen hatte, was er finden würde. Er wusste auch, dass er eine schwierige Entscheidung treffen musste.

Wie er bereits vom Pferderücken aus erkannte, führten die Hufspuren, die sie nach Überqueren des Snake River gekreuzt hatten, weiter nach Westen. Es war eine Ironie des Schicksals, dass er fast zwei Jahre lang damit zugebracht hatte, bis nach St. Louis hinab nach Morning Doves Mördern zu suchen, ohne sie zu finden. Und nun wäre er ihren Mördern womöglich die ganze Strecke durch die Shining Mountains gefolgt, ohne es zu wissen. Hätte Bridger ihm nicht von seiner Begegnung mit dem fetten Mann und dem Riesen erzählt, hätte er niemals erfahren, wessen Spuren da vor ihm herführten.

Er sah, wo Bridgers Trupp von Süden kommend nach Osten auf den hinter ihm liegenden Weg abgebogen war und die Spuren der Mörder zertreten hatte, weshalb er sie erst jetzt deutlich erkennen konnte. Wenn er den Weg nach Norden einschlug, bekäme er vielleicht nie wieder die Gelegenheit, Morning Doves Mörder zu erwischen. Wenn er den weißen Männern nach Westen folgte, riskierte er aber, dass Bright Heart womöglich dasselbe Schicksal ereilte, falls er scheiterte und die Weißen ihn töteten.

Es war die schwerste Entscheidung, die er je zu treffen hatte. Als er sich wieder auf Wases Rücken schwang, war er so in Gedanken, dass er die Crow-Krieger erst bemerkte, als sie zwischen den Bäumen bei der Wegkreuzung hervorritten. Soweit er erkennen konnte, waren sie zu zehnt. Acht ritten vorneweg und zwei folgten weiter hinten mit einer Pferdeherde. Da sie ihre nackten Oberkörper und ihre Gesichter bemalt hatten, dachte er erst, sie wären auf dem Kriegspfad, doch dann merkte er, dass die Herde aus Appaloosas bestand. Wahrscheinlich waren dies erfolgreiche Pferdediebe auf dem Rückweg zu ihrem Dorf.

Yellow Wolf, ein muskulöser Krieger mit gelben Streifen auf dem kräftigen Brustkorb und im Gesicht, lenkte sein Pferd vorwärts und zeigte damit, dass er der Anführer war. Er saß rittlings auf einem dunklen Braunen mit gelben Handabdrücken auf der kräftigen Brust und dem Leib sowie roten Bändern in der schwarzen Mähne und dem Schwanz und strahlte stolze Überheblichkeit aus.

Nach einem flüchtigen Blick auf die Appaloosas und auf Bright Heart sah Yellow Wolf den Krieger vor sich an, als wäre er ein Nichts.

»Seht, was der Große Geist uns geschickt hat. Er vermehrt unsere Herde gefleckter Pferde ums Dreifache«, sagte er mit einer Miene, die über jeden Widerspruch erhaben war.

Tatanka ärgerte sich über sich selbst, dass seine Wachsamkeit nachgelassen und er Bright Heart damit in Gefahr gebracht hatte. Wenn er die Pferdeherde verteidigte, riskierte er, dass sie getötet oder gefangen genommen wurde. Nun, da er sie in solch eine gefährliche Lage gebracht hatte, bestand seine einzige Hoffnung darin, sich den anmaßenden Stolz des Anführers zunutze zu machen. Er wusste, dass die Crow, wie alle Indianer, die Herausforderung liebten, insbesondere, wenn es um die Ehre als Krieger ging. Der Anführer der Crow hatte ihm eine kleine Hintertür offen gelassen, indem er vom Willen des Großen Geistes gesprochen hatte.

Im Vertrauen darauf, dass der Sprecher eine direkte Herausforderung seines Könnens als Krieger nicht würde ablehnen können, antwortete Tatanka ihm in deren Sprache.

»Die Crow sagen, der Große Geist habe ihnen die gefleckten Pferde geschickt. So ist es«, sagte er. »Doch um sie zu behalten, müssen die Crow nach Willen des Großen Geistes die gefleckten Pferde auch dann noch immer in ihrem Besitz haben, wenn der Großvater sich erhebt.«

Überrascht, dass er ihre Sprache sprach, starrten die Krieger ihn an. Einer von ihnen wollte etwas sagen, doch der Anführer schnitt ihm das Wort ab und fragte: »Warum sollten wir dich nicht töten, wenn wir uns die gefleckten Pferde nehmen?«

»Die Crow können die gefleckten Pferde nehmen, wenn sie die Prüfung des Großen Geistes nicht fürchten. Wenn sie aber Angst davor haben, sollten sie nun kämpfen«, antwortete Tatanka.

Wieder wollte der eine Krieger das Wort ergreifen, doch der Anführer sprach: »Die Crow kennen keine Angst. Wenn der Großvater sich erhebt, werden die Crow im Besitz der gefleckten Pferde sein. Weil du unsere Sprache sprichst und unsere Sitten kennst, lassen wir dich und deine Frau gehen. Komm den Pferden nicht nach, sonst werden wir dich töten und alle Krieger, die töricht genug wären, dich zu begleiten.«

Er gab seinem Braunen die Fersen und bedeutete den anderen, die Appaloosas zusammen mit den übrigen gestohlenen Pferden nach Süden zu treiben. Zwei der Krieger steuerten auf die Packpferde zu, doch Tatanka verstellte ihnen mit dem Pinto den Weg. Als einer von ihnen nach seinem Tomahawk griff, sagte der Krieger, der Tatanka erkannt zu haben glaubte, etwas zu ihnen. Beide sahen sie den einzelnen Lakota an und fragten den Crow, ob er ganz sicher sei. Auf seine Antwort hin kehrten beide um und trieben so schnell es ging, die gefleckten Pferde von ihm fort. Der Crow, der nach seinem Tomahawk gegriffen hatte, warf über die Schulter einen Blick zurück, um sich zu vergewissern, dass der Krieger mit den seltsamen Augen nicht unmittelbar hinter ihm war.

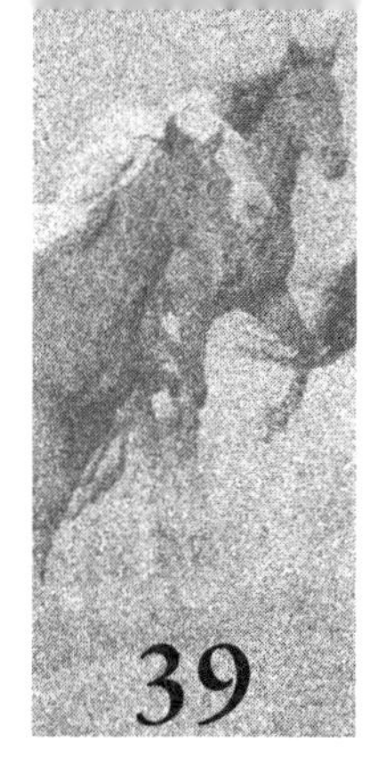

39

Zum ersten Mal, seit er sie aus den Händen der Atsinas befreit hatte, kamen Bright Heart Zweifel an Tatankas Tapferkeit. Als sie zusah, wie die Appaloosas von den Pferdedieben davongetrieben wurden, beschlich sie das Gefühl, ihn vielleicht doch nicht so gut zu kennen, wie sie gedacht hatte. Wie konnte er zulassen, dass sie ihre Pferde nahmen? Er hatte keinen Widerstand geleistet, geschweige denn Anstalten gemacht, um die Appaloosas zu kämpfen! Zugegeben, die Crow waren in der Überzahl, aber sie hatte geglaubt, es gäbe nichts, wovor er Angst hätte. Sie hatte nicht verstehen können, was gesprochen wurde, aber es hatte kein Wortgefecht gegeben. Er hatte die Packpferde verteidigt, aber da waren nur zwei Krieger seine Gegner gewesen. Und sie waren erst gewichen, als ein Dritter ihnen gesagt hatte, sie sollten gehen. Wie konnte er ihre Appaloosas einfach aufgeben? Nun hätte er keine Pferde als Gabe für ihren Vater, wenn er darum bat, sie heiraten zu dürfen. Hatte er seine Meinung im Hinblick auf die Heirat geändert? Sie musste sich zusammenreißen, um nicht zu weinen. *Deshalb also hat er am vergangenen Abend im Lager seine Hand weggezogen und mit den Worten, er müsse auf der Hut sein, seine Schwarzhorn-Robe genommen, um bei den Pferden zu schlafen. Bestimmt hat er es sich mit dem Heiraten anders überlegt und will es mir nur nicht sagen.*

»Komm«, sagte er, »mir bleibt nicht viel Zeit und wir müssen für heute Nacht ein sicheres Lager für dich finden.«

Sie sah seinen Rücken an, während er die Packpferde nach Norden führte, fort von der sich entfernenden Herde Appaloosas, da die Reiter sie auf dem Weg, auf dem sie zuvor gekommen waren, nach Osten trieben. Sie wischte eine Träne fort, und drängte Flint Necklace halbherzig voran, den einzigen Appaloosa, der ihnen geblieben war.

Sie dachte: *Nun will er einen Lagerplatz finden und mich verlassen. Aber ich werde es ihm zeigen. Sobald er aufbricht, tu ich dasselbe. Ich finde den Weg zu meinem Dorf auch ohne ihn.*

Als er einen Wegabschnitt fand, auf dem man ihre Spuren nicht würde sehen können, lenkte Tatanka die Packpferde an einer, von einem vorzeitlich sich zurückziehenden Gletscher hinterlassenen, mit Felsplatten bedeckten Anhöhe vom Pfad ab. Eine kleine Wiese am Rand umrundend ritt er durch ein kleines Wäldchen und verließ dieses nahe bei einem Teich mit einer Quelle, die langsam von einer die Wiese teilenden niedrigen Felsverwerfung tröpfelte.

Er entlud die Packpferde und erklärte ihr: »Hier solltest du sicher sein. Vom Weg her bist du nicht zu sehen und durch die Bäume ist auch der Rauch des Feuers vor Blicken geschützt. Ich sollte zurück sein, bevor der Großvater sich erhebt.«

Da sie das Gespräch zwischen Tatanka und Yellow Wolf nicht verstanden hatte, hatte sie keine Ahnung, dass er vorhatte, die Pferde von den Räubern zurückzustehlen. Da sie hoffte, sie habe sich getäuscht und er wolle sie doch nicht verlassen, beschloss sie ihn zu fragen, warum er fortging. Auf diese Weise würde er es ihr sagen müssen, wenn er sie verließe.

Sie zwang sich, der Wahrheit ins Gesicht zu sehen, ballte die Hände zu Fäusten und wollte gerade den Mund öffnen, als er sie unterbrach.

Tatanka war so auf den Gedanken konzentriert, Bright Heart an einen sicheren Ort zu bringen, während er sich um die Appaloosas kümmerte, dass er gar nicht auf die Idee kam, sie könne nicht verstanden haben, was zwischen ihm und dem Crow-Krieger gesprochen worden war. Beim Blick in ihre wunderschönen Augen glaubte er einen Anflug der Besorgnis wegen des Problems mit den Pferdedieben zu erkennen. Er hatte sich nie allzu große Sorgen gemacht, dass etwas geschehen könnte, was ihn das Leben kostete. Im Zusammenleben mit Morning Dove wäre ihm nie in den Sinn gekommen, dass er getötet werden könnte, und was das für sie bedeuten würde. Nach ihrem Tod hatte er sich nicht nur mit dem Schmerz auseinandersetzen müssen, sie verloren zu haben, sondern auch mit ganz unerwarteten anderen Aspekten, wie etwa, was mit ihren Kleidern zu tun sei, wie es war, sie beim Aufwachen nicht an seiner Seite zu finden, eine Mahlzeit zuzubereiten und allein zu verspeisen, immer wieder auf diese oder jene Weise ihr Gesicht vor sich zu sehen, den Wunsch nach ihrer Umarmung zu verspüren und doch ohne sie weiterleben zu müssen.

So könnte er Bright Heart nicht zurücklassen, unvorbereitet für den Fall, dass ihm etwas zustieße und er nicht wiederkäme. Er wollte sie in seine Arme schließen und ihr sagen, dass ihn nichts davon abhalten könne, zu ihr zurückzukommen. Doch stattdessen schwang er sich auf Wase und sagte mit halb erstickter Stimme, die in ihren Ohren barsch klang: »Wenn ich nicht zurück bin, bis der Großvater sich zweimal erhoben hat, dann warte nicht auf mich. Nimm die Packpferde und folg dem Weg nach Norden. Er wird dich zu deinen Leuten führen.«

Da! Er hatte es gesagt. Er würde nicht zu ihr zurückkommen.

Sie wollte ihn bitten, nicht fortzugehen. Doch sie konnte nichts anderes tun als wortlos dazustehen. Sie liebte ihn und wollte ihr restliches Leben mit ihm verbringen. »Bitte verlass mich nicht«, sagte sie und fiel auf die Knie. Doch erst als es zu spät war, wünschte sie, sie hätte es so laut gesagt, dass er ihre Worte hören konnte. Später, nachdem sie die Packpferde wieder beladen hatte, dachte sie daran, Apash Wyakaikt zu nehmen und ihm nachzureiten. Doch ihr Stolz ließ es nicht zu. Warum hatte er ihre Liebe erweckt, wenn er sie nicht ebenfalls liebte? Sie sagte sich, dass sie ihn niemals wiedersehen wollte. Doch sie wartete, bis der Großvater weit nach Westen gewandert war, bevor sie von der Wiese ritt und sich nach Norden aufmachte. Sie wollte zu ihrer Familie. Sie musste mit ihrer Mutter sprechen.

Als sie für die Nacht anhielt und die Pferde auf einer grünen Wiese weiden ließ, befand sich ihr kleiner Trupp bepackter Reittiere ein gutes Stück nördlich von der Stelle, an der Tatanka sie zurückgelassen hatte, und etwas mehr als einen halben Tagesritt von dem Ort, an dem die Crow mit der gestohlenen Herde Appaloosas lagerten.

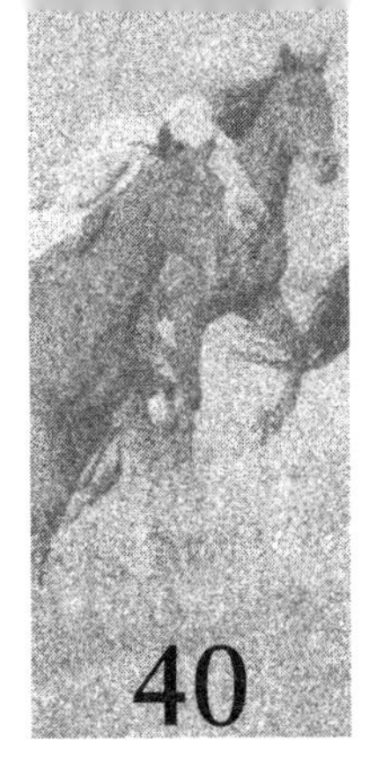

40

Die vier Reiter bogen nach links zur Ostseite des Tales ab und folgten der deutlich erkennbaren Fährte der Appaloosa-Herde. Nachdem der Franzose sich erholt hatte, kamen sie gut voran, doch Jeremiah wollte ihn nicht zu sehr beanspruchen, solange er noch nicht wieder vollständig gesund war. Innerhalb der kurzen Zeit ihres Zusammenseins hatte Jeremiah ihn schätzen und achten gelernt. Auch war ihm klar, dass Frenchie nie zugeben würde, dass er Schmerzen hatte. Daher achtete er darauf, jeden Tag früh genug anzuhalten, damit der Verwundete sich besser erholen könnte.

Da er das Tal gut kannte, hielt Jeremiah es für sehr wahrscheinlich, dass Tatanka hier übernachtet hatte. Als er dem parallel zum Bachbett verlaufenden Pfad folgte, sagte Jeremiah: »Jenseits dieser Espen liegt ein guter Lagerplatz mit einer Wiese voll kniehohem Gras für die Pferde. Letztes Mal, als ich dort war, hatten Biber durch Dämme drei Teiche angelegt, mit so vielen Forellen darin, dass man sie mit bloßen Händen fangen konnte. Wenn ich mir diese frisch abgenagten Baumstümpfe so ansehe, waren sie wohl weiterhin fleißig am Werk.«

Als Mahtowin hinter Jeremiah auf die Lichtung ritt, staunte sie wieder einmal über das gute Ortsgedächtnis ihres Mannes und über die Schönheit dieser Wiese. In der

Wasseroberfläche der mittlerweile fünf Biberteiche spiegelte sich eine die Teiche im Osten begrenzende hoch aufragende Granitwand. Auf der gegenüberliegenden Seite wogte zwischen üppigem Weidegras ein Meer welkender Wildblumen, deren beim Trocknen entströmender Duft das Tal erfüllte. Am Rand der fünf verbundenen Teiche gab es eine Vielzahl an Ranken von Brombeeren, Himbeeren und Wildrosen, die sich am Bachufer entlang über die ganze, etwa fünfhundert Meter breite Wiese zogen. Sie sagte zu Tacincala: »Schau nur, Tochter! Dort stehen Weiden und Cottonwood-Pappeln. Wie gut, dass wir hier haltmachen.«

Nachdem sie vom Pferd geglitten war, begann sie die Bündel von den Packpferden abzuladen und sagte: »Sieh du nach der Wunde des Franzosen, während ich auspacke. Dann werden wir eine heilige Schwitzhütte bauen.«

Tacincala entfernte die Kompresse von Frenchies Rücken und sagte zu ihm: »Die Rötung ist abgeklungen und die Wunde ist schon fast vollständig verheilt.«

»Frenchie weiß nicht, ob es von der Salbe kommt oder von der Berührung durch *la belle femme*, dass die Schusswunde in seinem Rücken verheilt ist. Aber diese Berührung ist so schön, dass Frenchie daran denkt, sich neue Wunden zu holen, damit die Hände von *la belle femme* auch die heilen können.«

Mit rotem Kopf versuchte Tacincala sich ihre Verlegenheit nicht anmerken zu lassen, während sie den Verband durch eine frische Kompresse mit Holundersalbe ersetzte und behutsam die Lederstreifen wieder um Frenchies Bauch band. »Drückt es auch nicht zu fest auf deine Wunde?«, fragte sie, die Hand sanft auf seine Seite gelegt.

»*Oui*! Ich meine, *non*«, antwortete er mit hochgezogenem Mundwinkel, sodass aufgrund seiner Narbe dieses schiefe Grinsen entstand, durch das er in ihren Augen so anziehend wirkte. »Ich glaub, das ist die beste Bandage, die Frenchie je hatte, *ma belle femme*«, sagte er und wiederholte damit, was er ihr jedes Mal sagte, wenn sie seinen Verband wechselte. Seine tief liegenden Augen funkelten vor Freude, wie immer, wenn sie sich ihm zuwandte. In der Gegenwart des goldäugigen Mädchens mit dem rabenschwarzen Haar, das ihm so viel aufmerksame Fürsorge zuteil werden ließ und sich unablässig um ihn kümmerte, war ihm allmählich bewusst geworden, wie fraulich und liebevoll sie war. Jedes Mal, wenn sie ihn berührte oder sich in seiner Nähe befand, war ihm die Weiblichkeit ihres Körpers nur allzu deutlich bewusst.

Als er sich rührte, erwartete er, dass der Schmerz durch seinen Rücken und sein Bein hinabschießen würde. Doch er spürte nur ein leichtes Ziehen vom Muskelkater im unteren Rücken. In den letzten Tagen hatte er in Bewegung das Gefühl gehabt, schon beinahe wieder der Alte zu sein. Sein Zustand war schrittweise immer besser geworden, seit er begonnen hatte, die heilenden Schwitzbäder zu nehmen. Und während seine Wunde verheilte, schien auch seine Seele zu genesen. Er hatte begonnen, seinen Mitmenschen zu vertrauen. Er merkte, dass sein Argwohn nachließ und er immer öfter ganz richtig sprach, statt in der Mischung aus gebrochenem Englisch und Französisch, die er anwandte, um als ungelernter frankokanadischer Gelegenheitsarbeiter oder Reisender aufzutreten und nicht als gebildeter französischer Offizier, der er gewesen war.

Während seiner Genesung merkte er, dass er die Verbitterung über Jeanettes Tod allmählich zu überwinden begann. Hin und wieder jedoch wachte er mitten in der Nacht auf und dachte darüber nach, wie er sie hätte schützen können, wenn er nur Bescheid gewusst hätte. Während Antoine als zweiter Offizier auf einem französischen Kriegsschiff zur See gefahren war, hatte seine Frau eine Affäre mit dem Marquis von Avignon gehabt. Nach Antoines Rückkehr hatte sie dem Marquis voller Schuldgefühle erklärt, sie wolle die Affäre ihrem Mann sowie der Gattin des Marquis beichten, was alle politischen Ambitionen des Marquis zunichte gemacht hätte. Da hatte er sie in einem Anfall von Jähzorn getötet und alles so hingestellt, dass es so aussah, als wäre ihr Ehemann der Mörder.

Als klar wurde, dass man Antoine verurteilen würde, verhalfen ihm seine Marinekollegen zur Flucht und er segelte auf einem Schiff nach Nordamerika. Später, ohne Antoines Wissen, hatten sie zudem noch dem Marquis ein Geständnis abgerungen und Antoine vom Vorwurf des Mordes bereinigt. Doch zu diesem Zeitpunkt hatte er sich schon in Frenchie verwandelt und war verschwunden.

Während seine Wunden allmählich heilten, hatte er gemerkt, wie seine Gedanken immer öfter bei Tacincala verweilten. Doch solange er die Beine nicht gebrauchen konnte, hatte er sich nicht erlaubt, an eine Beziehung mit ihr zu denken. Nun, da er die Herrschaft über seine Beine wiedererlangt hatte, änderten sich seine Gefühle. Er hatte sich vorgenommen, mit Mahtowin und Jeremiah zu sprechen.

An der Art und Weise, wie Tacincala den Franzosen behutsam verband, sah Mahtowin deutlich, dass ihre Tochter in ihn verliebt war. Als er schwer verletzt gewesen war, war ihm Tacincala kaum von der Seite gewichen, weil sie sich so um ihn sorgte. Doch nun war offenbar, dass sie aus einem anderen Grund seine Nähe suchte.

Tacincala wollte, dass Frenchie gesund wurde und es ihm gut ging, das wusste Mahtowin. Doch ihre Tochter behandelte ihn noch immer wie einen Invaliden, obwohl er schon wieder laufen konnte. Tacincala wollte, dass er sie brauchte, und versuchte die Nähe und Abhängigkeit, die durch seine Verletzung entstanden war, weiterhin aufrechtzuerhalten.

»Findest du nicht, du solltest dich ausruhen?«, fragte sie, nachdem sie die Lederstreifen festgebunden hatte. »Du bist den ganzen Tag lang geritten. Leg dich hier hin, ich werde dir dein Essen bringen, wenn es fertig ist.«

»*Merci*, deine Berührung reicht aus, um einen Mann gesund zu machen, *ma belle femme*«, erklärte Frenchie und lehnte sich an den Sattel, den er seinem Rappen abgenommen hatte. »Ich werde in Vorfreude auf *la belle femmes* köstliche Speise hier sitzen«, sagte er, unwillkürlich aus seiner gebrochenen Sprechweise gleitend.

Obgleich ihre Fürsorglichkeit ihm peinlich war, blieb er sitzen, da er ihre Gefühle nicht verletzen wollte, und hoffte, Jeremiah habe nicht zugehört. Doch wie das Glück es so wollte, wäre Frenchie am liebsten im Erdboden versunken, als er Jeremiah – seines Erachtens für jemanden namens Whispering Johnson viel zu laut – sagen hörte: »Sieht so aus, als wär deine Verletzung nicht mehr so schlimm. Vielleicht sollte ich dir eine Babytrage machen, damit sie dich wie ein Kleinkind auf ihrem Rücken herumtragen kann.«

»A-aa-h«, stöhnte er, sodass es wie ein Aufheulen aus tiefstem Inneren klang. »*La belle femme* hat rescht. Die Schmerz ist zu groß für Frenschie«, schwindelte er. »Wenn sie könnte so freundlisch sein und den Sattel verschieben, sodass Frenschie seinen armen Rücken ausruhen kann, er wüsste die Annehmlischkeit sehr zu schätzen.«

Als sie ihm half, den Sattel in eine ihrer Meinung nach

bequemere Lage zu rücken, fuhr er fort zu stöhnen und tat, als litte er schlimme Schmerzen.

»*Merci, ma belle femme*«, sagte er. »Nach einer Nacht Ruhe ist Frenschie morgen sischer so gut wie neu und kann wieder reisen.«

»Es freut mich zu sehen, dass es dir besser geht«, sagte Jeremiah glucksend und achtete den Franzosen nur umso höher, weil er Tacincala nicht in Verlegenheit hatte bringen wollen. »Dann kann ich es mir ja sparen, ein Dutzend Bäume zu fällen, um eine Rückentrage für dich zu bauen.«

Später am Abend, nachdem sie ihre Mahlzeit beendet hatten, nahm Mahtowin ihre Tochter außer Hörweite der beiden Männer beiseite.

»Hör mir zu und lass mich ausreden, bevor du etwas sagst. Du weißt, dass ich dich liebe und dir nicht wehtun will.«

Tacincala wollte etwas einwenden, doch ihre Mutter bedeutete ihr zuzuhören.

»Hör mich bitte erst an«, sagte sie. »Wenn du dich in einen Mann verliebst, willst du natürlich, dass auch er sich in dich verliebt. Manchmal kann es aber sein, dass das nicht geschieht. Dass du verliebt bist, heißt nicht unbedingt, dass auch er verliebt ist. Seine Gefühle unterscheiden sich möglicherweise sehr von deinen. Wenn eine Frau sich verliebt, kann das aus vielen Gründen geschehen: weil sie ihr Leben lang mit einem Mann zusammen sein möchte, weil sie sich Kinder von ihm wünscht und eine Familie haben will, weil sie sich körperlich zu ihm hingezogen fühlt, weil ihr seine Art zu denken gefällt und wie er sich ihr gegenüber verhält oder aus vielen anderen Gründen. Wenn ein Mann sich verliebt, hält es vielleicht nicht für immer. Es währt vielleicht nur eine Winterzählung lang. Oder nur so lange, wie eine körperliche Anziehung besteht. Vielleicht verliebt er sich, weil es ihm gefällt, wie eine Frau kocht oder für Sauberkeit sorgt oder seine körperlichen Bedürfnisse erfüllt. Vielleicht verliebt er sich, weil er sich Söhne wünscht und seinen Stammbaum weitergeben will. Wenn du einen Mann liebst, dann liebe ihn für das, was er ist, und nicht dafür, wie du ihn haben willst. Ich weiß, dass du meinst, in den Franzosen verliebt zu sein. Er würde für dich sorgen und dich beschützen. Ich glaube, er ist ein guter Mann. Doch ich kann in seinen Augen sehen, dass er in der Vergangenheit von Menschen sehr verletzt worden ist. Bevor du ihn liebst und ihm dein Herz schenkst, vergewissere dich, dass er ebenso fühlt. Ich habe mit zwei Männern zusammengelebt. Beide waren Weiße. Dein Vater war ein guter Mann. Anfangs liebte ich ihn so, wie du den Franzosen zu lieben meinst. Dann aber wandte er sich dem Feuerwasser der Weißen zu. Es hat ihn vergiftet und verändert. Nachdem er gestorben war und Jeremiah uns aus dem Schneesturm gerettet hatte, war ich zunächst in großer Sorge. Dann entdeckte ich, dass der Große Geist uns mit einem Mann gesegnet hat, den ich nun voller Stolz meinen Gatten und deinen Vater nenne. Jeremiah mag den Franzosen. Das spricht sehr zu seinen Gunsten. Nach unserer Tradition geht ein Lakota-Mann, wenn er eine Frau heiraten möchte, zu ihrer Familie und hält um sie an. Außerdem bringt er Geschenke, die ihr Ehre machen. Wenn ihre Familie annimmt, wird die Heirat vereinbart. Manchmal werden Ehen verabredet, ohne die künftige Braut zurate zu ziehen. Wenn dies der Fall ist und die Braut sich auf Anhieb verliebt, ist es eine gute Heiratsvereinbarung. Auch wenn es längere Zeit dauert, bis Liebe entsteht, kann es noch immer eine gute Heiratsvereinbarung sein.«

Tacincala wollte fragen: »Und wenn die Frau sich nicht in den Mann verliebt?«, doch sie schwieg still.

»Es ist gut, wenn du den Franzosen wissen lässt, wie du empfindest, aber besser ist es, wenn du dir erst von dem Franzosen sagen lässt, was *er* fühlt. Es ist auch gut, wie du ihm geholfen hast, von seinen Verletzungen zu genesen. Aber wenn du eine kluge Frau bist, lässt du ihm nun Zeit, um herauszufinden, welche Gefühle er für dich hegt.«

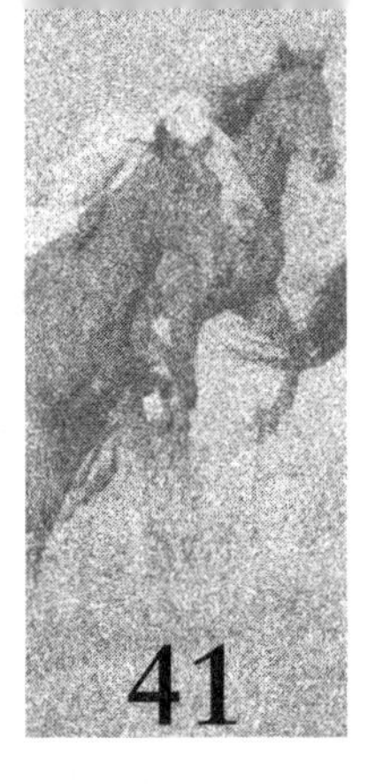

41

Im Galopp jagte Tatanka auf dem Schecken dahin, um die Appaloosa-Herde einzuholen, die von den Crow nach Osten auf die Tetons zugetrieben wurde. Er hörte die vier Hufschläge einzeln nacheinander, während er mehr und mehr an Strecke hinter sich ließ. Als er die Wegkreuzung erreichte, wo sie den Pferdedieben begegnet waren, glänzte das Fell des schwarz-weißen Hengstes schweißnass. Tatanka zügelte ihn nun zu einem flotten Kanter, um seine Kräfte zu schonen, falls er später noch einmal würde rennen müssen. Da über siebzig Pferde, wenn ihre Hufe das Gras zertrampelten, eine breite Fährte hinterließen, konnte er der Herde mühelos folgen. Die Crow führten die erbeuteten Appaloosas nach Osten, am Snake River entlang, entgegengesetzt zu der Richtung, in der Bright Heart und er vor dem Zusammentreffen gereist waren.

Noch bevor er die Pferde sah, schmeckte er den von ihren Hufen aufgewirbelten Staub. Er lenkte den Schecken nach Nordosten und schlug einen Bogen um die Herde, wobei er in einer Bodensenke außer Sicht blieb. Als er schätzte, den Reitern ein gutes Stück voraus zu sein, schwenkte er zum Fluss zurück.

Kurz bevor er zu der Stelle kam, an der sie wahrscheinlich die Nacht verbringen würden, wandte sich Tatanka von dem Weg, auf dem er nach Osten geritten war, ab und nach Norden. Er folgte einem kleinen Zufluss, der in den Snake mündete, und fand eine geschützte Wiese, außer Sicht- und Hörweite der bald eintreffenden Pferde. Tatanka nahm dem Pinto Sattel und Hackamore ab und ließ ihn grasen, während er zu dem Ort zurückging, an dem die Bande wahrscheinlich für ihr Nachtlager anhielte. Bei ihrem Reisetempo war es der beste Stellplatz für die Pferdeherde, an dem sie vor Einbruch der Dunkelheit vorbeikommen würden. Außerdem gab es dort genug Wiesengras, um mehr als fünfzig Pferde ohne Fußfesseln weiden zu lassen.

Er ging davon aus, dass die Pferdediebe denselben Weg nahmen wie auf ihrer Reise nach Westen. Es war die von den Jagdgründen der Crow aus nächste gangbare Route durchs Gebirge. Tatanka kannte noch einen weiteren Pass im Norden, über den man Pferde führen könnte, doch zu dieser Jahreszeit wäre er womöglich vom Schnee blockiert. Diesen Weg hatten die Atsinas genommen, als sie mit Bright Heart als Geisel die Shining Mountains durchquerten.

Der Lagerplatz befand sich am Eingang eines Tales etwas nördlich ihres Weges. Wie an den Feuerstellen zu sehen war, wurde der Ort schon seit Jahren von Durchreisenden benutzt. Hier hätte Tatanka zum Übernachten mit Bright Heart haltgemacht, wenn sie sich am Vorabend näher an diesem Canyon befunden hätten. Jahrtausendelang war Quellwasser zusammen mit Regen und Schneeschmelze von dem hohen, oben abgeflachten Tafelberg heruntergeflossen. Das Wasser hatte, vereint mit den Kräften von Ausdehnung bei Tauwetter und Zusammenziehen bei Frost den Sandstein und Kalkstein schichtweise weggefressen, sodass ein fast dreihundert Meter langer und etwa halb so breiter Canyon mit ebener Talsohle entstanden war.

Angesichts des grasbedeckten Talbodens, umgeben von

hundert Meter hohen schroffen Felswänden mit einem nur zehn Meter breiten Eingang, war allzu gut verständlich, warum Reisende diesen Ort gern als Lagerplatz nutzten. Da er am Nachmittag, als sie mit den Appaloosas hier vorbeigekommen waren, nur einen kurzen Blick in den Canyon geworfen hatte, wollte Tatanka nun nachsehen, ob es noch einen anderen Zugang gab.

In der Mitte des Canyon an einer steilen Felswand der Ostseite gab es eine Sickerquelle, die Reisenden frisches Wasser spendete.

Als er darauf zuging, schreckte er ein Reh und dessen gesprenkeltes Kitz beim Trinken auf. Wie man an den Spuren in der schlammigen Umgebung der Wasserstelle sah, war sie in letzter Zeit von zahlreichen Tieren besucht worden. Die Ricke hob den Kopf und drehte ihre großen Ohren. Fluchtbereit entfernte sie sich mit ihrem Kitz im Gefolge in leichten flinken Bewegungen vom Wasser. Dann blieb sie stehen, um zu beobachten, was der Zweibeiner vorhatte. Da das Reh spürte, dass dieser Mensch keine Gefahr darstellte, kehrte es zur Wasserstelle zurück, als er den Canyon hinaufging.

Am Ende des Tales entdeckte Tatanka unter Felsüberhänge gebaute Pueblos, es waren *Cliff Dwellings* der Anasazi. Bis zu einer Höhe von etwa dreißig Metern waren Kalk und Sandstein aus der Felswand gebrochen und hatten eine große überhängende Wölbung hinterlassen, die fast bis an den oberen Rand des darüberliegenden Tafelberges reichte. In diesem Alkoven befanden sich von den Alten mit Steinwänden erbaute Felsbehausungen.

Tatanka betrachtete die ausgetretenen Sandsteinstufen, die verwinkelt zu den längst verlassenen Ruinen hinaufführten, und fragte sich, wohin die Bewohner wohl gegangen waren, und was sie zum Fortgehen veranlasst haben mochte. Er wollte schon zurückgehen, als er entdeckte, wonach er gesucht hatte: einen Weg, der auf den Tafelberg hinaufführte. Links der Felshöhlung erkannte er etwas, das aussah wie eine Reihe von in den weichen, leicht geneigten Sandstein gehauenen Griffmulden, die sich über die ganze Wand bis nach oben zogen.

Die Treppe führte zur linken Seite des Alkovens hinauf, wo sie an einem schmalen Sims endete, der sich nach rechts zu einem offenen Weg ins Obergeschoss verbreiterte. An diesem Felsvorsprung, am Ende der Treppe, zweigten die Handgriffe, die ihm aufgefallen waren, nach links ab und führten dann geradewegs an der Felswand nach oben bis an den Rand des Plateaus. Als er seine Finger in die ersten beiden Griffmulden einhakte, merkte er, dass diese schmaler waren, als es von unten ausgesehen hatte. Er zog sich Hand über Hand nach oben und versuchte mit den Füßen nachzuhelfen, aber seine Ledermokassins rutschten immer wieder an der glatten Felsoberfläche ab. Er zog sich weiter empor, bis er mit den Zehen an die erste Griffmulde reichte. Doch auch nun waren die Einkerbungen so flach, dass er nur mit den Zehenspitzen darin Halt finden konnte.

Als er zu der Steilwand hinübergeklettert war, mutmaßte er, dass man die Handgriffe als Fluchtweg auf den Tafelberg herausgemeißelt hatte. Den Elementen, Wind und Wetter ausgesetzt, waren sie inzwischen bis auf einen Bruchteil der ursprünglichen Größe ausgewaschen und boten nur noch schlüpfrigen Halt. Ungesichert in der Wand hängend, dachte Tatanka sich, dass wer auch immer diese Griffmulden angelegt hatte, wohl mit Seilen von oben herabgelassen worden war, um die Handgriffe auszuschlagen. Er hielt sich mit der Linken fest und griff mit der rechten Hand nach oben. Als er merkte, dass die Griffmulde so stark verwittert war, dass sie nur noch aus einer dünnen Kante bestand, hakte er die Finger ein und versuchte beim Hochziehen gleichzeitig besseren Halt mit den Zehen des linken Fußes zu finden. Anstatt sanft und langsam vorzugehen, hatte er sich jedoch so ruckartig bewegt, dass sein Fuß aus der Mulde rutschte. Dadurch schwenkte sein Körper nach links und riss seine rechte Hand von der dünnen Kante. Er spürte einen scharfen Schmerz in der unlängst ausgerenkten Schulter und hing nur noch an den Fingerspitzen der linken Hand mit baumelnden Füßen nahezu hundert Meter über dem Talboden.

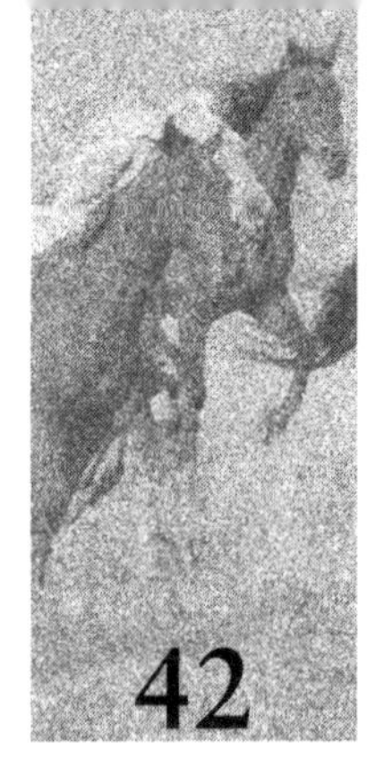

42

Als er so an den Fingerspitzen hing, hatte Tatanka ein unheimliches Erlebnis. Bei einem Blick über die Schulter nach rechts war ihm, als habe er in den Ruinen eine Bewegung wahrgenommen. Dann war nichts mehr zu erkennen. Ein Schauer lief ihm über den Rücken. Hatte er einen Geist gesehen? Wollten die Geister ihn warnen? Hatte ein Geist ihn abrutschen lassen? Plötzlich schwitzte er und sein Arm begann zu zittern. Versuchte da ein *nagi*, der von *Hihankara* vom Geisterpfad gestoßen worden war, seine Hand von dem Fels loszulösen?

Er war dazu erzogen worden, die Religionen anderer Völker zu respektieren. Die Lakota wussten, dass jeder Mensch sterben musste. Wie und mit welcher Zeremonie jemand bestattet wurde, hing allerdings von seinem Ansehen als Lebender und der Art seines Todes ab. Normalerweise wurde nach der *wacekiyapi*-Zeremonie und vier Trauertagen der festlich gekleidete und dann eingehüllte Leichnam auf ein mit vier Pfosten errichtetes Gerüst gelegt, sodass keine Tiere an den Toten herankamen. Man führte das Pferd des Verstorbenen zu der Plattform und sagte zu ihm: »*Tákoja ki*, mein Enkel, dein Herr ist gestorben. Du musst mit ihm gehen und ihn zum Land der vielen Zelte bringen.« Dann wurde es getötet. Wenn der Verstorbene noch jung gewesen war, gab man dessen Pferd in die Obhut seines besten

Freundes. War der Betreffende von niederem Rang, wurde er oft in einer Grube beerdigt, auf die man Felsblöcke legte, damit Tiere den Leichnam nicht frei scharrten.

Wenn *nagi ki*, der Geist eines Toten, auf dem Geisterpfad ins Land der vielen Zelte wanderte, musste er an *Hihankara*, der Eulenmacherin vorbei. Wenn *Hihankara* den Verstorbenen vom Geisterpfad stieß, ging er auf der Erde am Ort seines Todes als Geist um. Solche Geister, hieß es, wohnten in diesen Ruinen.

Tatanka zwang sich, zu den alten Felsenwohnungen hinüberzusehen. Er konnte nichts erkennen. Er dachte dran, hinabzuklettern und sich von den Anasazi-Ruinen zu entfernen. Dann aber beherrschte er sich und kletterte weiter. Als er mit der Rechten nach oben fasste, gelang es ihm, zwei Finger neben seiner linken Hand in die Griffmulde einzuhaken. Er zog sich mit beiden Armen empor und setzte die Zehen wieder in die beiden Einbuchtungen. Das Gewicht großteils auf die Zehen verlagernd, griff er nach oben über die Felskante und zog sich hinauf.

Als er den Tafelberg am Rand des Canyons entlanglief, fragte er sich, ob er Geister der Anasazi aufgestört hatte. Sollte dies eine Warnung gewesen sein? Oder hatte der Geist ihn gerettet? Er war unschlüssig, ob er auf demselben Weg wieder hinabklettern sollte, und fand es schwer zu entscheiden, was er mehr fürchtete, den Klettersteig oder die Anasazi-Geister.

Tatanka ging leise um mehrere Felsblöcke herum, die größer waren als er selbst, und achtete darauf, dass er nicht zu sehen war, falls jemand von unten heraufschaute. Dann bahnte er sich vorsichtig einen Weg zu der Felsnadel, die direkt über der linken Wand am Eingang zu dem Canyon thronte. Er ließ sich zu Boden, damit er nicht als Silhouette am Horizont hervorstach, und kroch wie eine Eidechse vorwärts. Nur mit Händen und Füßen berührte er den Boden, während er sich der Felskante näherte. Wohl wissend, dass die leiseste Bewegung ihn verraten könnte, bewegte er sich Zentimeter für Zentimeter auf eine Einkerbung zu, wo ein großes, rechteckiges Stück Kalkstein weggebrochen war und in der Felszinne, die sich fast über die gesamte Länge des darunterliegenden Tales zog, eine meterbreite Öffnung hinterlassen hatte, die im Schatten lag. Falls einer der Crow sich die Mühe gemacht hätte, von dort aus, wo sie ihr Lager aufschlugen, nach oben zu sehen, hätte er nichts weiter erblickt als einen dunklen Schatten an einem der Felsen oberhalb der Steilwand.

Von der Spitze der Felswand aus hatte Tatanka freie Sicht auf den unter ihm liegenden Lagerplatz der Crow. Als die Pferdediebe die gestohlenen Tiere durch den engen Eingang in den Canyon trieben, überschlug er rasch deren Anzahl. Er zählte fünfundfünfzig Appaloosas. Das hieß, die Crow hatten siebzehn Pferde gestohlen und dazu jetzt noch die achtunddreißig Tiere, die sie ihm und Bright Heart abgenommen hatten. Bei der Erinnerung, wie er sie den Räubern hatte überlassen müssen, um Bright Heart zu schützen, ärgerte er sich. Nicht so sehr, weil er die Pferde hergegeben hatte, denn er wusste, wäre er allein gewesen, wäre die Sache anders ausgegangen. Er ärgerte sich, weil die Crow eine Bedrohung für Bright Heart dargestellt hatten. Auch jetzt wäre sie womöglich in Gefahr, weil er sie sich selbst hatte überlassen müssen, während er ihrer beider Pferde zurückzuholen versuchte. Obgleich er sonst sehr selbstbewusst wirkte, zweifelte er oft an der Richtigkeit seiner Entscheidungen, so wie auch jetzt:

War die Pferde zurückzuholen, das Risiko wert, Bright

Heart in fremder Umgebung allein zu lassen? Es gibt noch andere gefährliche Banden. Ich hätte Jeremiah und die Übrigen nicht verlassen sollen, als sie an Ort und Stelle blieben, um den verletzten Franzosen zu pflegen. War es unklug von mir, mit Bright Heart weiterzuziehen? Ich weiß nicht, ob ich damit leben könnte, wenn ihr etwas zustieße. Ich hätte mit ihr im Tal des Bären bleiben sollen. Vielleicht sollte ich sie wieder dorthin zurückbringen, anstatt zu versuchen, die Pferde heimzutreiben. Aber dann könnte sie ihre Familie nicht sehen und wir könnten nicht heiraten, was sie sich wünscht und was sie verdient. Ich kann sie doch nicht in ihr Dorf bringen und sagen, dass ich die Pferde kampflos aufgegeben habe. Welcher Vater würde denn so einem Krieger seine Tochter anvertrauen?

Er sah zu der Bande dort unten hinab, die ihn in diese Schwierigkeiten gebracht hatte, und auf einmal wusste er, was zu tun war.

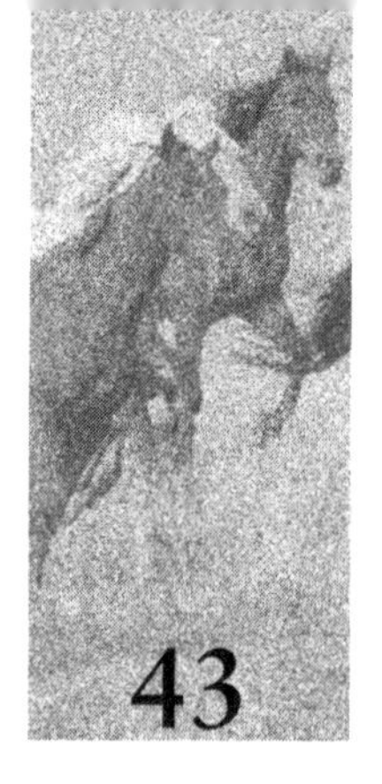

43

Als sie die Herde durch die schmale Öffnung in den geschlossenen Canyon trieben, erklärte Yellow Wolf den anderen Kriegern: »Wir werden hier vor dem Eingang lagern, wo wir auch auf dem Hinweg zum Pferderaub unser Lager hatten.«

»Wir müssen uns bereithalten. Vielleicht kommt er mit Verstärkung durch andere Krieger«, sagte einer der Männer.

»Sprichst du von dem Krieger, der uns seine Pferde gegeben hat?«, fragte Yellow Wolf. Mit einem gespielten Angstschauer fügte er hinzu: »Ich hoffe, er kommt nicht in der Nacht, um unsere sämtlichen Pferde zu stehlen.«

Der Krieger, der beinahe den Fehler begangen hätte, Tatanka mit seinem Tomahawk zu bedrohen, sagte: »Du achtest ihn gering, aber weißt du denn, wer dieser Krieger war?«

Als Yellow Wolf aus seinem Tonfall Besorgnis herauszuhören glaubte, übertrieb er die gespielte Angst noch mehr und antwortete: »Nein, klär mich doch bitte auf.«

»Tall Stork sagt, das war der Lakota-Krieger, den man Spirit Walker nennt«, erwiderte er und sah sich in der Umgebung um.

»So, Tall Stork, du sagst, dieser Krieger wäre der Spirit Walker? Wie kann das sein? Entweder hast du zu viel Peyote gegessen oder wer auch immer diese Legenden erzählt, hat zu viel Feuerwasser getrunken. Glaubst du denn, wenn er der Spirit Walker gewesen wäre, hätte er uns kampflos seine Pferde überlassen?«

Der sonst sehr friedfertige Tall Stork stand auf, sodass er die anderen überragte. Yellow Wolf, der sich den übrigen Kriegern eigentlich überlegen wähnte, spürte in sich etwas aufflackern, das er nicht ganz verstand. Er hatte nicht wirklich Angst, aber zum ersten Mal, seit er als Junge herausgefunden hatte, wie stark er war, kamen ihm Tall Stork gegenüber Zweifel an seiner körperlichen Überlegenheit.

»Vor zwei Winterzählungen habe ich meinen Bruder Standing Bear besucht, der mit einer Shoshone verheiratet ist und südlich von den Crow lebt, nahe dem Ort, wo heißes Wasser aus der Erde kommt. Der Krieger mit den seltsamen Augen, dessen Pferde wir genommen haben, kam dort vorbei, um Short Bull, den Häuptling des Dorfes zu besuchen. Er hielt sich nicht lange auf, denn er suchte nach einer Bande Weißer, die seine Frau getötet hatten. Nachdem er fort war, erzählten die Shoshonen Geschichten über diesen Krieger. Sie sagten, andere Stämme kennen ihn unter dem Namen Spirit Walker, doch die Shoshonen nennen ihn Comes-in-the-Night.« Zu den übrigen Krieger gewandt erzählte Tall Stork: »Sie sagten, als er noch jung war, habe er einmal die Pferdeherden von zwei benachbarten Dörfern gestohlen und vertauscht. Es wäre beinahe zum Krieg zwischen den beiden Dörfern gekommen, bis er eingestand, dass er ihnen einen Streich gespielt hatte.«

Der große Krieger deutete auf die Pferdeherde und schloss: »Dies ist derselbe Krieger, der uns vor die Herausforderung gestellt hat, die gefleckten Pferde in unserem Besitz zu behalten. Nach den Geschichten, die man sich über ihn erzählt, hätte er uns alle auf den Geisterpfad schicken können, anstatt uns auf die Probe zu stellen. Wir sollten besser mit einem offenen Auge schlafen, wenn wir die Pferde behalten wollen.«

Noch immer gespielt zitternd sagte Yellow Wolf: »Wenn er der sagenhafte Spirit Walker oder Comes-in-the-Night war, wo sind dann die Krieger in seinem Gefolge? Und wenn andere Krieger in der Nähe gewesen wären, hätte er doch nicht mit nur einer Squaw als Hilfe all diese Appaloosas allein geführt! Er ist jetzt wahrscheinlich so weit wie irgend möglich von uns entfernt. Er kann dankbar sein, dass wir die Prüfung des Großen Geistes angenommen haben, anstatt ihn auf seine letzte Wanderung über den Geisterpfad zu schicken.«

Dann ging Yellow Wolf auf, dass die anderen meinen könnten, der Krieger habe ihn ausgetrickst, und er versuchte es so hinzustellen, dass er Tatanka wegen Tall Stork habe gehen lassen. Gleichzeitig bemüht, sich selbst in ein gutes Licht zu setzen, fügte er hinzu: »Aber wenn Tall Stork in Bezug auf diesen Krieger recht hat, dann habe ich es Spirit Walker oder Comes-in-the-Night gestattet uns seine Pferde zu überlassen und sich in Schande aus dem Staub zu machen.« Um sein Ansehen noch zu steigern, setzte er nach: »Oder ich habe die Herausforderung angenommen, dass er versuchen wird, die Pferde zu stehlen, wie Tall Stork glaubt. So oder so werden seine Pferde uns gehören, denn wenn er so leichtsinnig sein sollte, sich mit Yellow Wolf anzulegen, ändere ich seinen Namen in Goes-to-the-Happy-Hunting-Grounds, weil er dann nämlich in die glücklichen Jagdgründe eingehen wird.«

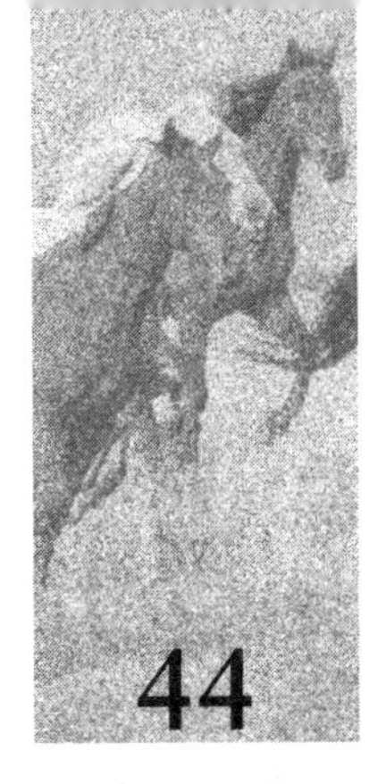

44

Der Anführer der Crow übergab einem der Krieger sein Rosshaar-Lasso und erklärte: »Für den Fall, dass wir unsere Reitpferde brauchen sollten, nimm dein Seil und dieses hier, und binde zwei Laufleinen an den Bäumen dort fest«, dabei zeigte er auf ein nahe stehendes Gehölz.

Er wandte sein Pferd zum Eingang des Kastentals und sagte: »Tall Stork und ich sichern den Canyon, während ihr Übrigen inzwischen den Eingang versperrt und das Lager aufschlagt.«

Als er in den Canyon ritt, wies er Tall Stork an: »Ich überprüfe die rechte Seite und du nimmst die linke. Wir treffen uns am hinteren Ende.« Mit unergründlichem Gesichtsausdruck fügte er hinzu: »Wir tun das nur wegen deinem Spirit Walker. Schließlich wollen wir ja nicht, dass er der ist, ›Der in der Nacht kommt‹, um unsere Pferde zu stehlen, nicht wahr?«

Beim Blick zurück sah er, dass drei Krieger ihre Pferde mit herabhängenden Zügeln hatten stehen lassen und begannen, vor dem Eingang abgestorbene Baumstämme aufzuschichten, die von Vorgängern zum selben Zweck neben der Öffnung aufgestapelt worden waren.

»Die gefleckten Pferde müssten Flügel haben, um so hier herauszukommen«, sagte er und ritt zur Ostseite der Schlucht.

Als Yellow Wolf am anderen Ende des Canyons ankam, wartete Tall Stork auf ihn, in einem gewissen Abstand zu den Felsenwohnungen.

»An diesem Ende sind nur die Geister der Alten«, sagte Tall Stork, wendete sein Pferd und versetzte es, in der Hoffnung, das Gesicht zu wahren, in Trab.

Yellow Wolf wollte gerade eine abfällige Bemerkung machen, da war ihm, als habe sich hoch oben in den Ruinen etwas bewegt. Er gab seinem Pferd die Fersen und schloss im Galopp rasch zu dem großen Krieger auf. Als sie an der Sickerquelle zusammen mit den Pferden ihren Durst stillten, wollte Yellow Wolf eigentlich Tall Stork darauf ansprechen, doch dann beschloss er, die Geister lieber nicht zu erwähnen. Auch fand er, es sei eine gute Entscheidung gewesen, außerhalb des Canyons zu lagern.

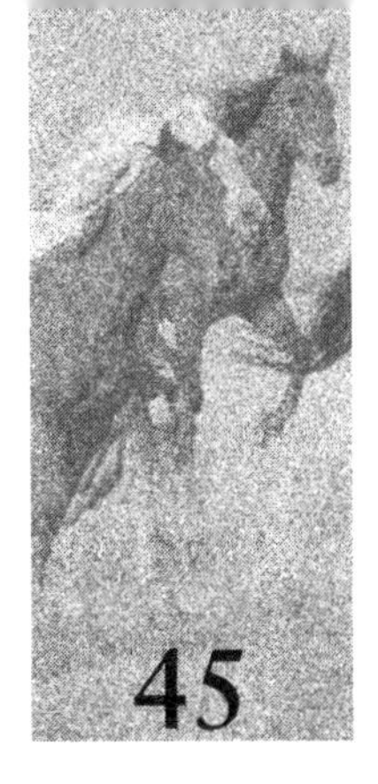

45

Von seinem Felsausguck am oberen Rand des Canyons erspähte Tatanka die beiden Krieger, die bei den Reitpferden der Räuber Wache hielten. Sie befanden sich bei einem großen Felsblock, der von der Klippe in ein Kiefernwäldchen außerhalb des Tales herabgefallen war. Vom Boden aus gesehen hockten sie hinter dem Felsblock verborgen bei zwei zwischen den Bäumen gespannten Laufleinen, entlang derer die Pferde sich beim Grasen bewegen konnten, gleichzeitig aber daran gehindert wurden, vom Lager fortzulaufen. Normalerweise hätte man ihnen lose Fußfesseln angelegt, wodurch sie mehr Bewegungsfreiheit beim Weiden gehabt hätten. Die beiden Wachen hatten zwar nicht darüber gesprochen, doch sie gingen davon aus, dass Yellow Wolf diesen Spirit Walker ernster nahm, als er zugeben wollte.

Tatanka zählte sieben weitere Krieger, die in ihre Schwarzhorn-Felle eingehüllt am Lagerfeuer schliefen, manche von ihnen hatten die Füße ganz nahe an der Glut. Er suchte nach dem zehnten Mann und erspähte ihn schließlich dicht neben dem Eingang zur Schlucht an die Felswand gelehnt sitzen.

Prüfend besah er sich die über den Talboden verstreuten Pferde und fand die graue Stute, die er bei der Befreiung der Atsinas den Sahiyela abgenommen hatte. Sie graste nahe der Sickerquelle, zusammen mit den anderen acht Pferden, die er Bright Hearts Familie als Brautgeschenk bringen wollte.

Tatanka hatte versucht, einen Weg zu ersinnen, wie er den Wächter erreichen könnte, ohne dass die Crow ihn sahen. Da der Krieger mit dem Rücken zur Wand stand und vor ihm offenes Gelände lag, das vom klaren Nachthimmel erhellt wurde, war ihm klar, dass es nahezu unmöglich wäre, sich ihm zu nähern. Die graue Stute aber brachte ihn auf eine Idee. Doch dazu müsste er wieder über die Ruinen in den Canyon hinabklettern.

Mit einem letzten Blick auf das Lager unter ihm versuchte er, es sich in Gedanken fest einzuprägen, dann ging er talaufwärts zurück und fragte sich, ob er noch ganz bei Verstand sei, dass er es wagen wollte, die *nagi ki* erneut zu stören.

Er ließ sich über die Felskante hinab und bemühte sich verzweifelt, mit der linken Hand die ausgeschlagene Griffmulde zu ertasten. Er war am ganzen Körper schweißnass, bis seine Finger endlich die Einkerbung fanden. Sie fühlte sich noch flacher an als zuvor. Als er den sicheren Halt über sich losließ und versuchte, zwei Finger der rechten Hand in die schmale Stelle zu klemmen, war da kaum Platz. Hatten die Geister die Griffmulde verkleinert, um ihn an der Rückkehr zu hindern?

Er verlagerte sein Gewicht auf die beiden Finger der rechten Hand und griff nach unten, um mit der Linken einen sichereren Halt zu finden, während er seine Zehenspitzen in tiefer liegende Einkerbungen klemmte. Er versuchte nicht daran zu denken, in welcher Höhe er sich befand, sondern konzentrierte sich ganz auf die Sandsteinmulden vor ihm, sodass er beinahe überrascht war, als seine Füße den Erdboden unterhalb des Alkovens berührten. Schwer keuchend und mit vor Schweiß glänzendem Körper, nicht nur von der körperlichen Anstrengung, drehte er sich um und entfernte sich von den Ruinen … wie auch von den *nagi ki*.

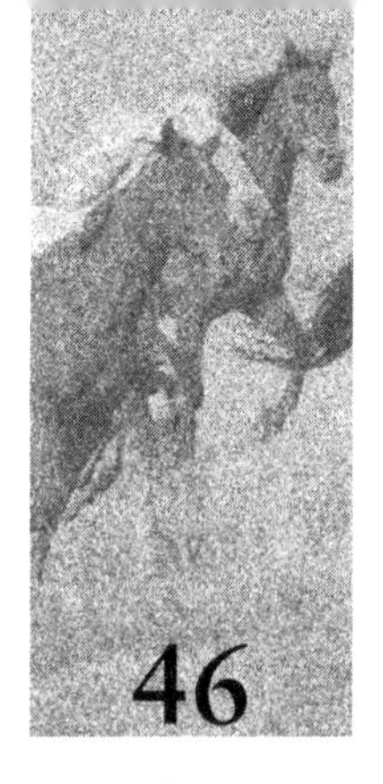

46

Als Tatanka den *Cliff Dwellings* der Anasazi den Rücken wandte und das Tal hinabging, sorgte er sich, dass die Pferde der Crow wiehern könnten, weil sie seinen Geruch nicht kannten, und damit die *Kangi Wicasa*, wie die Crow von den Lakota genannt wurden, warnen würden. Zum Glück war die graue Stute, auf der er den Sahiyela entkommen war, talaufwärts gewandert und graste nun in der Nähe der Quelle. Als sie ihn erkannte, entfernte sie sich von den anderen Pferden und kam auf ihn zu.

Sie stupste ihn mit der Nase gegen die Brust und versuchte ihn zu beknabbern, um ihre Zuneigung zu zeigen. Tatanka kraulte sie unter dem Kinn und schwang sich auf ihren Rücken. Flach liegend schmiegte er sich an sie und lenkte sie an den weidenden Pferden vorbei talabwärts. Er hatte erst eine kurze Strecke zurückgelegt, da hob eines der Pferde beim Herannahen der Stute den Kopf. Er fürchtete, es würde gleich wiehern und den Anführer der Crow warnen, doch offenbar erkannte das Pferd die Stute, senkte den Kopf und fraß weiter.

Als er sich der Stelle näherte, wo er den Anführer der Crow zuletzt erspäht hatte, rutschte er zur Seite, sodass der Krieger ihn nicht sehen könnte. An der abgewandten Seite der Stute hängend, die Arme um ihren Hals und die Beine um ihren Rücken verschränkt, leitete er sie langsam zum

Eingang des Kastentals und ließ sie dabei hin und wieder anhalten, um Gras zu fressen, sodass der seinen Blicken verborgene Wächter keinen Verdacht schöpfen würde. Als die Stute mit dem Anführer der Crow auf einer Höhe war, war Tatanka bereits verschwunden.

Nachdem Tatanka von der Stute geglitten war, senkte er sich auf den Bauch und trug sein Körpergewicht nur mit den Fingerspitzen und Zehen. Seine Fortbewegung dicht über dem Boden glich der einer Eidechse und scheinbar mühelos verschmolz er mit dem Bewuchs des Talbodens. Jeder andere wäre von einer solchen körperlichen Strapaze völlig erschöpft gewesen, bevor er die Lichtung auch nur zur Hälfte überquert hätte.

Zusammengekauert und eng in seine Schwarzhorn-Robe gehüllt, beobachtete Yellow Wolf, wie sich die graue Stute beim Grasen auf ihn zu bewegte. Er sah, dass die Stute nach einem Weg aus der Schlucht suchte, und entspannte sich zufrieden, da er wusste, dass die Schranke vor dem Eingang alle Fluchtpläne des Tieres vereiteln würde. An seinem Standort vor der kahlen Felswand mit der aufgeschichteten Schranke aus Gestrüpp konnte nichts und niemand ohne Lärm zu machen vorbeikommen. Und er wusste, dass es zu seiner Rechten, bei ungehinderter Sicht über die vor ihm liegende offene, grasbedeckte Fläche, niemandem möglich wäre, sich an ihn anzuschleichen.

Der Anführer der Crow machte sich keine Sorgen, dass dieser Spirit Walker die Pferde stehlen würde. Er hatte sich so postiert, dass er das Lager im Blick hatte. Falls er sich geirrt hätte und da doch noch weitere Krieger wären, könnte er von diesem Standpunkt aus die anderen warnen. Er fühlte sich sicher. Zusätzlich beruhigte ihn die Herde mit mehr als sechzig Pferden als Wachtposten, die jede Anwesenheit eines Fremden ebenso zuverlässig melden würden wie die Hunde eines Dorfes. Da erhob sich direkt neben ihm auf einmal eine große, dunkle Gestalt aus dem Erdboden. Das Letzte, woran er sich erinnerte, war eine eiserne Hand, die seinen Mund bedeckte, und ein scharfer Schmerz wie von Adlerklauen, die sich unterhalb des Schädelansatzes seitlich in seinen Nacken gruben.

Tatanka ließ den bewusstlosen, sonst aber unversehrten Wächter zu Boden sinken. Mit einem der kurzen Rohlederriemen, die er um seine Schultern geschlungen hatte, band er dem Crow Hände und Füße hinter dem Rücken zusammen. Um sicherzustellen, dass der Anführer beim Aufwachen nicht die anderen Krieger warnte, benutzte er einen seiner Mokassins als Knebel. Dann, für den Fall, dass einer der Krieger über die Barriere schaute, warf er die Robe über den Körper, damit es so aussah, als sei der Anführer eingeschlafen. Nachdem er sich des Kopfes der Crow entledigt hatte, war ihm deutlich bewusst, dass seine nächsten Schritte für das gesamte Gelingen seiner nächtlichen Unternehmung ausschlaggebend sein würden.

Eine Hand oben auf die hölzerne Schranke gestützt sprang er darüber und federte den Aufprall in den Beinen ab, sodass er nicht mehr Lärm machte als ein herabfallendes Blatt. Dann senkte er sich wieder in Bauchlage, glitt wie ein Schatten unbeobachtet an den schlafenden Wachen vorbei und verschwand zwischen den Bäumen und herabgestürzten Felsbrocken am Fuß des Berges.

Da er wusste, dass die angeleinten Pferde die Krieger alarmieren würden, wenn sie ihn witterten, hielt sich Tatanka im Windschatten und arbeitete sich lautlos an den Fuß des Tafelberges vor, bis er mit den Wächtern auf gleicher Höhe war. Er achtete darauf, dass sich die Wachen zwischen ihm und den Pferden befanden, um seinen Geruch zu verdecken, und schlich sich zur Rückseite des Felsblocks, bei dem die beiden Krieger hockten. Er nahm einen großen Stein, warf ihn nach rechts und umrundete den Felsen gleichzeitig von der linken Seite.

Als die beiden Krieger im Dunkel der Bäume zu ihrer Rechten etwas hörten, reagierten sie sofort. Sie standen auf und wandten sich beide in die Richtung, aus der das Geräusch gekommen war. Als der hinten stehende Krieger einen Laut von sich gab, hob der vordere die Hand und bedeutete ihm, er solle still sein. Der hintere Krieger versuchte sich zu wehren, als sich eine Hand über seinen Mund schloss. Er spürte einen scharfen Schmerz im Genick. Dann wurde ihm schwarz vor Augen.

Roan Horse lauschte, konnte aber von dort, wo das Geräusch hergekommen war, nichts hören, er vernahm nur Broken Foot hinter sich. »Wahrscheinlich ist nur ein Zapfen von einer Kiefer gefallen. Nichts, was uns beunruhigen müsste. Und die Pferde weiden noch immer ganz friedlich.«

Roan Horse spürte, wie ihn von hinten etwas packte. Er dachte, sein Freund wolle ihm nur Angst einjagen. Dann erschrak er, wie stark Broken Foot war, und das Letzte, woran er sich erinnerte, war, wie sich eine eiserne Hand auf seinen Mund legte und er einen scharfen Schmerz seitlich am Kopfansatz spürte.

Als Tatanka den bewusstlosen Krieger zu Boden sinken ließ, dachte er kurz an den alten chinesischen Mönch, von dem er einst in der Anwendung von Druckpunkten unterrichtet worden war, und wie er diesen in seiner Jugend in Malaysia kennengelernt hatte.

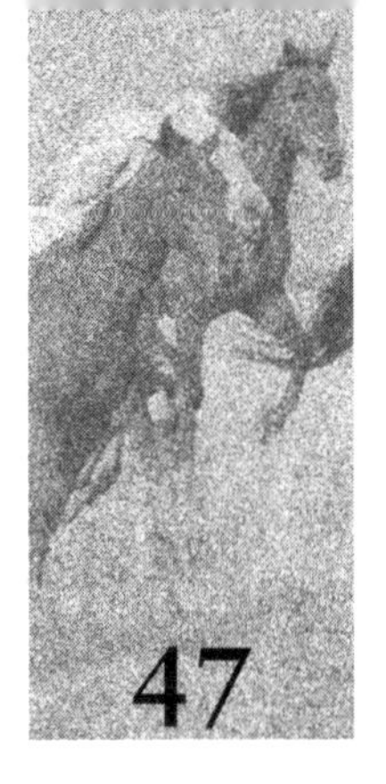

47

Als Tatanka zum Lagerfeuer der Crow zurückging, verlangsamte er seine Schritte. Mit äußerster Vorsicht schlich er lautlos zwischen den Nadelbäumen am Rand der Lichtung hindurch und arbeitete sich immer näher an die schlafenden Krieger heran. Ein Käuzchen saß reglos im Wipfel einer abgestorbenen Kiefer und suchte mit schräg gelegtem Kopf die Umgebung ab. Nachdem es befriedigt festgestellt hatte, dass seinem scharfen Gehör und seinem nächtlichem Sehvermögen nichts entgangen war, wandte es seine Aufmerksamkeit wieder der Lichtung zu und hielt weiter Ausschau nach Mäusen oder anderen Nachttieren, die das Pech haben sollten, sich hinauszuwagen.

Wohl wissend, dass ein einziger Fehltritt auf einen trockenen Ast die schlafenden Krieger wecken könnte, bahnte sich Tatanka weiter seinen Weg durch trockenes Laub und Geäst. Eingedenk dessen, was der alte chinesische Mönch Yong Tong ihn gelehrt hatte, erahnte Tatanka ebenso sehr, was sich unter seinem Fuß befand, wie er es spürte. Er verlagerte die Position, ohne den Fuß hochzuheben, und nahm sein Gewicht von dem Ast, indem er nur den Teil des Fußes belastete, der das Objekt nicht berührte. Der alte Meister bezeichnete dies als »Gehen in Harmonie«. Er hatte Tatanka erklärt: »Du musst den Steinen, Blättern und Ästen, dem Gras und den Blumen und allem, worüber du gehst, Achtung erweisen. Selbst zerbrechliche oder lose Teilchen werden dein Gewicht aushalten oder in ihren vorigen Zustand zurückkehren, wenn du lernst, sie zu respektieren.«

Tatanka erinnerte sich, dass er einst erstaunt beobachtet hatte, wie der alte Mönch über den weichen Sand eines Strandes bei Malakka gegangen war, ohne irgendwelche Fußspuren zu hinterlassen. Wenige Schritte später konnte er es gerade noch vermeiden, einen weiteren toten Ast zu zerbrechen, indem er sein Gewicht auf die Zehenspitzen verlagerte. Tatanka wünschte, er hätte dem alten Meister mehr Aufmerksamkeit geschenkt.

Er blieb kurz stehen und schnupperte. Die unterschiedlichen Körpergerüche der Krieger wehten über die Lichtung zu ihm hin. Er ging erst weiter, als er genau wusste, wo sich jeder Einzelne befand. Als er nahe genug herangekommen war, um ihre Atemzüge zu hören, waren Tatankas Sinne ganz und gar auf seine nächste schwierige Aufgabe konzentriert. Er musste an jeden Krieger einzeln herankommen, ohne die anderen zu wecken.

Er ließ sich auf alle viere nieder, trug sein Gewicht auf Fingerspitzen und Zehen und kroch dicht am Boden über die Lichtung als Erstes zu jenem Krieger, der ein wenig abseits lag. Als er herangekommen war, rollte der Mann sich herum und sagte etwas. Tatanka erstarrte, weil er dachte, sein Näherkommen hätte den Krieger geweckt. Dann begann der Mann wieder zu schnarchen und Tatanka entspannte sich. Er legte dem Krieger die Hand auf den Mund, um ihn am Schreien zu hindern, und presste die Finger seiner anderen Hand auf die Druckpunkte in dessen Genick. Der Krieger krümmte den Rücken, dann erschlaffte er und verlor das Bewusstsein.

Lautlos schlich sich Tatanka zu dem nächsten Krieger und setzte ihn auf dieselbe Art und Weise außer Gefecht. Verstohlen von einem Krieger zum nächsten huschend hatte er bald fünf von ihnen in Bewusstlosigkeit versetzt. Er presste gerade die Druckpunkte am Genick des sechsten Kriegers, da spürte er etwas hinter sich. Er versuchte auszuweichen, doch da bekam er von der Seite her einen Schlag an den Kopf.

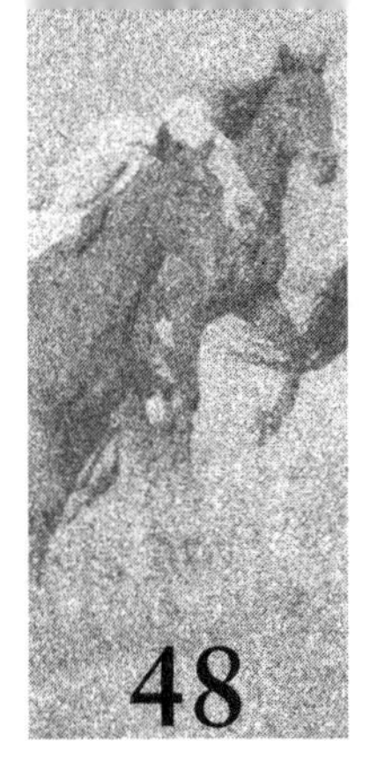

48

Zwei Dinge retteten Tatanka das Leben: Es war eine stumpfe Steinkeule, die ihn traf, und kein scharfkantiger Tomahawk, der ihm den Kopf gespalten hätte. Und durch seine Bewegung war die Keule seitlich abgerutscht, anstatt ihm den Schädel einzuschlagen.

Tatanka rollte zur Seite und hatte kaum Zeit aufzustehen, als sich der Krieger von Neuem auf ihn stürzte. Diesmal jedoch bot Tatanka dem Angreifer die Stirn. Er schüttelte den Kopf, um wieder klar zu sehen, und als der Krieger nach ihm schlug, erwischte er die Keule gerade noch am Griff. Er riss dem überraschten Mann mit der Linken die Keule aus der Hand und schlug ihn bewusstlos, indem er ihm den rechten Ellenbogen unters Kinn rammte.

Als Tatanka nahe genug herangekommen war, um das erste Pferd an der Laufleine, den dunklen Braunen des Anführers der Crow, zu berühren, hatte es ihn bereits akzeptiert. Er beruhigte es leise, indem er einen kleinen Lederbeutel, den er um den Hals trug, an seiner Nase rieb und ihm in die Nüstern blies, um es mit seinem Geruch vertraut zu machen. Er wiederholte diese Prozedur bei jedem Pferd und arbeitete sich so an den beiden Laufleinen entlang. Die Pferde schienen zu wissen, dass er ihnen nichts zuleide tun würde, und verstanden wohl, was auch immer er ihnen mitteilte. Die zehn Pferde gingen bereitwillig mit, als er sie zu den beiden bewusstlosen Wächtern hinüberführte.

Er legte die Krieger zwei Pferden quer über den Rücken und führte die Tiere an der Leine zum Lagerfeuer, wo er mit den sieben Kriegern, die am Feuer geschlafen hatten, ebenso verfuhr. Anschließend öffnete er die Schranke und führte die Pferde in das Tal hinein, wo er den Anführer der Crow auflas und über den Rücken seines Braunen legte. Dann suchte er die graue Stute, die noch immer in der Nähe graste, schwang sich rittlings hinauf und lenkte sie mit den zehn bemannten Pferden im Schlepptau zum oberen Ende der Schlucht.

Am Ende des Canyons angekommen, hob er die Krieger herunter und legte sie mit den Gesichtern nach unten auf ein Stück Wiese unterhalb der Anasazi-Felsbehausungen. Er band ihnen die Hände auf den Rücken und legte sie mit den Köpfen zur Mitte hin in einen Kreis. Dann löste er ihre langen schwarzen Zöpfe und verflocht eilends den linken Zopf jedes Kriegers mit dem rechten Zopf des Kriegers neben ihm. Als er die beiden letzten Zöpfe miteinander verbunden hatte, zog er daran. Mit dem Ergebnis zufrieden nahm er dem Anführer das Jagdmesser ab und rammte es mit der Spitze fest in den halb versunkenen Stamm einer umgestürzten Zeder.

Damit die eingepferchten Pferde genügend Bewegungsfreiraum zum Fressen hatten und in der Lage waren, die Wasserstelle zu erreichen, ohne jedoch der Herde folgen zu können, schnitt er ihnen die Zügel ab und machte Fußfesseln für ihre Vorderbeine daraus. Dann schwang sich Tatanka wieder auf den Rücken der grauen Stute und hoffte, die Geister der Anasazi wären nicht verstimmt, dass er zehn Männer bei den *Cliff Dwellings* zurückließ. Doch als er von den Kriegern fortritt, die ihn gezwungen hatten, Bright Heart allein zu lassen, während er die Appaloosas zurückholte, musste er lächeln. Er malte sich aus, was sie wohl täten, wenn sie unterhalb der Anasazi-Ruinen aufwachten, in Bauchlage, die Hände auf dem Rücken gefesselt und die Köpfe durch ihr zu Zöpfen geflochtenes Haar im Kreis zusammengebunden. Dieses Mal hatten sie nur eine Lektion in Demut erhalten und ihre Appaloosas verloren. Im Davonreiten dachte er sich, es wäre besser für sie, wenn sie es auf ein zweites Mal nicht ankommen ließen.

Er kreiste die verstreute Herde ein und trieb die Pferde, die Bright Heart und er mit sich geführt hatten, mühelos zum Eingang des Kastentals. Doch stellte er fest, dass die von den Crow vor ihrer Begegnung mit ihm und Bright Heart gestohlenen Appaloosas schwieriger zu handhaben waren, bis er herausfand, welches Pferd für das Problem verantwortlich war. Wenn er versuchte, alle Tiere in dieselbe Richtung zu lenken, scherte eine weiß gefrostete Stute mit dunkel gesprenkeltem Rumpf immer wieder aus und zog andere Pferde mit sich.

Nachdem er die Tiere umrundet und beobachtet hatte, wie diese Stute die anderen Pferde ein zweites Mal wegführte, schloss Tatanka, dass sie wohl das Leittier der von den Crow gestohlenen Herde war. Er wusste, dass Wildpferde einen unbestritten herrschenden Anführer hatten. Normalerweise war ein kräftiger Hengst der Patriarch einer Herde.

Bei den Pferden der Dörfer jedoch war die natürliche Hierarchie verändert, weil die Hengste zu Zuchtzwecken oder um Rivalitätskämpfe wegen der Stuten zu verhindern oft von der restlichen Herde abgesondert wurden. Daher hatten Herden in Gefangenschaft meist ein weibliches Leittier, wenngleich nicht unbedingt eine Matriarchin im eigentlichen Sinne. Als Tatanka das Verhalten und die Körpersprache der Pferde im Umkreis der gesprenkelten Appaloosa-Stute beobachtete, folgerte er, dass sie wohl die Anführerin war.

Er glitt von der grauen Stute und kraulte sie dankbar hinter den Ohren, bevor er sie laufen ließ. Sich Zeit lassend und rasche Bewegungen meidend arbeitete er sich allmählich zu der Leitstute vor, die wachsam dastand, bei geringstem Anlass zur Flucht bereit. Er wusste, wenn er sich mit dieser gesprenkelten Stute verbünden könnte, würde der Rest ihrer Schar ihm wahrscheinlich ebenfalls folgen. Er näherte sich geradewegs von vorne, mit bestimmten, aber nicht aggressiven Bewegungen und arbeitete sowohl mit Körpersprache als auch mit Gedankenübertragung, um das Vertrauen der Stute zu gewinnen. Die Art, wie sie in sein Näherkommen einwilligte, verriet ihm, dass sie mit Behutsamkeit gezähmt worden war, und nicht auf die gröbere Art, mit der manche Krieger den Willen ihrer Pferde »brachen«, wodurch sich aber nie dieselbe Loyalität eines Pferdes gewinnen ließ wie durch ein freundschaftliches Bündnis.

Zu dem Zeitpunkt, als er nahe genug herangekommen war, um die Stute zu berühren, hatte sie ihn bereits akzeptiert. Um sicherzugehen, dass sie ihn später noch erkannte, rieb er ihre Nase, blies in ihre Nüstern und flüsterte ihr etwas ins Ohr. Er wollte eigentlich dieselbe Prozedur bei den übrigen Pferden ihrer Schar wiederholen, entschied sich dann aber dagegen, weil die Pferde so weit verstreut waren, dass es zu viel Zeit kosten würde.

Die neuen Pferde schienen jedoch verstanden zu haben, dass er nichts Böses im Sinn hatte, denn zusammen mit dem

Rest der Herde folgten sie der gesprenkelten Matriarchin, als er sich auf ihren Rücken schwang und sie mit nur leichtem Druck der Knie zum Eingang des Canyons lenkte.

Tatanka ließ die Pferde bei der Barriere zum Canyon stehen und lief mit raschem Schritt zu der Stelle, wo er seinen Schecken zurückgelassen hatte. Im Nu war er wieder am Eingang des Tals. Als er die Schranke entfernte, sorgte er sich, wie die Appaloosas-Leitstute und sein gescheckter Hengst sich vertragen würden. Dann kam die Stute heraus und bemerkte Wase. Um ihren Herrschaftsanspruch zu zeigen, hob sie Schwanz und Kopf. Sie zog die Oberlippe zurück und bleckte die Zähne als Warnung, das fremde Pferd solle zurückweichen.

Als der schwarz-weiße Schecke auf das Drohgehabe der Stute in ähnlicher Weise reagierte, griff die Matriarchin ihn an. Sie erwartete wohl, das fremde Pferd würde einen Rückzieher machen, und war überrascht, dass der Hengst standhaft blieb. Er wich nicht nur nicht von der Stelle, sondern entgegnete ihren Angriff so heftig, dass sie den Halt verlor und zu Boden gestoßen wurde. Nachdem sie sich wieder aufgerappelt hatte, ging sie ein zweites Mal auf den Hengst los, ohne Rücksicht darauf, dass er eine Handbreit größer und mindestens zweihundert Pfund schwerer war als sie. Als sie dieses Mal aufeinanderprallten, versetzte er ihr zur Warnung einen schmerzhaften Biss in die Flanke, und stieß sie erneut zu Boden. Danach kam sie langsamer wieder auf die Beine. Sie schüttelte den Staub ab und sah ihn an, machte aber keinerlei Anstalten mehr, ihn noch einmal anzugreifen.

Ohne die besiegte Stute zu beachten, hob der schwarz-weiße Hengst den Schwanz und stieß einen schrillen Schrei aus, um alle anderen Pferde zu warnen, dass keines seine

Führungsposition infrage stellen sollte. Als keine weitere Herausforderung erfolgte, trottete er zu dem Lakota-Krieger hinüber. Tatanka schwang sich rittlings auf seinen Rücken und lenkte den neuen Leithengst den Weg hinab, die Pferdeherde folgte ihm nach.

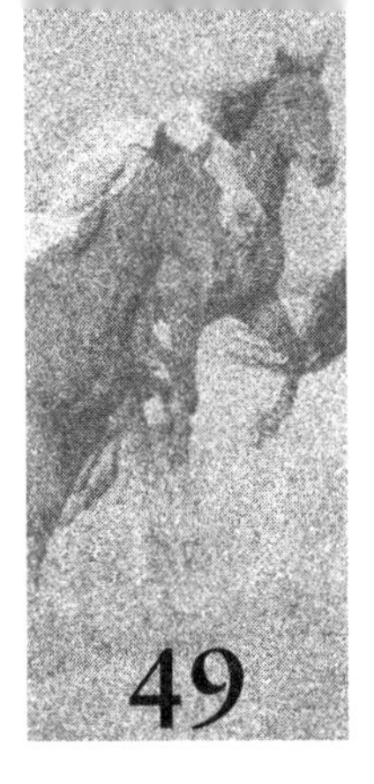

49

Bright Heart ritt von der Wiese und die sechs Packpferde liefen in einer Reihe hinter ihr. Als sie zu dem Pfad kam, den sie am Vortag genommen hatte, hielt sie sich zunächst im Schutz der Bäume, wo man sie nicht sehen konnte. Sie wartete, um sich zu vergewissern, dass die Luft rein war. Als sie dann ins Freie hinausritt, hörte sie ein kreischendes Geräusch, mit dem eine Last über Steine gezogen wurde. Sie brachte Flint Necklace zum Stehen und hoffte, noch nicht bemerkt worden zu sein, als auf dem Weg aus der Richtung, in die sie wollte, mehrere Reiter in Sicht kamen.

Nach zwei Männern vorneweg kamen drei Frauen. Eine hatte graue Haare und sah sehr alt aus. Hinter ihnen liefen zwei Packpferde mit Schleppbahren, auf den Lasten thronten zwei kleine Kinder. Ein älterer Junge und ein Mädchen folgten zu Pferde. Bright Heart wusste nicht genau, zu welchem Stamm diese Leute gehörten, vermutete aber, dass es eine Familie westlicher Shoshonen oder Paiute auf dem Weg nach Süden war. Ihr Vater hatte erzählt, dass sie aufgrund der spärlichen Bevölkerung im Trockengebiet des Großen Beckens oft in Familienverbänden reisten und nicht in Stammesgruppen wie die Nez Percé.

Vornübergebeugt, die Hand über das Maul ihrer gesprenkelten Stute gelegt, hielt sie den Atem an und hoffte, dass keines der Packpferde wiehern würde. Als die Reisenden auf dem Weg allmählich außer Sicht verschwanden, atmete sie langsam aus. Dennoch saß sie im Schatten der Bäume und lauschte noch, bis sie das Quietschen der Travois-Stangen, die über den steinigen Untergrund schleiften, nicht mehr hören konnte.

Als das Geräusch der Schleppbahre verklang, setzte Bright Heart ein zweites Mal an, den Schutz der Bäume zu verlassen. Doch ehe Flint Necklace aus der Deckung hervortreten konnte, kam ein halbwüchsiger Junge den Weg entlanggelaufen, bemüht seine Familie wieder einzuholen, nachdem er aus irgendeinem Grund unterwegs haltgemacht hatte, vielleicht, um sich zu erleichtern. An der Art und Weise, wie er sich immer wieder umsah, erkannte sie, dass er sich fürchtete. Mit seinem finsteren Gesichtsausdruck wollte er wohl etwaige Feinde hinter sich abschrecken und der Anblick hätte Bright Heart fast zum Lachen gebracht, bis ihr einfiel, dass sie ja in die Richtung reiste, aus der dieser Junge gerade kam. Und ohne Tatanka war sie ganz allein. Sie musste sich darauf einrichten, sich selbst zu verteidigen.

Sie saß von der gesprenkelten Stute ab, ging zu einem der Packpferde hinüber und holte eine einschüssige, glattläufige Vorderlader-Steinschlosspistole hervor. Jeremiah hatte ihr gezeigt, wie man diese Waffe verwendete und sie ihr gegeben, als Tatanka und sie mit den Pferden aufgebrochen waren. Sie lud die Pistole und steckte sie in eine der Satteltaschen, die vor ihr über Flint Necklaces Rist hingen. Den Kugelbeutel und das Pulverhorn hängte sie sich um den Hals, dann lud sie die Hawken-Büchse mit langem achteckigem Lauf vom Kaliber .53 nach, die in einer Lederhülle vor ihrem Sattel hing. Da sie wusste, dass sie es bei jeder möglichen Begegnung wahrscheinlich mit mehr als einem

Reisenden zu tun bekäme, holte sie noch eine zweite Hawken von einem der Packpferde. Nachdem sie das Gewehr geladen hatte, bestieg sie die Stute und ritt auf den Weg, die Waffe quer über dem Rist des Pferdes vor sich in der Hand. Sie fühlte sich überladen, aber sicherer für den Fall eines unerwünschten Zusammentreffens.

Als der Großvater gen Westen zu sinken begann, war sie erschöpft vom Gewicht des schweren Gewehrs und des Kugelbeutels samt Pulverhorn um ihren Hals. Sie kam sich albern vor, so viele Waffen zu tragen, und beschloss beim nächsten Halt an einer Wasserstelle das Gewehr wieder im Packsattel zu verstauen. Vor ihr senkte sich die Landschaft, da der Weg einen schmalen Taleinschnitt kreuzte, bevor er auf der anderen Seite an einer steilen Böschung hinauf weiterführte. Als sie näher kam, sah sie, dass am Grund des Grabens ein kleiner wiesengesäumter Bach nach Westen floss. Eine Vielzahl von Laubbäumen und Rohrkolben hatten in der feuchten Erde Wurzeln geschlagen.

Bright Heart wollte schon absitzen, da bemerkte sie nicht weit entfernt eine Stelle, die wie eine eingefasste Wiese aussah, von silberblättrigen Trauerweiden mit herabhängenden Zweigen schützend umrahmt. Die Pferde waren schon ziemlich weit gereist, da sie das letzte Nachtlager bereits vor Aufstieg des den Weg erhellenden Großvaters verlassen hatten. Sie hatte ohnehin nach einem Lagerplatz gesucht. Die Bäume würden den Rauch zerstreuen, sodass er von Weitem nicht zu sehen war. Sie könnte eine warme Mahlzeit kochen, ohne entdeckt zu werden. Als sie die Pferde in den Graben hinabführte, dachte sie bei sich, welch ein Glück sie doch hatte, unterhalb des Horizonts so eine geschützte Stelle gefunden zu haben, da hörte sie von der Wiese her Schreie.

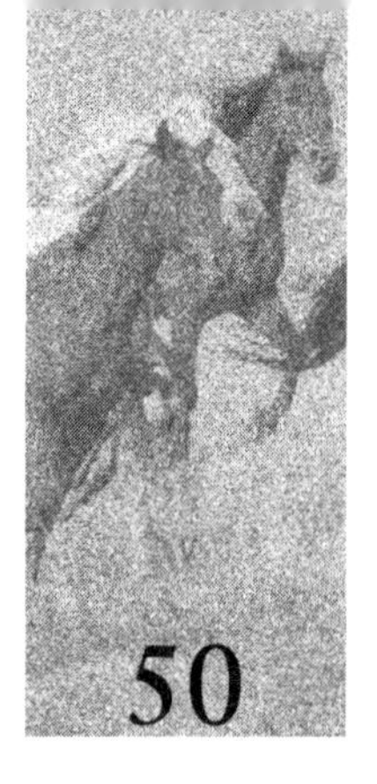

50

Bright Heart ließ die Packpferde zurück und trieb Apash Wyakaikt zu dem Lärm hin. Als die gesprenkelte Stute die Lichtung erreichte, lief sie in vollem Galopp, den dunklen Schwanz hinter sich ausgestreckt, und ihre kräftigen Beine legten mit jedem Schritt eine weite Strecke zurück. Am hinteren Ende der Wiese umzingelten zwei halbnackte Krieger einen Mann, der versuchte, sie von einem jungen Mädchen fernzuhalten, von dem Bright Heart annahm, es sei seine Tochter. Die beiden Messer schwingenden Krieger schienen sich Zeit zu lassen und sich einen Spaß daraus zu machen, indem der eine mit Stichen die Aufmerksamkeit des einzelnen Kriegers auf sich lenkte, während der andere ihm von hinten Schnitte zufügte. Blut rann über den muskulösen linken Arm des Vaters, doch er achtete scheinbar nicht darauf, sondern verteidigte sich und das Mädchen. Ein wenig abseits, bei einem kleinen Lagerfeuer, hielt ein dritter Krieger eine Frau fest an den langen schwarzen Haaren gepackt, die sich zu befreien versuchte.

Die Stute in vollem Lauf über die Lichtung jagend ritt Bright Heart direkt auf die beiden Messer schwingenden Krieger zu. Dicht vor ihnen stieß sie einen Kriegsruf aus: »HA-a-a ... E-e-e ... HA-a-a ... E-e-e ... E-e-e!«

Ganz auf den Kampf konzentriert, blickte der größere der beiden Krieger ungläubig auf, als er das Kriegsgeschrei hörte, da rannte der Appaloosa schon mit lautem Aufprall in ihn hinein und warf ihn zu Boden.

Bright Heart riss die Stute herum. Da sie den Krieger gekrümmt auf der Erde liegen sah, griff sie den zweiten Mann an. Doch er erwartete sie mit dem Messer in der Hand. Sie versuchte, Apash Wyakaikt zur Seite zu lenken, doch zu ihrem Entsetzen kam der Krieger mit erhobenem Messer auf die Stute zu. Als ihr klar wurde, dass die Zeit nicht ausreichte, um das Gewehr über dem Rist des Pferdes herumzuschwenken, stieß sie dessen Griff aus Walnussholz wie eine Lanze in Richtung des Kriegers. Sie spürte die Wucht des Schlages bis in ihre Oberarme, als die Rückseite des Gewehrkolbens in sein Gesicht krachte und ihn zu Boden warf.

Der dritte Krieger, der mit der linken Hand die Frau an den Haaren gepackt hielt, drückte sie zu Boden und riss die Muskete in seiner Rechten herum. Er hob den Lauf auf Schulterhöhe, zielte auf diesen Albtraum zu Pferde und betätigte den Abzug.

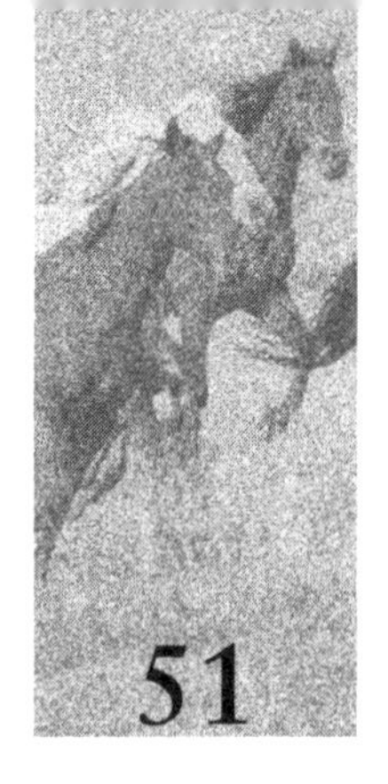

51

Der Krieger warf sie zu Boden und beim Aufschlagen von Schulter und Wange auf dem Gras durchfuhr die Frau ein scharfer Schmerz. Ohne zu wissen, was Bright Heart tat, rappelte sie sich gerade rechtzeitig wieder auf, um zu sehen, wie der Krieger mit seiner Muskete in Richtung ihres Mannes und ihrer Tochter zielte. Mit zornigem Aufschrei sprang sie dem Krieger auf den Rücken und krallte die Finger in seine Augen, genau in dem Augenblick, als er die Muskete abfeuerte.

Bright Heart hörte, wie der große Krieger, der wieder auf die Beine gekommen war, einen Schrei ausstieß. Sie wandte sich zu ihm um und sah, dass er sich den Arm hielt, wo ihn die Bleikugel getroffen hatte, die eigentlich für sie bestimmt gewesen war. Der kleinere Krieger, den sie ins Gesicht geschlagen hatte, hielt sich mit zugeschwollenem Auge vornübergebeugt die blutende und gebrochene Nase. Da der große Krieger mit dem Versuch beschäftigt war, den Blutfluss an seinem Arm zu stillen, ging Bright Heart auf den dritten Krieger los, der quer über die Lichtung auf sie geschossen hatte.

Als sich Klauen in sein Gesicht gruben, dachte Comes-Running im ersten Augenblick, eine Wildkatze griffe ihn an. Dann wurde ihm klar, dass die Frau es war, die er zu Boden geworfen hatte. Er packte ihre Handgelenke und zog ihre

Hände von seinem Gesicht weg, das nun mit blutigen Striemen übersät war. Voller Zorn, dass sie ihn beim Zielen unterbrochen und sein Gesicht zerkratzt hatte, zwang er sie in die Knie und wollte ihr die Arme brechen. Da er seine Wut an der Frau ausließ, bemerkte Comes-Running das angreifende Pferd erst, als der Appaloosa ihn schon fast erreicht hatte. Er schubste die Frau weg, um die Hände freizubekommen, und versuchte auszuweichen. Entsetzt erkannte er, dass der berittene Krieger eine Frau war, da rannte Apash Wyakaikt ihn auch schon über den Haufen.

Als er wieder aufstehen wollte, spürte er ein Stechen im rechten Arm, der seltsam verdreht herabhing. Er versuchte ihn zu bewegen, doch erneut ging ein scharfer Schmerz von der Stelle aus, wo der Knochen gebrochen war. Er hielt den gebrochenen Arm mit der anderen Hand an seine Brust und so gelang es ihm, auf die Beine zu kommen. Nun sah er die berittene Kriegerin auf dem gesprenkelten Pferd und wollte auf sie losgehen, bemerkte dann aber das Gewehr, das Bright Heart in den Händen hielt. In der Erwartung, dass jeden Moment auf ihn geschossen werden könne, wollte Comes-Running seinem Namen entsprechend eigentlich davonrennen. Doch dann erkannte er, dass er die Lichtung niemals unversehrt verlassen könnte, ohne dass ihn vorher ein Schuss in den Rücken träfe. Also nahm er allen Mut zusammen und beschloss, dem Tod ins Gesicht zu sehen.

Aber Bright Heart forderte alle drei Krieger nur mit einer Geste auf, sich davonzumachen, und sagte: »Lasst eure Waffen hier, geht und kommt nicht zurück. Mein Vater, Häuptling Bear Heart von den Nez Percé, wird bald mit seinen Kriegern hier sein, und sie würden eure Skalps nehmen. Sie sehen es nicht gern, wenn Mitglieder unseres Stammes angegriffen werden.«

Als die drei Männer von der Lichtung trotteten, murmelte der größere verwundete Krieger: »Wenn die Tochter von diesem Bear Heart schon so ein Albtraum ist, dann möchte ich es mit einem seiner Söhne lieber gar nicht erst zu tun bekommen.«

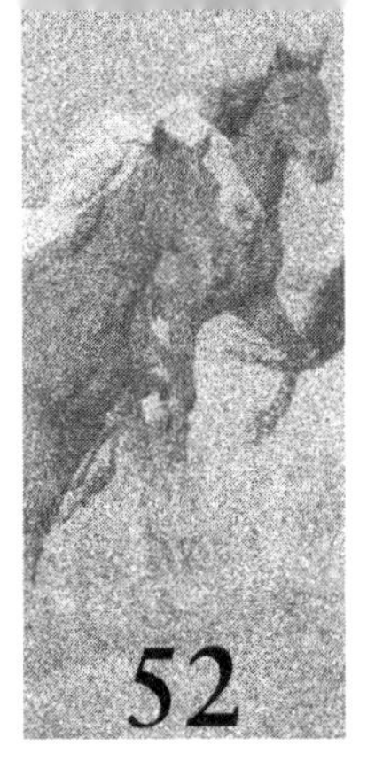

52

Tatanka ließ die Pferdeherde neben dem Weg grasen und ritt hinter das Wäldchen, wo er Bright Heart zurückgelassen hatte. Als er sah, dass sie fort war, saß er ab und untersuchte das Gelände. Was er entdeckte, verwirrte ihn. Dem Zustand der Spuren nach zu urteilen, war sie kurze Zeit nach ihm aufgebrochen, als er zurückgeritten war, um die Appaloosas von den räuberischen Crow zurückzuholen. Er wunderte sich, warum sie nicht gewartet hatte. Er hatte ihr gesagt, sie solle weiterziehen, wenn er nicht zurückkäme, doch über Nacht hätte sie auf ihn warten sollen. War etwas geschehen, was sie zum Aufbruch veranlasst hatte? Er saß wieder auf und folgte auf dem Rücken des Schecken ihrer Fährte, die zum Weg zurückführte.

Bei genauem Hinsehen erkannte er, dass ihre Fährte sich nach Norden wandte. Augenscheinlich war sie diesen Weg entlanggeritten, bevor die Gruppe von Reisenden mit der Schleppbahre hier in entgegengesetzter Richtung nach Süden gezogen waren.

Der Großvater begann schon am Himmel abwärts zu sinken, als Tatanka die Stelle fand, wo Bright Heart übernachtet hatte. Fast hätte er übersehen, wo sie vom Weg abgegangen war. Er war beeindruckt. Ihre Spuren waren kaum sichtbar, da sie eine felsige Stelle gewählt hatte, um sich ins Unterholz zu schlagen.

Die Lichtung hinter einem kleinen Wäldchen ähnelte der, auf der er sie zurückgelassen hatte. Am nächsten Morgen hatte sie erst am Rand des Pfades zwischen den Bäumen gewartet. Die Packpferde hatten das Gras zertrampelt, während sie sich vergewissert hatte, dass die Luft rein war. Er konnte sehen, wo die Packpferde auf den Weg eingebogen waren, der weiter nach Norden zu den Nez Percé und ihrem Dorf führte. Ihre Fährte wurde nun wieder von jener der Reisenden mit dem Travois überlagert. Dies sagte Tatanka, dass diese Reiter hier entlanggezogen waren, während Bright Heart noch geschlafen oder sie vom Schutz der Bäume aus beobachtet hatte.

Als er auf Bright Hearts Fährte dem Weg folgte, kreiste ein Paar Goldadler hoch über seinem Kopf am nahezu wolkenlosen Himmel. Die anmutigen Raubtiere beobachteten, wie sich der Zug der Vierbeiner durch die hügelige Landschaft schlängelte. Mit ihrem scharfen Sehvermögen, dem nicht die geringste Bewegung dort unten entging, segelten sie im Aufwind und hielten Ausschau nach Präriehunden und Kaninchen, die, von der vorbeiziehenden Schar gesprenkelter Pferde aufgeschreckt, bedauernswerterweise ihr Versteck verließen.

Als Tatanka zu einer Stelle gekommen war, wo er die Pferde über Nacht stehen lassen konnte, bekam er Zweifel, ob er es schaffen würde, die Herde ohne Bright Hearts Hilfe bis zu den Jagdgründen der Nez Percé zu bringen. Nachdem er die Pferde von den Crow zurückgestohlen hatte, hatte er sie ohne Schwierigkeiten auf dem Weg, den sie gekommen waren, wieder zurücktreiben können. Auch war es ihm relativ leicht gefallen, dem Lauf des Snake River nach Westen folgend die Pferde beisammenzuhalten. Doch als er mit ihnen vom Fluss fort nach Norden zu der Stelle hin schwenkte, wo er Bright Heart zurückgelassen hatte, gestaltete sich diese Aufgabe schon schwieriger. Da er davon ausgegangen war, es würde leichter werden, wenn sie ihm half, hatte er durchgehalten und die Pferde bis zu ihrem Lagerplatz gebracht.

Nun jedoch, ohne Bright Heart und ohne zu wissen, ob er sie einholen würde, konnte er die Pferde nur noch mit großer Mühe zusammenhalten. Es war, als versuche man, zwei Pferdeherden auf einmal zu leiten. Obgleich die Appaloosa-Stute den gescheckten Hengst nicht länger tätlich angriff, weigerte sie sich nach wie vor, sich ihm unterzuordnen. Als Tatanka versuchte die Herde zu führen, indem er mit Face Paint an der Spitze ritt, ließ sich die Matriarchin langsam zurückfallen und sonderte sich ab, wobei sie einige ihrer treuen Anhänger mitzog.

Nachdem er die Stute eingeholt hatte, warf er ihr eine Schlinge über den Kopf und führte sie an die Spitze des Zuges, wo er sie wieder losband und auf den Weg lenkte. In der Hoffnung, dass die anderen Pferde ihr folgen würden, bildete er nun die Nachhut und lenkte die Herde vom Ende des Zuges her.

Seine neue Strategie schien erfolgreich zu sein, denn beide Pferdescharen liefen der Stute nach. Je länger die Herde in einer Reihe hinter der Stute weiterzog, umso zuversichtlicher wurde er, mit dieser Methode ans Ziel zu kommen. Tatanka freute sich schon, was für eine hervorragende Idee es doch gewesen war, der Leitstute wieder die Führung zu übertragen, als er um eine unübersichtliche Wegbiegung ritt und auf einmal feststellen musste, dass die Stute und mehrere ihrer Getreuen verschwunden waren.

Bis er die fehlenden Pferde gefunden und zum Weg zurückgebracht hatte, hatten sich die restlichen Tiere der

Herde zerstreut und knabberten an Disteln, Dornbüschen, Löwenzahn und Gräsern. Da ihm klar war, dass sie sich seit dem Aufbruch zu dieser Reise hauptsächlich nur von Wiesengras ernährt hatten, ließ er sie weiter von den Kräutern fressen, die Nährstoffe lieferten, die in Gras nicht enthalten waren.

Nachdem Face Paint wieder Anführer der Herde geworden war, merkte Tatanka, dass er nun Schwierigkeiten hatte, auf seinem Rücken aus der Herde ausscherende Tiere zurückzuholen. Jedes Mal, wenn er sich von den Pferden entfernen wollte und erwartete, dass sie geradeaus weitergingen, verließen sie den Weg und liefen dem Schecken hinterher. Also wechselte er die Pferde und ritt auf der Stute hinter Face Paint, der die Herde den Weg entlangführte. Diese neue Vorgehensweise schien zu funktionieren. Wann immer ein Pferd ausscherte, liefen die anderen weiterhin Face Paint nach, während er selbst auf dem Rücken der Stute das auf Irrwege geratene Pferd wieder zurück in die Reihe trieb.

Drei Tage lang folgte er Bright Hearts Spuren in nordwestlicher Richtung durch ein Gebiet, das heute Idaho genannt wird. Am Grund einer Bodensenke, wo ein viel bereister Weg nach Südwesten abzweigte, hielt er an und saß ab, um die Hufspuren in der feuchten Erde zu untersuchen. Er hatte gehofft, sie einzuholen, aber im Gegenteil, dem Alter der Fährte nach zu schließen, war sie zügig vorangekommen und hatte immer mehr an Vorsprung gewonnen. Sie war weiter von ihm entfernt als zu dem Zeitpunkt, da er ihre Fährte aufgenommen hatte.

Er schwang sich wieder auf den Rücken der Appaloosa-Stute und begann die Herde aus der Senke zu treiben, als direkt vor ihm auf einmal eine Schar berittener Krieger auftauchte. Er zählte siebzehn Männer. Ihren Mienen und der Art, wie sie ihre Waffen hielten, nach zu schließen, waren sie nicht ausgezogen, um neue Freundschaften zu knüpfen.

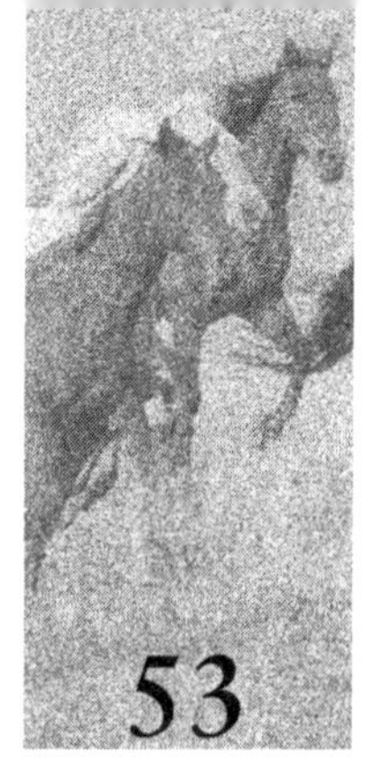

53

Ängstlich beobachtete die Frau, wie die drei verwundeten Krieger die dämmerige Lichtung verließen, die nur noch von der Glut des Lagerfeuers erhellt wurde.

»Danke, dass du mir das Leben gerettet hast«, sagte Bright Heart zu ihr. »Wenn du ihn nicht beim Zielen gestört hättest, hätte er mich erschossen.«

»Ich bin es, die dir zu danken hat«, antwortete die Frau und hielt sich den Arm. »Wenn du nicht dazugekommen wärst, hätten sie uns getötet oder noch Schlimmeres.«

»Hat er dich verletzt?«

»Ich habe mir die Schulter geprellt, als er mich zu Boden geschleudert hat, aber es ist nichts Ernstes«, antwortete sie und schauderte beim Gedanken an die Hände des Kriegers auf ihrem Leib. Hätte *sie* das Gewehr gehabt, hätte sie den Mann erschossen. Aber sie fragte nur: »Und wenn sie zurückkommen?«

»Sicher nicht«, unterbrach der große kräftige Krieger, der auf sie zukam. »Nachdem er sie derart verjagt hat.«

Als er sich dem Fremden zuwandte, fiel Burnt Hand auf, wie klein dieser war. Als das Pferd in die zwei Krieger hineingerannt war, war Burnt Hand so sehr damit beschäftigt gewesen, deren Angriffe abzuwehren, dass er nur wahrgenommen hatte, wie sich ein Krieger zu Pferde in den Kampf gegen die drei Männer einschaltete.

Er setzte an, dem Krieger zu danken: »Wir schulden dir unseren Dank. Wenn du nicht eingegriffen hättest …«, da rissen die Wolken auf. Burnt Hand hielt inne und stand mit halb offenem Mund ungläubig da, als der Mond und die Sterne ihm zeigten, dass der Fremde, der da eben drei Krieger verjagt und ihm das Leben gerettet hatte, eine Frau war.

»Ich meine …«, wie unter Schock begann Burnt Hand zu stottern, »danke … du … hast geholfen, unser Leben zu retten.« Und weil es ihn verlegen machte, dass eine Frau die Angreifer vertrieben hatte, fügte er rasch hinzu: »Ich kenne Bear Heart. Du sagst, dass dein Vater und seine Krieger bald kommen. Wie weit sind sie hinter dir? Ich war schon mit ihm auf der Jagd. Diese drei Krieger können von Glück sagen, wenn sie bei seinem Eintreffen weit weg sind.«

»Ich habe nur behauptet, dass mein Vater kommt, um ihnen Angst einzujagen,damit sie nicht wiederkommen«, antwortete Bright Heart.

»Häuptling Bear Heart ist nicht bei dir? Mit wem reist du denn dann?«, fragte er.

»Ich reise allein.«

»Selbst so nahe bei den Jagdgründen der Nimipu ist es gefährlich für dich, allein zu reisen. Wo ist Bear Heart, dass seine Tochter so weit von ihrem Dorf entfernt ohne Begleitung unterwegs ist?«

»Ich wurde von Atsinas auf Pferderaubzug gefangen genommen und kehre nun zu meinem Dorf zurück.«

»Die Atsinas haben dich gefangen genommen? Wie bist du ihnen entflohen?«, fragte er mit Blick in die Richtung, aus der sie gekommen war.

»Ich hielt Wache bei den Pferden, als die Atsinas sie geraubt haben und mich mit über die Shining Mountains nahmen. Dann stahl Tatanka den Atsinas die Pferde und half mir, zu entkommen.«

»Wer ist dieser Tatanka und wie ist es dir gelungen, über eine solche Entfernung allein zurückzukehren, ja sogar die Shining Mountains zu durchqueren?«, fragte Burnt Hand anerkennend.

»Tatanka ist ein Lakota-Krieger. Wir waren auf dem Weg, die Herde in mein Dorf zurückzubringen, als eine Bande Crow uns die Pferde abgenommen hat. Tatanka ließ mich mit den Packpferden zurück, während er den geraubten Appaloosas folgte.«

Als sie die Situation zu erklären versuchte, ging ihr auf, dass sie Tatankas Verhalten vielleicht fehlgedeutet hatte. *Er hat den Crow nicht gestattet, die Pferde zu nehmen, weil er Angst vor ihnen hatte – sondern um mich zu beschützen. Ich hätte dort bleiben sollen, wo er mich zurückgelassen hat. Er hatte vor, mit den Pferden wiederzukommen. Als er gesagt hat, ich solle weiterziehen, wenn er nicht zurückkäme, war das wahrscheinlich nicht deshalb, weil er nicht vorhatte wiederzukommen, sondern nur für den Fall, dass er dazu nicht in der Lage wäre.*

»Ich bin Burnt Hand von den Nimipu, Turtle-Clan. Meine Frau heißt Rain Bird und dies ist unsere Tochter Red Squirrel. Wir haben den Clan meiner Frau besucht und sind auf dem Heimweg zu unseren Jagdgründen im Wallowa Valley im Nordwesten.«

»Ich bin Bright Heart vom Clearwater-Clan der Nimipu«, antwortete sie. »Meine Heimat liegt beim Salmon River im Norden.«

»Es wäre sicherer für dich, wenn wir zusammen reisen, bis unsere Wege sich trennen«, sagte Burnt Hand, ungeachtet der Tatsache, dass *sie* ihn gerettet hatte.

Als Bright Heart mit den Packpferden zum Lagerfeuer zurückkam, dachte sie an Tatanka und dass es ein Fehler gewesen war, den Lagerplatz zu verlassen, zu dem er inzwischen sicher zurückgekehrt wäre – falls er noch lebte.

Nachdem sie den folgenden Tag gemeinsam gereist und eine zweite Nacht zusammen kampiert hatten, bedauerte Bright Heart es, dass sie sich am folgenden Morgen verabschieden und getrennter Wege ziehen mussten. Sie hatte sich nicht nur sicherer gefühlt, sondern die Gespräche mit Rain Bird hatten sie auch davon abgelenkt, darüber nachzugrübeln, welch schweren Fehler sie gemacht hatte.

* * *

Auf der Anhöhe des Hügels, von der aus man das Tal überblickte, musste Bright Heart sich sehr beherrschen, mit Flint Necklace nicht den grasigen Abhang zu den verstreut am Flussufer stehenden, vertrauten Tipis hinabzurasen. So viele Male hatte sie sich seit ihrer Gefangennahme gefragt, ob sie wohl je heimkehren würde. Nun war sie zurück und ihr liefen Tränen über die Wangen. Als sie die Menschen beobachtete, die zwischen den wohlbekannten Zelten umhergingen, erkannte sie ihre Mutter. Sie kochte etwas an dem Herdfeuer nahe bei ihrem Tipi. Bright Heart beugte sich vor, tätschelte den Hals ihres Appaloosas und sagte: »Lass uns nach Hause gehen.« Dann lenkte sie die Stute im Trab den Abhang hinab.

Ein schwarz-weißer Hund bemerkte die herannahende Reiterin als Erster. Er raste zu einer unsichtbaren Grenzmarke, die das Revier des Lagers umschloss, und stimmte einen lärmenden Willkommensgruß an, der bald um ein Vielfaches lauter wurde, als die anderen Lagerhunde mit einfielen. Von ihren häuslichen Pflichten aufblickend, hob Singing Bird, Bright Hearts Mutter, gerade rechtzeitig den Kopf, um den einzelnen Reiter den Hügel hinab und aufs Lager zureiten zu sehen. Zuerst dachte sie, es wäre ein heimkehrender Krieger. Als das Pferd dann näher kam, merkte sie, dass die Person für einen Krieger zu klein war. Sie erkannte Pferd und Reiter im gleichen Moment. Es war ihre Tochter.

Singing Bird, eine sonst eher zurückhaltende Frau, ließ den Topf aus den Händen fallen, rannte auf die näher kommende Reiterin zu und rief so laut: »Bright Heart! Bright Heart!«, dass sie die Hunde erschreckte. Die Tränen flossen bereits, ehe sie einander erreichten. Bright Heart glitt von Apash Wyakaikts Rücken und warf die Arme um ihre Mutter.

Als sie eng umschlungen ins Lager kamen, riefen die Dorfbewohner: »Bright Heart ist wieder da!«, und umringten die heimgekehrte Häuptlingstochter.

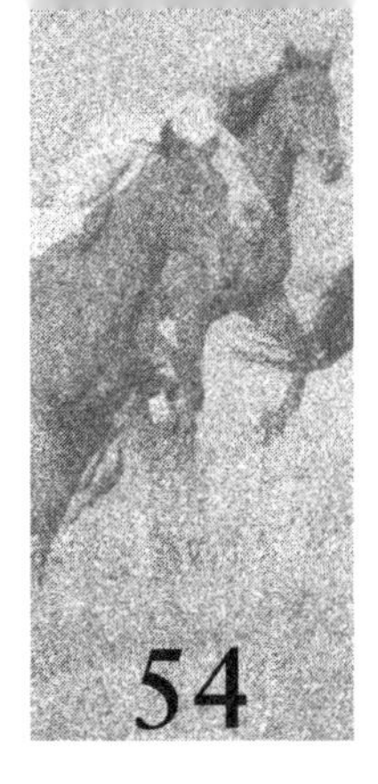

54

Als sie den Biberteich hinter sich ließ, blickte Tacincala noch einmal zurück und ihre Augen funkelten noch mehr als die sich auf der Oberfläche des Wassers spiegelnden goldfarbenen Espenblätter, die wie Edelsteine schimmerten. Tage später, nachdem sie sich durch die Absaroka Range der Rocky Mountains gekämpft hatten, war das Leuchten in ihren Augen noch immer zu sehen.

Als die drei Reiter in das weite, schneebedeckte Tal hinausritten, kam ihnen der Mann entgegen, der das Strahlen in ihre Augen gezaubert hatte. Frenchie hatte eine Gruppe Reisender bei ihrem Lager weiter unten im Tal ausgekundschaftet. Jetzt zügelte er seinen Rappen und erklärte Jeremiah, der bei den beiden Frauen geblieben war: »Du hattest recht, es sind fünf weiße Männer. Du musst Augen haben wie ein Falke. Einer ist der jüngere Bruder von Sublette und einer ist Jim Bridger. Die anderen kennt Frenchie nicht. Die Krieger sind Absaroka oder Crow, wie du vermutet hast. Es sind zehn Krieger und zwei Frauen.«

»Wenn Milt und Jim dort sind, wollen wir uns mal dazugesellen«, sagte Jeremiah und lenkte sein Pferd ins Tal hinab.

Kurze Zeit später riefen die vier Reiter einen Gruß ins Lager und wurden von Bridger und den anderen Trappern willkommen geheißen.

»Na, wenn das nicht Whispering Johnson und Frenchie sind. Kommt rein und setzt euch zu uns. Wir wollten gerade etwas Wildbret essen, von dem Hirsch, den Yellow Wolf geschossen hat«, sagte der junge *Mountain Man* und zeigte auf einen Braten über dem Feuer, dessen köstlicher Duft über die Lichtung wehte.

Nachdem man sich miteinander bekannt gemacht hatte, saßen alle ums Feuer herum und aßen Scheiben heißen Wildbrets, die sie sich immer wieder abschnitten, während das Bratenfett zischend auf die heißen Kohlen tropfte.

»Hab deinen Bruder getroffen, auf der anderen Seite der Absaroka Range. Hat erzählt, er erwartet dich«, sagte Jeremiah zu Milt.

»Wir waren auf dem Weg zu Bill in Ashleys Winterlager, als es so aussah, als würde sich auf dieser Seite der Absarokas ein Unwetter zusammenbrauen. Da haben wir beschlossen, hier in dem Tal zu bleiben und abzuwarten, bis es vorüber ist.«

Er zeigte in Richtung der Berge und fragte: »Ich sehe, ihr kommt gerade von dort. Wie sind die Wege in den höheren Lagen?«

»Der Schnee ist jetzt ein wenig geschmolzen, aber so wie es aussieht, müssen Tatanka und Bright Heart diesseits des Bergkammes in das Unwetter geraten sein«, erwiderte Jeremiah.

Bridger ging zum Feuer hinüber, um sich noch eine Scheibe Fleisch abzuschneiden, und sagte: »Wir sind Tatanka und seiner Nez-Percé-Frau vor drei Tagen in diesem Tal hier begegnet. Sie waren mit einer Herde Appaloosas zu ihrem Dorf unterwegs.«

Ganz offensichtlich neugierig, warum Jeremiah seinem Freund mit der Herde nicht half, trat Bridger von einem

Fuß auf den anderen und bemühte sich, dem ungeschriebenen Gesetz der *Mountain Men* entsprechend, nicht nachzubohren. Die Mitglieder des als Gebirgsmänner bekannten Menschenschlags kamen aus allen Gesellschaftsschichten. Einige waren hoch gebildet, aber viele konnten weder lesen noch schreiben. Eines jedoch war ihnen gemeinsam: Sie stellten niemals neugierige Fragen nach der Vergangenheit oder den persönlichen Verhältnissen eines anderen. Um in einer unwirtlichen und gefährlichen Umgebung zu überleben, mussten sie einander respektieren und vertrauen. Die Privatangelegenheiten eines Einzelnen waren nicht im Entferntesten so wichtig wie seine momentanen Beziehungen zu den Arbeitskameraden. Von ihrem Miteinander konnte das Leben abhängen und dabei konnten die besten Seiten eines Mannes zum Vorschein kommen oder manchmal auch die schlechtesten.

Ohne gefragt worden zu sein, sagte Whispering Johnson: »Wir waren gemeinsam unterwegs, bis wir Frenchie gefunden haben, den man in den Rücken geschossen und für tot liegen gelassen hatte. Wir wussten nicht, wie lange es dauern würde, bis er sich erholt, oder ob er es überhaupt schafft. Also haben wir beschlossen, dass Tatanka und Bright Heart mit den Pferden weiterziehen und versuchen sollten, sie durch die Berge zu bringen, bevor wir eingeschneit werden. Dank Mahtowins und Tacincalas Medizin«, sagte er und deutete auf den Franzosen, »ist unser Freund so weit genesen, dass er wieder reisen kann. Kann natürlich auch daran liegen, dass er etwa so hart im Nehmen ist wie eine Eiche.«

Jeremiah leckte sich das Fett von den Fingern und meinte: »Vielen Dank für die Gastfreundschaft. Wir würden gern länger bleiben, aber es sieht so aus, als hätten wir eine

Chance, sie einzuholen. Wenn sie vor drei Tagen erst hier waren, kommen wir schneller voran als die Herde. Schätze, die beiden könnten beim Heimtreiben der Pferde unsere Hilfe brauchen.«

Bridger nickte zu dem Crow-Krieger hinüber und sagte: »Yellow Wolf und seine Leute sind Tatanka ebenfalls begegnet.«

Jeremiah waren die seltsam gestutzten Haare der Krieger zwar aufgefallen, gesagt hatte er jedoch nichts dazu. Jetzt vermutete er, dass der Haarschnitt wohl die Folge eines Zusammentreffens mit Tatanka war. So leise, dass Bridger Mühe hatte, ihn zu verstehen, sagte der alte Gebirgsmann: »Ich sehe keine Verletzungen, aber so wie ihre Haare ausschauen, nehme ich an, die Begegnung war nicht gerade erfreulich.«

Bridger fiel ein, warum man ihn Whispering Johnson nannte, und er wollte etwas einwerfen, doch Jeremiah fuhr fort: »Das Einzige, was mich davon abhält, ihnen die Haare ganz abzuschneiden, ist, dass ich keine Appaloosas sehe. Von daher gehe ich davon aus, dass Tatanka noch im Besitz seiner Skalplocke und auch der gesprenkelten Pferde ist, die Bright Heart und er zu den Nez Percé zurücktreiben wollen.«

Als er merkte, dass Jeremiah zu flüstern aufgehört hatte, entspannte sich Bridger etwas und wusste, dass der ergraute Trapper für die Crow keine Bedrohung mehr darstellte. Doch er informierte ihn rasch.

»Comes-Looking ist mit Travis verheiratet«, sagte er und zeigte auf die ältere der beiden Indianerfrauen. »Sie ist Yellow Wolfs Schwester.

Yellow Wolfs Gruppe kam von einem Pferderaubzug zurück, als sie uns zufällig trafen und wir beschlossen hatten, das Unwetter gemeinsam abzuwarten«, fügte Bridger hinzu.

»Sieht so aus, als wären sie bei ihrem Pferdediebstahl schlecht weggekommen«, sagte der große Gebirgsmann mit breitem Grinsen, denn nun wusste er, dass Tatanka die Oberhand behalten hatte.

In gedämpftem Tonfall, obwohl er wusste, dass Yellow Wolf kein Englisch verstand, sagte Bridger: »Soviel Comes-Looking unserem Travis erzählt hat, waren Yellow Wolfs Leute auf dem Rückweg mit einer Herde gestohlener Appaloosas und haben den Fehler gemacht, Tatanka seine Pferde wegzunehmen, als sie ihm über den Weg liefen.«

»Dann haben sie also die Pferde von …«, sagte Jeremiah, doch Bridger unterbrach ihn und spritzte ein bisschen Wasser aufs Feuer.

»Sie haben die Pferde an sich genommen, aber sie sagen, Spirit Walker hat die Herde zurückgestohlen und auch alle anderen Appaloosas, die sie erbeutet hatten«, erklärte Bridger.

»Das klingt ganz nach Tatanka«, sagte der große *Mountain Man* glucksend. »Erst lässt er sie in dem Glauben, sie hätten all die Sprenkelpferde, und dann dreht er den Spieß um und klaut ihnen die ganzen Gäule direkt unter der Nase weg.«

»Er muss ja etwas ganz Besonderes sein«, antwortete Bridger und erinnerte sich an die Geschichten, die er gehört hatte. »Irgendwie hat er sie bewusstlos gemacht, sie gefesselt und ihre Haare zusammengeflochten. Als sie aufgewacht sind, waren ihre Köpfe im Kreis zusammengebunden. Er hatte ihnen die Hände hinterm Rücken gefesselt, die konnten sie nicht gebrauchen. Also haben sie versucht, die Köpfe auseinanderzuziehen, aber dadurch haben sich die Zöpfe nur noch fester gezogen. Am Ende hat Tall Stork das Messer gesehen, das Tatanka in einem Baumstumpf hat stecken lassen, und vorgeschlagen, sie sollten sich um den brusthohen Baumstamm scharen und die Köpfe über das Messer beugen, das senkrecht im Holz steckte. Sie haben ganz schön lange dafür gebraucht, aber indem sie die Haare an die Messerschneide gepresst und die Köpfe auf und ab bewegt haben, konnten sie sich schließlich voneinander losschneiden. Deshalb sind ihre Haare so verschnitten.«

Jeremiah sagte: »Ich hab mich schon gewundert, warum sie so aussehen. Konnt mir nicht vorstellen, dass sie sich freiwillig so verunstaltet hätten.«

Mit unterdrücktem Lachen schilderte Bridger weiter die missliche Lage der Crow: »Dann hatten sie aber Schwierigkeiten, ihre Hände freizubekommen, die er ihnen hinterm Rücken gefesselt hatte, weil das Messer so weit oben war. Tall Stork, der Größte von ihnen, hat die Riemen schließlich durchgeschnitten, indem er sich mit dem Rücken an den Baumstumpf gestellt und vornübergebeugt die Arme nach hinten gehoben hat, sodass er die Fesseln an der Messerschneide durchsägen konnte. Dann hat er die anderen losgeschnitten. Obwohl er beide Pferdeherden mitgenommen hatte, war Tatanka so tollkühn, ihnen ihre eigenen Reitpferde dazulassen. Yellow Wolf wollte der Herde hinterher, aber die anderen Krieger meinten, die Geister der Anasazi seien aufseiten des Spirit Walker, und sie wollten nichts mehr mit ihm zu schaffen haben.«

* * *

Als es dunkel wurde, kampierten die vier Reisenden beim Eingang zu dem Kastental, wo auch Bright Heart mit Tatanka vorbeigekommen war und wo später die Crow gelagert hatten. Neben dem Feuer auf seiner Schwarzhorn-Robe ausgestreckt, entspannte sich Frenchie und genoss die zärtliche Berührung von Tacincalas Händen, als sie seine Wunde mit Holunderbalsam bestrich. Als sie sah, dass die Verletzung neu geblutet hatte, sagte sie zu ihrem zukünftigen Mann: »Du musst vorsichtiger sein. Durch das viele Reiten hat sich die Wunde geöffnet. Wenn du nicht aufpasst, wird es wieder schlimmer werden. Die Rötung ist zwar verblasst, aber die Entzündung könnte wieder aufflammen.«

Nachdem sie den Verband gewechselt hatte, wickelte sie wieder den Lederstreifen zur Befestigung um Frenchies Bauch. Nach wie vor staunte sie, wie er es schaffte, sich keinerlei Unbehagen anmerken zu lassen, obwohl er doch von der Schusswunde noch immer starke Schmerzen haben musste. Ebenso sehr staunte sie, wie rasch er sich erholt hatte. Innerhalb einer Woche hatte er mit den zunächst weitgehend gefühllosen Beinen wieder zu laufen begonnen. Nachdem sie das Band um seinen muskulösen Körper befestigt hatte, wartete sie einen Augenblick, weil sie hoffte, er würde sie in die Arme nehmen. Als er ihre Hand berührte, begann ihr Herz so laut zu klopfen, dass sie ganz rot wurde. Dann ließ er sie los, sagte im Aufstehen: »*Merci*«, und verschwand in der Dunkelheit.

Sie verstaute die Salbe in einer der Satteltaschen und fragte sich, wohin er wohl gegangen sei. Seit der Franzose sie gebeten hatte, seine Frau zu werden, war Tacincala so glücklich wie nie zuvor. Sie dachte darüber nach, ob sie ihm hinterhergehen und ihn überraschen solle, indem sie den Kuss erwiderte, den er ihr gegeben hatte, als sie ihm sagte, sie wolle ihn heiraten. Sie hatte mit seinem Kuss nicht gerechnet und er war vorüber gewesen, ehe sie darauf hatte reagieren können.

Er war zu ihrer Mutter und Jeremiah gegangen und hatte ihnen gesagt, er wolle sie heiraten und dass er sie lieben und für sie sorgen wolle, so lange er lebte. Er hatte ihnen auch erzählt, dass man ihn des Mordes an seiner Frau beschuldigt hatte und wie er nach Amerika geflohen war. Nach einem langen Gespräch hatten Jeremiah und Frenchie sich über die Heirat geeinigt.

Tacincalas Augen leuchteten, wenn sie ihn ansah. Sie konnte nicht anders, als glücklich sein, seit er sie in ihrem Lager beim Biberteich gefragt hatte, ob sie seine Frau werden wolle. Sie wollte die ganze Zeit in seiner Nähe sein. Er war so anders als die Jungen, die Interesse an ihr bekundet hatten. Obwohl er um so vieles reifer war und ihr ein Gefühl der Sicherheit gab, war er ausgelassen gewesen und hatte mit ihr gescherzt, selbst als er schlimme Schmerzen gehabt hatte. Er neckte sie, indem er sie *belle femme* nannte, was, wie sie herausgefunden hatte, »schöne Dame« bedeutete.

Sie genoss die Tage in seiner Nähe und wünschte, sie würden nie enden, doch in den langen Nächten, in denen sie ihm gegenüber am Lagerfeuer schlief, wünschte sie sich, recht bald zu Bright Hearts Dorf zu gelangen, wo Frenchie und sie Hochzeit halten würden.

Ihr fiel wieder ein, was ihre Mutter vor seinem Antrag zu ihr gesagt hatte.

»Es ist gut, wenn du den Franzosen wissen lässt, wie du empfindest, aber besser ist es, wenn du dir erst von dem Franzosen sagen lässt, was *er* fühlt. Wenn du eine kluge Frau bist, lässt du ihm Zeit, um herauszufinden, welche Gefühle er für dich hegt.«

Tacincala hoffte, ihm die Entscheidung überlassen zu haben. Sie wusste, dass bis zur Heirat von ihr Zurückhaltung erwartet wurde. Doch jung wie sie war und zum ersten Mal richtig verliebt, fiel es ihr schwer, ihre Liebe nicht allzu offen zu zeigen.

In der Dunkelheit außerhalb des Feuerscheins stehend, atmete Frenchie tief die kühle Nachtluft ein und beobachtete, wie Tacincala das Schwarzhornfell verließ, auf dem er mit ihr gesessen hatte. Als er ihre geschmeidigen Bewegungen sah, spürte er, wie stark er sich zu ihr hingezogen fühlte. Seit er den Mut aufgebracht hatte, sie zu bitten, seine Frau zu werden, hatte er nachts kaum noch schlafen können, weil sie jenseits der glühenden Holzkohle des Lagerfeuers ihm gegenüber lag. Zum ersten Mal, seit er in den Westen gekommen war, wünschte er, die Zeit würde schneller vergehen und sie würden bald das Dorf der Nez Percé erreichen.

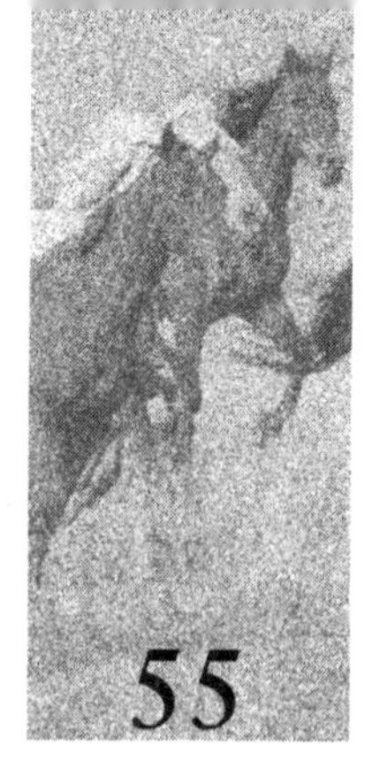

55

Singing Bird sagte: »Ich weiß, du findest, du hättest dort bleiben und warten sollen, aber du kannst nicht zurück. Allein wäre es zu gefährlich. Dein Vater wird bald mit den anderen Kriegern wiederkommen. Sie werden ausziehen und nachsehen, was aus dem Lakota und den Pferden geworden ist.«

»Sein Name ist Tatanka und es kann noch Tage dauern, bis Vater zurückkommt«, erwiderte Bright Heart. »Wenn es Tatanka gelingt, die Pferde von den Räubern der Crow zurückzuholen, wird er beim Führen der Herde Hilfe brauchen.«

Ihre Mutter fragte: »Wie kann ein Krieger die Herde ... wie viele sagtest du, waren es ... zehn Räubern wegnehmen? Selbst wenn er nur ein paar Pferde zu stehlen versucht, würde er so vielen Kriegern damit niemals entkommen.«

»Er hat mich vor den Atsinas gerettet und die Pferde zurückgeholt, die sie aus unserer Herde geraubt hatten«, sagte Bright Heart.

Doch sie wusste, dass sie den Wortwechsel verloren hatte, als ihre Mutter entgegnete: »Ich bin dankbar, dass er dich von den Atsinas befreit hat. Doch selbst wenn du es schaffen würdest, zu ihm zurückzufinden, würdest du durch seinen Versuch die Pferde zu stehlen, in noch größere

Gefahr geraten. Nächstes Mal nehmen die Crow dich womöglich gefangen. Nein, es kommt überhaupt nicht infrage, dass du gehst. Wie ich schon sagte, dein Vater kann nach ihm und den Pferden suchen, wenn er zurückkommt.«

Bright Heart wusste, dass alle weiteren Einwände zwecklos wären. Wenn ihre Mutter einmal eine Entscheidung getroffen hatte, war sie davon kaum jemals wieder abzubringen. Bright Heart tat so, als würde sie sich dem Willen ihrer Mutter beugen, und half weiter bei der Verarbeitung des Lachses, den diese gefangen hatte.

Singing Bird sah zu, wie ihre Tochter den Lachs ausnahm und ihn zum Räuchern auf das Weidengestell legte. Die Jahreszeit, um Lachs für die Wintervorräte zu räuchern, ging zu Ende. Sie hatte sich schreckliche Sorgen gemacht, als Bright Heart von den Pferdedieben entführt worden war. Bear Heart hatte ihre Fährten bis zu den Shining Mountains verfolgt, war aber kurze Zeit später unverrichteter Dinge zurückgekehrt. Leider hatte ein Schneesturm ihm den Weg versperrt, sodass jede weitere Verfolgung der Räuber unmöglich war. Der Gedanke, ihre Tochter womöglich nie wieder zu sehen, hatte Singing Bird schwer belastet. Doch seit Bright Hearts Rückkehr an diesem Morgen war ihr ein Stein vom Herzen gefallen. Sie war so glücklich, Bright Heart wiederzuhaben, dass sie sie kaum noch aus den Augen ließ.

Nachdem sie ihre Tochter einmal fast verloren hätte, würde Singing Bird dies nicht noch einmal zulassen. Sie würde ihr nicht erlauben, allein nach dem Krieger zu suchen, der sie gerettet hatte, den sie liebte und heiraten wollte. Sie hatte gesagt, er sei ein Lakota. Singing Bird wusste kaum etwas über die Lakota, außer dass sie jenseits der Shining Mountains in den weit bis nach Osten reichenden

Plains lebten. Wenn die beiden heirateten und dort wohnten, würde sie ihre Tochter oder etwaige Enkelkinder so gut wie nie zu Gesicht bekommen.

Als sie Bright Heart über die Lakota befragte, sagte sie, Tatanka lebe nicht bei seinem Stamm, sondern allein am Rand der Shining Mountains. Als sie sich nach Tatanka erkundigte, sagte Bright Heart: »Er ist der sanfteste und fürsorglichste Mann, dem ich je begegnet bin. Ich fühle mich so sicher und geborgen bei ihm.«

Singing Bird war beunruhigt über diesen seltsamen Krieger, der allein lebte. War er ein Ausgestoßener seines Stammes? Sie fragte sich, wie er fernab von ihrer beider Familien für ihre Tochter sorgen und sie beschützen könnte. Bright Heart hatte gesagt, die gestohlene Herde Appaloosas, die sie zurückbringen wollten, sei ihnen von einer Bande Crow abgenommen worden. Sie wunderte sich, warum er den Crow erst kampflos die Pferde überließ, dann aber versuchte, sie wiederzuholen. Doch Singing Bird sagte nichts weiter, denn es hatte den Anschein, als akzeptierte ihre sonst so eigensinnige Tochter ihre Entscheidung. Vielleicht war sie während ihrer Abwesenheit reifer geworden.

Singing Bird und Bear Heart hatten Bright Heart nicht gezwungen, einen der vielen Heiratsanträge anzunehmen, die sie schon erhalten hatte, obgleich mehrere der Bewerber annehmbare Ehemänner abgegeben hätten. Cunning Fox war einer von ihnen. Er war nach ihrer Entführung mit Bear Heart auf die Suche nach Bright Heart gegangen. Als sie wegen des vom Schnee blockierten Gebirgspasses umkehrten, hatte er gesagt, er würde ihrer Spur erneut folgen, sobald der Schnee so weit geschmolzen war, dass man die Berge überqueren konnte. Bear Heart hatte erklärt: »Wer auch immer meine Tochter findet und sie zurückbringt, dem werde ich erlauben, sie zu heiraten.«

Seine Worte galten aber doch sicherlich nur für Nez-Percé-Krieger und nicht für diesen Fremden, überlegte Singing Bird. Sie würdigte es, dass er ihre Tochter befreit hatte, aber sie fand, Bright Heart solle innerhalb ihres eigenen Stammes heiraten, einen Krieger, der den Werten der Nimipu entsprach.

***

Okiyáka Ooyáke, die alte Geschichtenerzählerin, sah Little Raven mit ihren blinden Augen an, die hinter dem Sichtbaren Verborgenes schauten, und hielt inne. Dann sagte sie zu der im großen Zelt versammelten Zuhörerschar: »Wir alle haben immer wieder die Wahl. Unsere Geschichte gestaltet sich aufgrund der Entscheidungen, die wir treffen. Was ganz nebensächlich zu sein scheint, kann oft eine Wende unseres Schicksals herbeiführen.«

***

An dieser Stelle traf Bright Heart eine Entscheidung, die sie später vielleicht bereuen würde …

Ich hätte auf ihn warten sollen, dachte sie. *Wenn er verletzt ist, braucht er mich, und ich muss mich um ihn kümmern. Ich hasse es, Mutter gegenüber unaufrichtig zu sein, aber ich habe keine andere Wahl. Ich ziehe los, sobald es dunkel wird, dann kann ich mich davonmachen, ohne dass man mich sieht oder mir folgt.*

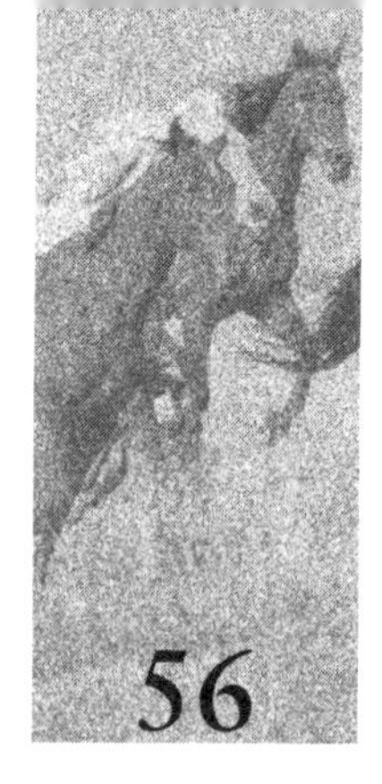

56

»Ich will nach den Packpferden sehen, ob sie auch bei der Herde geblieben sind«, erklärte Bright Heart ihrer Mutter, nachdem sie den letzten Lachs zum Räuchern aufgehängt hatte.

Um ihre Mutter davon abzuhalten, nach ihr zu suchen, fügte Bright Heart hinzu: »Danach besuche ich Meadow Lark, die bei den Pferden Wache hält. Sie fühlt sich verantwortlich für meine Entführung, weil ich bei dem Raubüberfall an ihrer Stelle auf die Herde aufgepasst habe.«

Sie hatte ihrer Freundin bereits versichert, dass sie kein schlechtes Gewissen zu haben brauchte. Darüber hinaus hatte sie ihr von Tatanka erzählt und dass sie heiraten würden, wenn die Herde erst da wäre, sodass er ihrem Vater seine Pferde schenken könnte. Doch das wusste ihre Mutter nicht.

Bright Heart fühlte sich nicht wohl dabei, heimlich fortzuschleichen, aber sie wusste, dass ihre Mutter ihr niemals erlauben würde, allein nach Tatanka zu suchen. Also sagte sie: »Du weißt ja, wie gesprächig Lark ist, mach dir also keine Sorgen, wenn ich eine Weile bei ihr bleibe.«

Bright Heart schwang sich auf den bloßen Rücken Apash Wyakaikts, die näher beim Dorf weidete als die anderen Pferde, und ritt das Tal hinab zu der Stelle, wo sie Hackamore, Sattel und Schwarzhorn-Robe abgelegt hatte, zusammen mit einer der Packtaschen, die sie mitnehmen wollte.

Sie hielt Ausschau nach Meadow Lark, doch es dämmerte schon und das Licht war schummrig. Als sie die Satteltasche auf den Rücken der grauen Stute hob, überlegte sie bei deren Gewicht, ob sie nicht leichter hätte packen sollen. Da umklammerte plötzlich eine Hand ihren Mund und die Arme wurden ihr an den Körper gedrückt. Sie wehrte sich, doch wer auch immer sie gepackt hatte, hob sie hoch und umschloss sie wie ein Schraubstock. Ihr war, als müsse sie ersticken und sie versuchte sich zu entwinden. Sie hatte das Gefühl, als sei ihr die Luft aus den Lungen gepresst worden, und nun brannten sie wie Feuer. Gleich würde sie zu Tode gequetscht, doch es gab nichts, was sie gegen diese schreckliche Umklammerung tun konnte. Sie wusste, gleich müsste sie sterben. Das Letzte, woran sie sich erinnerte, war die riesenhafte Gestalt des Angreifers, der Gestank seines langen Barts und die schrille Stimme, die sagte: »Gegenwehr zwecklos, Squaw.«

Dann wurde alles schwarz um sie herum.

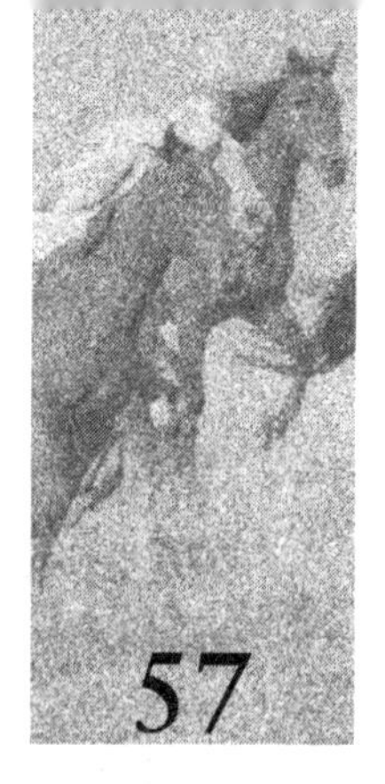

57

Mehrere der Krieger hoben ihre Gewehre oder Bogen, sobald sie Tatanka mit der Herde Appaloosas sahen. Unmittelbar darauf sagte einer der Reiter etwas. Er hob sich von den Übrigen ab. Es lag nicht an seiner Statur, denn manche der Männer waren größer oder kräftiger. Es war seine Haltung, die Tatankas Aufmerksamkeit weckte. Obwohl er nicht an der Spitze des Trupps ritt, war er offenbar der Anführer.

Alle Krieger bis auf einen ließen die Waffen sinken. Er zeigte auf die Pferde und sagte etwas zu dem Anführer. Dann, ohne Vorwarnung, spannte er seinen Bogen und zielte mit einem Pfeil auf Tatanka.

Die Bewegung des Lakota-Kriegers war so schnell, dass sie alle überraschte. Bevor Bear Heart noch auf die Anschuldigung, der Fremde habe seine Pferde gestohlen, hatte antworten können, schoss Cunning Fox den Pfeil ab.

Bear Heart rief: »Nicht!«, doch er wusste, es war zu spät.

Dann aber, zum allseitigen Erstaunen, streckte der Fremde den Arm aus und schlug den Pfeil zur Seite, als verscheuche er eine Fliege.

Als Cunning Fox einen weiteren Pfeil in den Bogen spannte, ritt Bear Heart zwischen ihn und Tatanka und wies ihn zurecht: »Ich sagte, du sollst ihn nicht töten. Er wird mir erzählen, was er mit Bright Heart gemacht hat.«

Zu Tatanka gewandt sagte er: »Bring mich zu meiner Tochter.«

Cunning Fox ließ seinen Bogen sinken; Bear Hearts Blick war ihm Warnung genug. Er würde sich hüten, den Zorn des Häuptlings auf sich zu ziehen, wenn es um dessen Tochter ging. Wenn ihr ein Leid geschehen war, wollte er nicht in der Haut dieses Kriegers stecken. Es war gut, dass er den Pferdedieb nicht getötet hatte. Erleichtert atmete er aus.

Als er ihn auf sich zukommen sah, kam irgendetwas an dem Häuptling Tatanka vage vertraut vor. Er war noch nie in den Jagdgründen der Poge Hloka gewesen, woher also hätte er ihn kennen können? Der Nez-Percé-Häuptling sagte etwas zu ihm und er erkannte eines der Worte. Bright Heart hatte ihm ein paar Bruchstücke ihrer Sprache beigebracht und der Häuptling hatte eben auf Nez Percé ihren Namen genannt. Dann ging ihm auf, warum ihm der Krieger so bekannt vorkam.

»Du bist Häuptling Bear Heart, Bright Hearts Vater«, sagte Tatanka, sich an die Worte erinnernd, die er zugleich mit Handzeichen wiedergab.

»Wie kommt es, dass du meinen Namen kennst? Wo ist meine Tochter?«, fragte Bear Heart und lenkte sein Pferd näher zu dem Pferdedieb. Als der Fremde nicht antwortete, wiederholte Bear Heart seine Frage ungeduldig mit Handzeichen.

Ärgerlich, dass er die Worte nicht verstand, antwortete Tatanka mit Handzeichen und sprach gleichzeitig Englisch, wie sonst auch mit Bright Heart.

»Bright Heart nannte mir deinen Namen. Ich sehe die Ähnlichkeit. Sie ist mir zwei Tagesritte nach Norden voraus. Kommt ihr nicht aus dieser Richtung? Ihr hättet ihr auf diesem Weg begegnen müssen.«

Als er sah, für welche Verwirrung die unterschiedlichen Handzeichen der Hochebene und der Great Plains sorgten, begann Tatanka, die Gesten zu wiederholen, da lenkte ein Krieger aus dem Hintergrund sein Pferd nach vorne, sagte etwas zu Bear Heart und erklärte Tatanka dann auf Englisch: »Wir waren im Nordwesten auf der Jagd und kamen hierher, um unsere Pferde zu tränken. Wir sind nur ein kurzes Stück auf dem Weg geritten, den Bright Heart deinen Worten nach genommen hat. Wenn sie dir zwei Tage voraus ist, müsste sie inzwischen unser Dorf erreicht haben.«

Als der Mann so weit hervorgekommen war, dass er ihn sehen konnte, erkannte Tatanka überrascht einen sonnengebräunten Weißen, der wie die anderen Krieger gekleidet war.

Tatanka wurde klar, dass dies der weiße Mann sein musste, von dem Bright Heart ihm erzählt hatte. »*Er war Lehrer gewesen, bis seine Frau an der Fleckenkrankheit starb. Dann ging er als Trapper zur Hudson Bay Company und kam über die Shining Mountains zu dem Ort, wo unser Volk lebt. Er hat die Schwester meiner Mutter geheiratet und blieb bei den Nimipu, die von den Trappern Nez Percé genannt werden.*«

»Du musst Joshua sein, Bright Hearts Onkel, der ihr beigebracht hat, Englisch zu sprechen und zu lesen.«

Nun staunte der Weiße über den Fremden. Zu Bear Heart gewandt sagte er: »Er kennt nicht nur meinen Namen, er weiß auch, dass ich Bright Heart Englisch beigebracht habe.«

Tatanka spürte den bohrenden Blick, mit dem Bright Hearts Vater ihn bedachte, bevor er nach Osten deutend mit dem Weißen sprach. Dann sagte er weiße Mann: »Häuptling Bear Heart will wissen, wie du mit den Appaloosas hierherkommst. Als wir von der Jagd zurückkehrten, hatte man unsere Pferde geraubt und Bright Heart entführt. Wir sind der Fährte der Räuber bis in die Shining Mountains gefolgt. Dort waren ihre Spuren unter Schnee begraben, zweimal so hoch wie ein großer Krieger. Trotzdem wollte Bear Heart nicht umkehren und wir haben versucht, uns durch den Schnee zu kämpfen. Schließlich haben wir aufgegeben. Und nun bist du mit der Herde auf einmal hier. Wie ist das möglich? Warum ist seine Tochter nicht bei dir?«

Tatanka lag vor allem daran, Bright Heart einzuholen und sich zu vergewissern, dass sie in Sicherheit war, daher wollte er keine weitere Zeit verschwenden.

»Das ist eine lange Geschichte, die Bright Heart erzählen wird. Sie ist allein vorausgeritten, also sag Bear Heart, dass wir jetzt losmüssen, wenn er seine Tochter unversehrt wiedersehen will, wir folgen den Spuren der sechs Packpferde und ihrer Stute Apash Wyakaikt.«

Während Joshua seine Worte übersetzte, glitt Tatanka von der gesprenkelten Leitstute und schickte sie mit einem Schlag aufs Hinterteil auf den Weg. Dann schwang er sich rittlings auf Face Paint und trieb die Pferde der Leitstute hinterher.

Cunning Fox hatte nicht verstanden, was Joshua sagte, und als der Pferdedieb an ihm vorbeiritt, konnte er sich kaum vorstellen, dass Bear Heart ihm zu fliehen erlaubte. Bright Hearts Verehrer hob seinen Bogen und spannte die Sehne, doch eine eiserne Hand umfasste seinen Arm.

»Wir reiten mit ihm. Wenn wir meine Tochter nicht finden, werde ich ihn töten.«

Cunning Fox, der nichts über den Fremden wusste, sah, wie sich dieser scheinbar seelenruhig entfernte, obwohl er gerade an siebzehn bewaffneten Kriegern vorbeigeritten war. Er dachte sich: *Für den Fall, dass er Bright Heart noch in seiner Gewalt hat, bleibe ich bei dem Pferdedieb, um sicherzugehen, dass er nicht entkommt. Ich werde ihn zwingen, uns zu Bright Heart zu führen. Bear Heart wird merken, dass ich ein würdiger Ehemann für sie bin. Wenn er der Hochzeit zustimmt, hat sie keine andere Wahl. Wenn wir erst verheiratet sind, wird sie mich achten lernen und meine Söhne zur Welt bringen wie meine anderen Frauen auch.*

Bear Heart trieb die Pferde immer schneller und schneller auf dem Weg voran. Wenn Bright Heart zwei Tage voraus war, wie der Krieger sagte, wäre die Herde niemals schnell genug. Er musste sich beherrschen, um sich in langsamerem Schritt dahinter zu halten.

Bear Heart war sich nicht im Klaren darüber, was er von dem Krieger halten sollte. Er dachte darüber nach, dass jener nicht all seine Fragen beantwortet hatte, da bemerkte er, dass der Reiter zurückfiel und mit Joshua sprach. Gleich darauf gab Joshua Bear Heart ein Zeichen und sie ritten durch die Herde auf ihn zu.

Als ihre Pferde nahe genug herangekommen waren, dass sie einander hören konnten, sagte Joshua: »Dies ist übrigens Tatanka. Er ist ein Lakota. Er meint, die Herde sei zu langsam, um Bright Heart einzuholen. Da genügend Krieger hier sind, um die Herde zu leiten, will er vorausreiten. Ihm behagt die Vorstellung nicht, dass Bright Heart ganz allein ist. Er meint, wenn er zwei Pferde abwechselnd reitet, könnte er sie in der Hälfte der Zeit einholen. Er sagt, du kannst dich ihm gerne anschließen.«

Kaum waren diese Worte gesprochen, merkte Bear Heart, dass der Lakota schon nicht mehr bei ihnen war. Als er sich umwandte, sah er ihn, wie er mit einem zweiten

Pferd an einer Leine hinter sich auf seinem Schecken zur Spitze der Herde aufschloss.

»Einiges solltest du noch wissen, bevor du ihm nachreitest. Er sagt, es waren Atsinas, die unsere Pferde gestohlen und Bright Heart mit über die Shining Mountains genommen haben.«

Als Bear Heart dem davonreitenden Krieger nachsetzen wollte, hob Joshua die Hand und sagte: »Eines noch, er sagt, all diese Pferde hier, die nicht aus unserer Herde gestohlen wurden, sind für dich.«

Bear Heart zügelte sein Pferd. Mit erstaunt hochgezogenen Augenbrauen fragte er seinen Schwager: »Warum sollten sie ein Geschenk für mich sein?«

»Sieht so aus, als habe er es eilig, sie einzuholen«, antwortete Joshua, ohne auf die Frage einzugehen. »Wir setzen uns besser in Bewegung, wenn wir mit ihm Schritt halten wollen. Schätze, ich komme mal lieber mit, damit ihr zwei euch verständigen könnt.«

Als die beiden Reiter die Verfolgung des davonreitenden Lakota aufnahmen, sagte Joshua mit immer breiter werdendem Grinsen: »Er sagt, Pferde zu schenken ist die Art eines Lakota, um der Familie der Frau, die er heiraten möchte, mit einer Gabe Ehre zu erweisen.« Joshua fügte hinzu: »Sieht so aus, als hätte deine Tochter einen Bräutigam und du einen möglichen Schwiegersohn.«

Sein Pferd antreibend, antwortete Bear Heart mit unergründlichem Gesichtsausdruck: »Lass uns Bright Heart finden. Dann erst werde ich wissen, ob ich ihn erschieße oder bemitleide.«

58

Ihr Leben lang hatte man sie gelehrt, durch Willenskraft mit Schmerz, Unbehagen und Belastungen fertig zu werden. Dies war die Art der Nez Percé, mit den Widrigkeiten des täglichen Lebens umzugehen – sie bemühten sich, alle Probleme durch Beharrlichkeit und Vertrauen in die eigenen Fähigkeiten zu meistern. Diese Erziehung half ihr, eine der längsten und qualvollsten Nächte ihres Lebens zu überstehen. Der Weg zu Pferde war wie ein Spießrutenlauf durch eine grausame Landschaft. Äste, Zweige und Büsche wurden zu Albtraumgestalten, die sie packen und schlagen wollten, wenn das Pferd im Dunkeln daran vorüberstreifte. Sie erlitt Schnittwunden, Kratzer und Schläge auf den Kopf. Immer wieder packten die unsichtbaren Angreifer ihr Haar und rissen ihr ganze Strähnen aus. Irgendwann schlug ihr Kopf dann gegen einen Baumstamm, wodurch sie gnädigerweise das Bewusstsein verlor. Oder hatte sie nur geträumt?

Bright Heart versuchte sich zu bewegen und merkte, dass es ihr nicht möglich war. Sie wusste, es war nur ein Traum. Mit aller Kraft versuchte sie, daraus auszubrechen. Es war ein sich wiederholender Traum. Sie hing über dem Rücken eines laufenden Pferdes, mit dem Oberkörper auf der einen Seite und den Beinen auf der anderen. Als sie sich zu bewegen versuchte, spürte sie, dass ihre Handgelenke mit einem

Lederriemen gefesselt waren, den man unter dem Bauch des Pferdes hindurch mit ihren Fußgelenken verbunden hatte. Zuerst hing sie schlaff wie eine Schwarzhorndecke auf dem Rücken des Pferdes. Dann wurde sie sich der Schmerzen bewusst, die ihren Körper peinigten, insbesondere ihren Bauch und ihre Brust, die bei jedem Auf und Ab geprellt wurden. Nahezu unerträglich war das Brennen in ihren überdehnten Kniegelenken.

Es war fast mehr, als sie aushalten konnte. Im Traum versuchte sie weiterhin, die Teile ihres Körpers, die am meisten wehtaten, von dem Druck zu entlasten, doch jede Bewegung verschlimmerte die Schmerzen nur noch. Sie wusste nicht, wie viel sie noch würde ertragen können; die Qual beherrschte all ihr Denken. Sie wollte dem Traum ein Ende machen, doch er ließ sich nicht vertreiben.

Warum wollte dieser Traum nicht vergehen? Sie versuchte um Hilfe zu rufen, merkte aber, dass nicht einmal das möglich war, denn man hatte einen breiten Streifen von ihrem Lederkleid abgeschnitten, in ihren Mund gestopft und die Enden am Hinterkopf zusammengebunden.

Dann erwachte sie allmählich aus dem Albtraum, sie hörte auf, benebelt dagegen anzukämpfen und ihre Wahrnehmung wurde ein wenig klarer. Die Wirklichkeit holte sie ein und war fast schlimmer, als sie hinnehmen konnte. Sie war noch immer Gefangene der Atsinas, das war gar kein Traum. Was sie hingegen nur geträumt hatte, war ihre Befreiung und Rettung. Tränen rannen ihr über die Wangen, nicht wegen der Schmerzen, sondern weil es Tatanka in Wirklichkeit gar nicht gab. Der blauäugige Krieger war nur ein Traumbild gewesen!

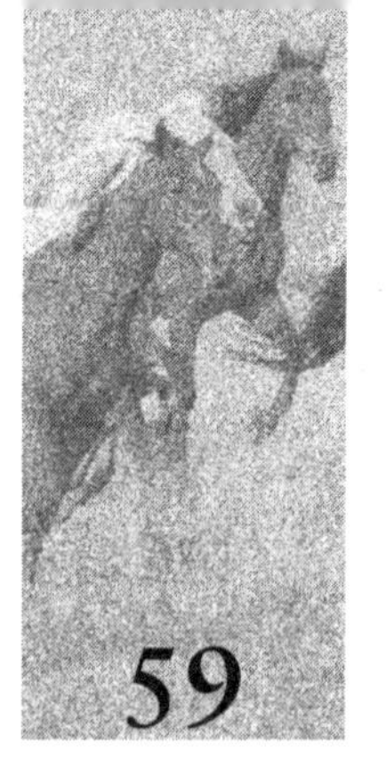

59

Es begann gerade hell zu werden, als Bright Heart merkte, wie Apash Wyakaikt stehen blieb. Sie reckte den Hals, um zu sehen, warum sie anhielten, aber alles, was sie kopfunter hängend erkennen konnte, waren die Hufe der Atsina-Pferde, die bei einem kleinen Bach im Schlamm standen. So verkehrt herum war ihr schwindelig und ihr Schädel pochte von dem Schlag gegen den Baumstamm. Sie bewegte den Kopf, um wieder klar denken zu können, doch davon pochte ihr Schädel nur noch mehr.

Mehrere Male im Laufe der Nacht schien sie aus demselben Traum aufgewacht zu sein, um festzustellen, dass er Wirklichkeit war. Sie war auf einem Pferd festgebunden und noch immer Gefangene der Atsinas. Ihr kamen erneut die Tränen, als ihr wieder bewusst wurde, dass sie Tatanka nur erträumt hatte. Ihr war zumute, als sei er gestorben ... nein, schlimmer noch, denn er hatte nie wirklich existiert.

Ihre traumartigen Gedanken verflogen rasch, als der große Krieger mit der Adlerfeder im Haarschopf sie losband. Er hob sie vom Pferd und legte sie ins Gras. Als ihr Kopf wieder aufrecht war, klärten sich langsam ihre Gedanken. Das Erste, was sie erkannte, war, dass nicht der große Atsina sie heruntergenommen hatte; es war ein Weißer gewesen. Er war der größte Mann, den sie je gesehen hatte, sogar noch größer als Jeremiah. Die Art, wie er sie ansah, jagte ihr einen Schauer über den Rücken.

»Wah! Du bist ja 'ne hübsche Squaw. Bist bestimmt froh, dass Zed dich bei den Fleckenpferden mitgenommen hat, statt dir den Hals umzudrehen.«

Seine hohe Stimme erschreckte sie, sie passte so gar nicht zu seinem großen Körper. Sie wollte von ihm abrücken, merkte aber, dass ihre Arme und Beine von den straffen Fesseln ganz taub waren.

Ihm lief der Sabber über den langen verfilzten Bart, als er sagte: »Biste gut zu Zed, dann behält er dich.«

Bright Heart zuckte zusammen. Der Geruch seines ungewaschenen Körpers verpestete die Luft. Der Gestank blieb sogar zurück, als der Riese zu einem anderen auf ein Pferd gebundenen Mädchen hinüberging. Sie erkannte, wie stark er war, als er hinabgriff und den Lederriemen zerriss, mit dem Füße und Hände der Gefangenen gefesselt waren.

»Habt ja gehört, was Zed euch gesagt hat«, sagte er zu den übrigen in Hirschleder gekleideten weißen Männern, die man getäuscht und zum Diebstahl der Pferdeherde verleitet hatte.

»Hände weg von den hübschen Rothäuten, wenn ihr nicht in denen ihre glücklichen Jagdgründe wandern wollt, so wie der andere, wo sich über Zed lustig gemacht.«

Die Trapper hatten sich unter dem Versprechen, mehr Geld zu verdienen, als beim Fallenstellen zu holen war, dazu überreden lassen, nach Appaloosas zu suchen, und hatten zu spät gemerkt, dass sie bei einem Raubzug mitmachten. Sie sahen den Riesen an. Sie wussten, dass er von einem ihrer Kameraden sprach, der Zed unseligerweise ausgelacht hatte, und keiner von ihnen wollte riskieren so zu enden wie er – im Bärengriff des Riesen zu Tode gequetscht.

Ihre Ehrfurcht vor Zeds Körperkraft wuchs noch mehr, als die sonst unerschrockenen Trapper beobachteten, wie Zed die andere Gefangene mit einer Hand so mühelos vom Pferd hob und neben Bright Heart auf den Boden legte, wie man eine Satteltasche abnahm.

Als sie in der Gefangenen Meadow Lark erkannte, wurde Bright Heart endgültig klar, dass sie sich nicht mehr in der Gewalt der Atsinas befand. Dieser Riese hatte Meadow Lark und sie gefangen genommen und in ihrem verwirrten Geisteszustand hatte sie geglaubt, wieder bei den Atsinas zu sein. Dann jubelte ihr Herz fast vor Freude, als sie klarer sah und begriff, dass Tatanka kein Traum gewesen war ... dass es ihn wirklich gab.

Unglücklich wurde sie unsanft in die Gegenwart zurückgeholt, weil sie die schrille Stimme des Riesen hörte. »Marcus, schau, was wir gefunden haben«, sagte er mit bewunderndem Blick, der an Vergötterung grenzte, als der Anführer der Bande sein Pferd zu ihnen lenkte. Nie zuvor hatte jemand in der Weise, wie Marcus es tat, mit Zed so gesprochen, als ob er klug wäre. Es gab nichts, was der einfältige Riese nicht getan hätte für diesen einen Mann, der ihn so behandelte.

»Nun, Zedekia, mein scharfsinniger Kollege«, antwortete Marcus, »welch ein Paar köstlicher Wonneproppen haben wir denn da.«

Manche seiner Worte verstand sie nicht ganz, aber sein Blick und die Art, wie er sich erst über sie und dann über Meadow Lark beugte, als fiele es ihm schwer zu entscheiden, welche Beute er zuerst verschlingen wollte, erinnerte sie an den unersättlichen Vielfraß, der sie einst angegriffen hatte.

Er unterschied sich von den anderen weißen Männern,

die alle in Hirschleder gekleidet waren. Seine Kleidung war im Laden gekauft. Er trug einen langen, weiten schwarzen Mantel aus geöltem Segeltuch und ein rotes Wollhemd, das vom ständigen Tragen ausgebleicht und fleckig geworden war. Seine weit ausgestellten schwarzen Reithosen hatte er in hohe schwarze Stiefel gesteckt. Sein Aufzug hätte an jedem anderen lächerlich gewirkt, zu dem fetten Mann jedoch passte diese Kleidung. Hirschleder hätte an ihm völlig fehl am Platz ausgesehen.

Bright Heart fühlte einen Schauer über ihren Rücken laufen; sie wusste, dass er sie ansah. Mit einem Seitenblick erspähte sie, wie ihre Freundin Meadow Lark ihn mit vor den Mund gehaltener Hand entsetzt anstarrte.

Seine Knollennase war mit geplatzten Äderchen übersät, Anzeichen jahrelanger Völlerei. Sein Gesicht, einst beinahe gut aussehend, war nun breit und teigig, wodurch seine Augen zu dicht beisammenzustehen schienen. Graue Bartstoppeln bedeckten ein Doppelkinn und unter einer schwarzen Melone wucherten buschige Koteletten hervor. Was er einst als Hafenarbeiter in Boston an Muskeln entwickelt hatte, war nach Jahren voller Prasserei und Ausschweifungen einer dicken Fettschicht gewichen. Seine Patschhände hatten weiche Wurstfinger. Haarige Handgelenke ragten aus den Ärmeln seines langen dreckigen Mantels, der über den schmalen Schultern Falten warf. Die Knöpfe und der Stoff an der Vorderseite des Mantels jedoch spannten sich straff über seinem riesigen Bauch, als wollten sie jeden Moment aufplatzen. Doch sein vorstehender Wanst war noch gar nichts im Vergleich zu den Ausmaßen seines Hinterteils.

Bright Heart versuchte nicht hinzustarren, aber sie konnte den Blick von seinem ausladenden Gesäß kaum abwenden. Es war so unförmig, dass es auf beiden Seiten über das Pferd herabhing und der Sattel unter den Fettmassen völlig verschwand. Ihr wurde klar, dass dies derselbe Mann sein musste, den Mahtowin und Tacincala als Anführer der Bande beschrieben hatten, die sie bis zu Tatankas Blockhaus im Tal des Bären verfolgt hatte. Wie hatten sie ihn gleich noch mal auf Lakota genannt?

Mitàpih'a hatten sie gesagt, weil er sie an eine Kröte erinnerte, so wie er auf seinem Pferd saß.

Dann fiel ihr ein: *Er und der Riese sind diejenigen, die mit Frenchie weitergezogen waren, der sie durch die Shining Mountains führen sollte. Also müssen sie es sein, die ihn in den Rücken geschossen und liegen gelassen haben, in der Annahme, er sei tot.*

Sie wurde aus ihren Gedanken gerissen, als der fette Anführer zu den weißen Männern sagte: »Bevor wir haltmachen, müssen wir zusehen, so schnell wie möglich von dem Nez-Percé-Dorf wegzukommen. Sobald die Herde getränkt wurde, treiben wir sie abseits des Hauptweges weiter nach Süden, dadurch sollten sich unliebsame Begegnungen mit einer Jagdgesellschaft vermeiden lassen.«

Als er sich aus dem Sattel schwang, war Bright Heart über seine flinken Bewegungen trotz dieser Körpermasse überrascht. Er trat zu ihr heran und tätschelte ihren Kopf, als sei sie ein Tier, das er zähmen wollte, und sprach weiter mit dem Riesen.

»Du solltest dich darauf einrichten, heute Nacht mein Zelt aufzustellen; wir wollen unseren höchst attraktiven Gästen ja nicht den Eindruck vermitteln, wir wüssten sie nicht gebührend zu schätzen, nicht wahr? Außerdem bevorzuge ich eine gewisse Privatsphäre, wenn ich diese delikaten Eingeborenen vernasche«, sagte er und ehe sie reagieren konnte, bückte er sich unversehens und drückte Bright Hearts Brüste.

Dann zwinkerte er ihr zu, als teilten sie ein Geheimnis miteinander, und sagte zu seinem Knecht: »Bis dahin genieße ich die Vorfreude darauf, für das Unterhaltungsprogramm ihrer ersten Nacht zu sorgen. Such heute Abend einen passenden Lagerplatz, damit sie baden können. Auch wenn sie primitive Wilde sind, so erwarte ich doch, dass sie meinen Ansprüchen an Reinlichkeit genügen.«

Bright Heart war von seiner Berührung angeekelt. Obgleich er sie überrumpelt hatte, hatte sie die Arme heben und seine Hände wegstoßen wollen, doch ihre Beine und Arme waren noch immer wie taub. Als sie ihre Glieder wieder spüren konnte, bestieg er gerade sein Pferd. Dies fiel ihm ein wenig schwerer als das Absitzen und er keuchte, als er wieder im Sattel war.

Sie rieb ihre Hände und dann ihre Beine aneinander, bis das Gefühl zurückkehrte. Als sie den Beschluss fasste, sich nicht wieder über den Rücken des Pferdes binden zu lassen, bemerkte sie, wie der Anführer mit neun Männern sprach, die offenbar eine Auseinandersetzung mit ihm hatten. Der eine, den der Fette Lance genannt hatte, erhob die Stimme.

»Du hast gesagt, wir sollen helfen, eine Herde Appaloosas zu treiben, die du bei den Nez Percé einhandeln willst. Es war keine Rede davon, Pferde zu stehlen und verdammt noch mal schon gar nicht davon, irgendwelche Squaws zu fesseln und mitzuschleppen.«

Die Pferde in sicherem Abstand zu dem Riesen und die Gewehre im Anschlag, als stünden sie einem Grizzlybär gegenüber, erklärte er Marcus: »Kurz und gut: Wir hauen ab. Die Nez Percé werden den Appaloosas nachsetzen, bis du glaubst, die Hölle friert ein, und den Squaws jagen sie so lange hinterher, bis sie ihre Frauen wiederhaben. Da kannst du Gift drauf nehmen.«

Als sie fortritten, dachte Lance darüber nach, der Frauen wegen noch einmal umzukehren, doch er wusste, es wäre gefährlich, wenn sie einem indianischen Jagdtrupp erklären müssten, warum sie die Squaws bei sich hatten. Schließlich konnte er nicht wissen, dass eine der Gefangenen Englisch sprach.

Marcus lief rot an und sah aus, als würde er gleich in die Luft gehen, sagte aber nichts. Die neun hatten Gewehre, und er würde es nicht riskieren, einen seiner übrigen Männer zu verlieren, vor allem nicht Zed. Beim Anblick der Frauen befand er, es sei alles ihre Schuld ... Er konnte den Abend kaum erwarten, dann würde er es ihnen schon heimzahlen. Er griff nach seiner kurzen Ledergerte und ließ sie dem Pferd auf die Flanke schnalzen, sodass es bei dem brennenden Schmerz in die Höhe sprang.

Bright Heart fand einen kleinen Stein von der Größe ihrer Faust und steckte ihn in ihre Achselhöhle, dann bedeutete sie Meadow Lark leise, es ihr nachzutun. Als Meadow Lark auch einen Stein unterm Arm hatte, flüsterte Bright Heart mit ihr, bemüht, den Riesen nicht auf sich aufmerksam zu machen.

»Halte dich bereit. Wenn er dich fesseln will, hau ihm den Stein auf den Kopf, und ich werde auch nach ihm schlagen. Wenn er mich zu fesseln versucht, werde ich ihn zuerst angreifen, und du kannst mir helfen. Dann versuchen wir zu fliehen.«

Sie waren beide bereit. Doch als er sich ihnen näherte, kamen Bright Heart Zweifel, ob ihr eilends gefasster Plan gelingen würde. Der Riese war so groß, dass sie nicht wusste, ob sie seinen Kopf treffen könnte. Dann, nachdem er sie mit Gesten aufgefordert hatte, am Bach zu trinken, bedeutete er ihnen zu ihrem Erstaunen, die Pferde zu besteigen.

Sie war so überrascht, dass ihr erst, als sie rittlings auf ihrer Stute saß und er sie an eine Führungsleine gebunden hatte, klar wurde, dass sie die Gelegenheit zur Flucht verpasst hatte.

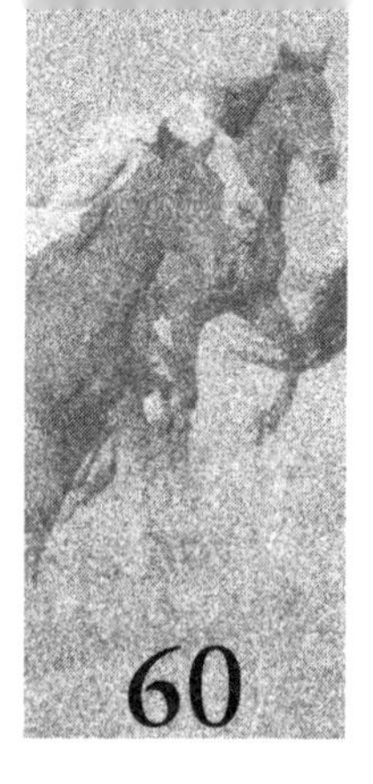

60

Die Herde Appaloosas bewegte sich von der Hochebene hinab durch welkendes bauchhohes Gras, vorbei an kleineren Eichenwäldchen mit rot-gelbem Laub, das die Hänge mit Farbtupfern übersäte. Der riesige weiße Mann, der die Führungsleinen von Bright Hearts und Meadow Larks Pferden hielt, blieb stehen, um das Gelände zu sichten.

Vom Rand des Plateaus aus, das in ein weites Becken abfiel, schätzte Bright Heart, dass sich vor ihr mehr als hundert Pferde bis zu einem längs durchs Tal fließenden breiten Fluss zogen. Als die Spitze der Herde gerade die das Ufer säumenden Bäume erreichte, zählte sie noch fünf in Hirschleder gekleidete Reiter außer dem Riesen Zed und dem fetten Anführer Marcus.

Zed saß auf seinem Pferd und bestaunte die Aussicht. Weil er so groß war und unfähig, seine Gedanken und Gefühle auszudrücken, fühlte er sich mit der Natur wohler als mit Menschen. Er war in armen Verhältnissen aufgewachsen, hatte in einer Hütte gelebt mit Eltern, die weder lesen noch schreiben konnten und ums tägliche Überleben rangen. Er konnte von Glück sagen, wenn er als Kind irgendetwas zum Anziehen hatte. Er wuchs so schnell, dass seine Arme und Beine aus den Ärmeln und Hosenbeinen herausragten und er linkisch und tollpatschig wirkte. Dies und seine Piepsstimme reizte die anderen Kinder und selbst Erwachsene, ihn zu hänseln. Seine Kindheit war so unglücklich, dass er allein oder in der Gesellschaft von Tieren am zufriedensten war. Bei ihnen fühlte er sich wohl, sie machten sich nicht über ihn lustig.

Wäre er in anderen Verhältnissen aufgewachsen, hätten sich die Dinge vielleicht anders entwickelt. Eines Tages, als eine Schar von Jungen ihn piesackte und Sachen zu ihm sagte wie: »Quiek mal für uns!« oder »Dich sollte man aufs Feld stellen, um die Krähen zu verscheuchen«, war Zed der Kragen geplatzt und er hatte sich einen der Knaben gepackt. Mit ungeahnter Kraft hob er ihn hoch und brach dem Jungen im Bärengriff die Wirbelsäule. Seitdem passten die Leute aus Angst vor seiner Stärke gut auf, was sie zu ihm sagten.

Als Zed größer wurde, wuchsen auch seine Körperkräfte entsprechend. Selbst hartgesottene Westmänner fürchteten ihn und hielten Abstand. Andere wollten sich nicht mit ihm anlegen und versuchten halbherzig, sich gut mit ihm zu stellen, indem sie freundlich taten. Dennoch hatte er sich nie wirklich wohl in seiner Haut gefühlt, weil er nie wirklich von jemandem akzeptiert wurde. Bis er Marcus kennengelernt hatte. Zum ersten Mal in seinem Leben behandelte ihn jemand wie ein intelligentes Wesen. Marcus war sein einziger Freund und Zed betete ihn an.

Er hatte viele Männer umgebracht oder verletzt, die Marcus aus dem Weg haben wollte oder die Marcus beleidigt hatten. Trotz all seiner Fehler war Marcus dem Riesen treu, innerhalb gewisser Grenzen. Nachdem er durch respektvolles Gehabe Zeds Vertrauen und Bewunderung gewonnen hatte, hatte der fette Mann im Grunde eine merkwürdige Art von Respekt vor dem Riesen. Zed verfügte über eine körperliche Macht, die Marcus nie besessen hatte. Die Furcht, die andere Männer vor dem Riesen empfanden, dehnte sich auch auf Marcus aus. Wenn die Leute sich hüteten, den Riesen zu verärgern, so nahmen sie sich doppelt in Acht, dessen Herrn nicht zu erzürnen.

***

Als Bright Heart sah, dass der weiße Mann in Betrachtung der Landschaft vertieft war, anstatt sie anzugrinsen wie so oft, versuchte sie, ihre Mitgefangene auf sich aufmerksam zu machen.

»Lark«, flüsterte sie so leise, dass der Riese sie nicht hörte, »ich glaube, das sind dieselben Männer, die Tatankas Frau umgebracht haben. Jeremiahs Worten zufolge entsprechen sie genau der Beschreibung der beiden Mörder, nach denen er und Tatanka nach ihrem Tod gesucht haben. Ich habe gehört, wie der fette Anführer zu dem Riesen gesagt hat, er solle nahe am Wasser kampieren. Er sagte, wir sollten sauber sein, bevor er uns holt. Bald wird es dunkel, darum glaube ich, dass wir heute Nacht hier lagern werden. Wenn der Riese dir die Hände vom Sattel losbindet, damit du vom Pferd steigen kannst, dann lächle ihn recht freundlich an.«

»Ich werde nicht freundlich sein. Dazu müssten sie mich erst töten«, erwiderte Meadow Lark.

Bright Heart schnitt ihr mit einem scharfen Blick und zischendem Flüstern das Wort ab. »Er darf dich nicht hören. Ich meinte doch nur, du sollst freundlich *tun*. Dann denkt er, wir würden nicht versuchen wegzulaufen, und ist weniger achtsam. Ich habe ein kleines Messer in meinem Mokassin«, sagte sie und nickte zu ihrer rechten Fußbekleidung hin. »Wenn er meine Hände vom Sattel losbindet, schneide ich die Führungsleinen durch. Das ist unsere einzige Chance.«

Meadow Lark wollte etwas antworten, aber Zed zog an den beiden Führungsleinen und sagte: »Kommt! Hier lagern wir.«

Als sie dem Pferd des riesenhaften Entführers den grasbewachsenen Abhang hinabfolgten, hatte Bright Heart das Gefühl, wenn sie jetzt nicht floh, würde sie es niemals schaffen. Sie überlegte, ob sie versuchen sollte, sich loszureißen, doch er hatte die beiden Leinen um seine Pranke gewickelt. Selbst wenn die Pferde sich losrissen, waren ihre und Meadow Larks Hände doch so knapp an den Sattel gebunden, dass sie an die herabhängenden Führungsleinen nicht herankämen. Die Gefahr war groß, dass die Pferde auf das Seil treten, stolpern, hinfallen und dabei ihre Reiter unter sich begraben würden.

Mit Druck ihrer Knie lenkte Bright Heart Apash Wyakaikt nach links, sodass sie direkt hinter dem Riesen ritt, wo er sie nicht sehen konnte, sofern er sich nicht umdrehte. Langsam und unauffällig hob sie den rechten Fuß hoch, sodass der obere Rand ihrer kniehohen Mokassins in die Nähe ihrer Hände kam. Sie versuchte nach unten in den Stiefelschaft zu greifen, merkte aber, dass sie mit den Fingerspitzen nur bis an die obere Innenseite herankam. Das im Schuh steckende Messer zu ergreifen, war unmöglich. Nach mehreren Versuchen gab sie widerstrebend auf. Dann verdrehte sie ihr Bein, sodass die Spitze des Mokassins zu Apash Wyakaikts Flanke zeigte und versuchte es, das Knie zu ihren Handflächen gehoben, ein letztes Mal. Mit äußerster Anstrengung schob sie die Finger in den Mokassin hinein, bis sie den Messergriff berührten. Sie hatte ihn fast, da hielten die Pferde an. Als sie aufblickte, sah sie, dass sie an ihrem Lagerplatz angekommen waren. Mit der Kraft der Verzweiflung klemmte sie den Griff zwischen ihre Finger und zog ihn zu ihren Händen hinauf. Sie verbarg das Messer zwischen den Handflächen und senkte den Fuß, da wandte der Riese sich schon um und sagte mit breitem Grinsen, als sollten sie sich darüber freuen: »Jetzt sind wir da.«

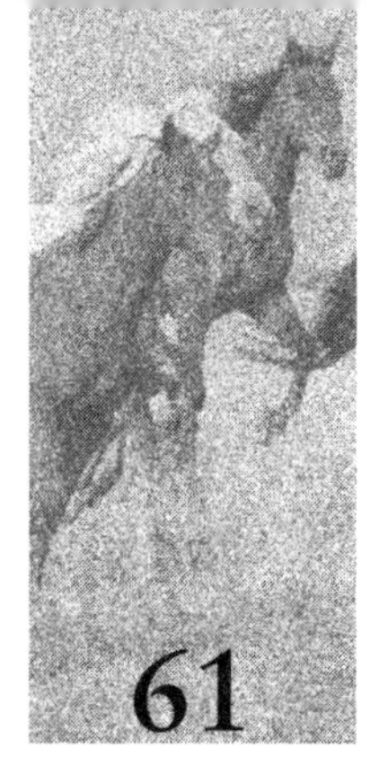

61

Die drei Reiter kamen aus dem Kiefernwäldchen auf eine offene Wiese voll kniehoher Grasbüschel und welker pastellfarbener Wildblumen. Der Weg teilte sich in zwei Richtungen. Eine Spur bog nach Nordwesten ab und folgte einem Bach über das offene Grasland. Der andere Pfad führte durch die Kiefernwälder auf den hinter ihnen liegenden Gebirgsausläufern weiter nach Norden. Rechts in der Ferne sah Tatanka einen Bergkamm. Die Spuren von Bright Hearts Stute und den sechs Packpferden bogen nach links und folgten dem Bach.

Als die Dämmerung einbrach, hatte sie der Weg über mehrere, von herabrinnenden Bächen geformte und von Bäumen gesäumte Furchen geführt.

»Bei diesem Reisetempo werden wir noch vor Morgengrauen das Dorf erreichen«, sagte Joshua. »Die Höhenzüge führen in ein Tal hinab, das im Süden von einer alten vulkanischen Felswand begrenzt wird.«

Der weiße frühere Schullehrer und Bright Hearts Onkel dachte: *Ich könnte ebenso gut mit einer dieser Kiefern reden wie mit den beiden da. Ich hab geglaubt, ich mache mich nützlich, indem ich für Tatanka und Bear Heart übersetze. Aber sie haben ja kaum ein Wort gesagt. Bear Heart ist so still wie immer. Vielleicht noch mehr als sonst, er sitzt nur schweigend auf seinem Pferd und beobachtet den La-*

kota, der angeblich Bright Heart gerettet hat und sie nun heiraten will.

Tatanka war anfangs ja recht aufgeschlossen, aber dann hat er ein Gesicht gemacht, als habe er in der Ferne etwas gesehen, und seinen Schecken zu einer schnelleren Gangart angetrieben. Seitdem hat er kaum noch etwas gesagt, außer wenn ich ihm eine Frage gestellt habe.

Als es dunkel wurde, wollte Joshua Tatanka, der die Spuren im Finstern wohl kaum sehen könnte, vorschlagen, dass Bear Heart die Führung übernähme, da er das Land ja so gut kannte wie seinen eigenen Handrücken. Doch als er ihn dann eingeholt hatte, zeigte das Reittempo des Lakota deutlich, dass die Dunkelheit Tatanka nicht zu schaffen machte. Seine Gedanken kreisten um etwas ganz anderes.

***

Wie immer begrüßte der schwarz-weiße Hund die drei Reiter als Erster. Er machte einen solchen Lärm, dass er bei ihrer Ankunft in den frühen Morgenstunden das ganze Dorf aufweckte.

Singing Bird kam schon aus dem Tipi gelaufen, bevor sie überhaupt im Dorf angekommen waren. »Ach, mein Mann«, sagte sie, als sie auf Bear Heart zurannte, denn so sprach sie ihn häufig an. »Etwas Schreckliches ist geschehen! Bright Heart und Meadow Lark sind von Pferdedieben entführt worden.«

Bear Heart sprang vom Pferd, nahm seine verzweifelte Frau in die Arme und versuchte sie zu beruhigen.

»Wir werden sie finden und zurückbringen«, sagte er zu ihr, als er spürte, wie sie zitterte. »Erzähl mir, was ist geschehen und wann?«

Singing Bird versuchte, sich zusammenzunehmen.

»Ich war so glücklich, als Bright Heart gestern zurückkam. Dann ist sie am Abend losgegangen, um mit Meadow Lark zu sprechen, die bei den Pferden Wache hielt. Sie blieb eine ganze Weile fort, aber ich dachte, die beiden unterhalten sich nur und achten nicht auf die Zeit …« Singing Bird seufzte tief und fuhr dann fort. »Als es dunkel wurde, fiel mir ein, dass Bright Heart vielleicht losgezogen sein könnte, um nach diesem Lakota-Krieger zu suchen. Ich nahm eine Fackel aus dem Feuer …« Sie atmete schwer und ihre Worte klangen mehr wie ein Flehen als wie eine Feststellung. »Da waren sie fort und die Pferde waren auch nicht mehr da …«

Sie brach fast zusammen, sprach dann aber weiter: »Da du mit den anderen Kriegern auf der Jagd warst und nur Frauen, Mädchen, alte Männer und Knaben im Dorf, habe ich den anderen gesagt, dass wir deine Rückkehr abwarten.«

Was sie ihm nicht erzählte, war, dass sie beschlossen hatte, sich allein auf die Suche nach ihrer Tochter zu machen, wenn er nicht bald gekommen wäre.

»Sie haben noch keinen großen Vorsprung und sie führen eine Pferdeherde mit sich, wodurch sie nur langsam vorankommen«, sagte Bear Heart, um den Eindruck zu erwecken, sie könnten die Entführer rasch einholen. Er wusste jedoch, dass es gut bis zum nächsten Tag dauern könnte, bevor sie die Bande erwischten. Er vermutete ganz recht, dass die Räuber in dieser Nacht und während des folgenden Tages nicht anhalten würden. Auch war seine Annahme richtig, dass Bright Heart und Meadow Lark, wenn sie nicht vor Anbruch der Nacht befreit wurden, von ihren Entführern vielfach missbraucht werden würden und zwar auf eine Art, die für alle Nez Percé schlimmer war als der Tod. Er kannte seine Tochter. Wenn sie nicht fliehen könnte, würde sie sich eher selbst töten, als sich den Räubern hinzugeben. Es war höchste Eile geboten.

»Wenn die anderen mit den gestohlenen Pferden kommen …«, setzte er an, sah dann aber den verwirrten Gesichtsausdruck seiner Frau. »Das ist jetzt zu kompliziert, um es zu erklären. Sag den anderen, wenn sie kommen, sie sollen uns nachreiten.«

Er überlegte, ob er sie bitten solle, den Kriegern auszurichten, sie müssten sich beeilen und zum Kampf rüsten, meinte aber, das würde sie zu sehr beunruhigen. Außerdem nahm er an, dass sie ohnehin zu spät kämen, um eine große Hilfe zu sein.

Stattdessen sagte Bear Heart: »Wir reiten los, sobald wir die Pferde gewechselt haben. Mach dir keine Sorgen, Joshua und …« Da er den Namen des Kriegers nicht mehr wusste, sagte er: »… und der Lakota werden mich begleiten.«

Er schaute sich um, sah den Krieger aber nicht mehr und fragte Joshua: »Wo ist er hin?«

In der Ferne hörten sie beide das Geklapper von Hufen, die sich in die von den Räubern eingeschlagene Richtung entfernten.

»Ist wohl nicht seine Art, lange zu fackeln«, meinte Joshua. »Und es scheint ihm auch nichts auszumachen, auf sich selbst gestellt zu sein.«

Dann, noch ehe sein Schwager etwas antworten konnte, setzte er nach: »Ach! Übrigens, was ich vergessen habe, dir zu erzählen: Bevor ich über die Shining Mountains nach Westen kam, hat man mir von einem Lakota-Krieger mit blauen Augen erzählt, dessen Beschreibung auf ihn zutrifft.

Man nennt ihn Spirit Walker. Du hast bestimmt schon von ihm gehört.«

Bear Heart hielt inne und blickte in Richtung der verklingenden Hufschläge, dann wandte er sich mit unergründlichem Gesichtsausdruck zu dem weißen Mann um.

»Lass uns die Pferde wechseln und zusehen, dass wir diesen Spirit Walker einholen.«

Als Zed ihre Hände vom Sattel losband, befürchtete Bright Heart, er würde das Messer sehen. Um es zu verbergen, hielt sie die Hände, als würde sie beten, den Messergriff zwischen den Handflächen und die kurze Klinge von den ausgestreckten Fingern bedeckt. Sie fand, es wirkte auffällig, doch er schien nichts zu bemerken. Dann befahl ihr der Riese: »Bleib!«, wie einem Haustier, und ging zu Meadow Larks Pferd hinüber, um sie loszubinden.

Bright Heart dachte daran, die auf den Boden hängende Führungsleine zu ergreifen, sich auf Apash Wyakaikt zu schwingen und zu fliehen. Wahrscheinlich gelänge ihr das sogar mit gefesselten Händen, aber dann müsste sie Meadow Lark zurücklassen. Ihre beste Freundin im Stich zu lassen, kam nicht infrage. Während sie so dastand und überlegte, wie sie beide entkommen könnten, verging Bright Hearts Gelegenheit zur Flucht, sobald Lark vom Pferd gehoben worden war.

Wortlos klemmte Zed sich Lark unter den Arm, machte zwei Schritte, verfuhr ebenso mit Bright Heart, und ging zu einer hohen Pappel. Während sie getragen wurden, bemerkte Bright Heart in der Ferne wieder einen Blitz und begann im Stillen zu zählen. Sie hatte schon zuvor mehrere Blitze aufleuchten sehen. Nun zählte sie bis hundertvierundzwanzig, ehe sie den Donner hörte.

Als sie noch klein war und Angst hatte, der Blitz könne sie treffen, hatte sie sich unter einem Baum versteckt. Ihr Vater hatte sie gesehen und ihr erklärt, dass alle hohen Punkte wie Bäume den Blitz anzogen und es daher gefährlich war, darunter Zuflucht zu suchen. Er sagte, ebenso unsicher sei es allein in offenem Gelände, wo der Blitz von der höchsten Erhebung angezogen wurde, und die stellte sie selbst dar, wenn sie allein war. Der sicherste Ort sei in einem Gehölz niedriger Bäume. Die würden den Blitz verwirren und er würde sich ein anderes Ziel suchen. Er erklärte ihr, dass der Blitz auch gerne in einzelne Tipis auf freiem Feld einschlug, die sich abseits befanden. Doch wenn viele Tipis beisammenstanden, zerstreuten sie den Blitz.

Ihr Vater hatte ihr außerdem empfohlen, wenn sie einen Blitz sah, langsam die Zeit zu zählen, bis sie den Donner hörte, der beim Einschlag des Blitzes in die Erde entstand. Jedes Mal, wenn sie bis dreißig gezählt hätte, schlüge der Blitz eine Meile weiter entfernt von ihr ein. Bei dem Zeitabschnitt, den sie eben abgezählt hatte, hatte sich der Blitz vier Meilen entfernt, hoch in den Bergen entladen. Dort oben regnete es jetzt sicher. Während die Pferdeherde gen Süden gezogen war, hatte sie weiter die Zeitabstände zwischen dem Aufleuchten des Blitzes und dem darauf folgenden Donner gezählt. Da die Abstände kürzer wurden, wusste sie, dass das Gewitter näher kam.

Als die Zeitintervalle gleich blieben, wusste sie, dass das Unwetter nicht weiter nach Süden auf sie zu wanderte. Es würde sich nun über dem Vorgebirge und den Bergkämmen im Norden des Beckens, wo sie lagern würden, auf und ab bewegen. Sie schätzte ganz richtig, dass der Regen ihren Lagerplatz wahrscheinlich nicht erreichen würde, doch der daran vorbeifließende Fluss würde durch das aus den Hügeln im Norden ablaufende Wasser ansteigen. Wie viel Regen bald fallen würde, ahnte sie jedoch nicht, als sie zu Lark sagte: »Es wird Hochwasser geben. Es wäre klüger, wenn sie das Lager weiter oben und vom Fluss entfernt aufschlagen würden.«

»Damit euch nicht einfällt wegzulaufen, bindet Old Zed euch an den Baum, derweil er für Marcus das Zelt aufstellen tut«, erklärte er den beiden Frauen und setzte sie rücklings an einen Baumstamm. Dann nahm er einen längeren Rohlederriemen, den er um die Schulter geschlungen hatte, und band sie fest an den dicken Stamm. Bright Heart hatte erwartet, beim Fesseln grob behandelt zu werden, merkte jedoch, dass er sich bemühte sanft zu sein, auch wenn sie sich nicht mehr rühren konnte, als er fertig war.

»Seid ihr nett zu Marcus, dann könnt ihr bleiben. Wenn Marcus euch nicht mehr haben will, behält euch Old Zed.«

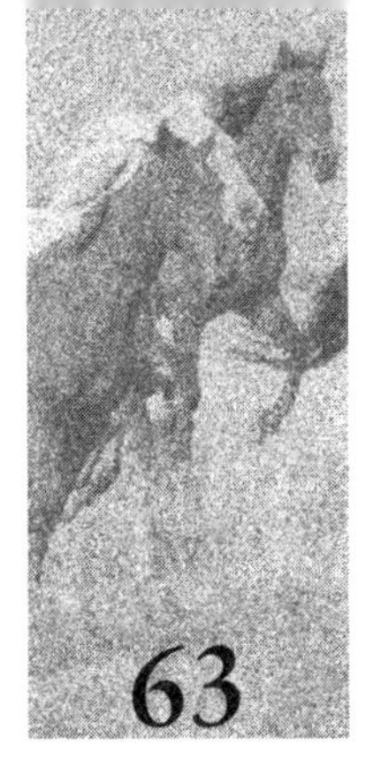

63

Als er den Hufschlag galoppierender Pferde hinter sich hörte, staunte Tatanka, dass sie ihn eingeholt hatten, merkte dann aber, dass jeder zwei Ersatzpferde hinter sich führte. Auf diese Weise konnten sie öfters das Reittier tauschen und die Pferde schonen. Er zügelte die graue Stute, auf die er umgesattelt hatte, um Face Paint eine Atempause zu verschaffen.

Sich vornüberbeugend rieb er ihren schweißnassen Hals und sprach mit ihr, als könnte sie jedes seiner Worte verstehen. »Wir reiten ein bisschen langsamer, damit sie zu uns aufholen können. Dann werden wir ein hohes Tempo vorlegen müssen, wenn wir …« Er verstummte, als ihm blitzartig die Erinnerung vor Augen stand, wie er Morning Dove misshandelt und im Sterben liegend vorgefunden hatte … *Ich werde nicht zulassen, dass Bright Heart dasselbe Schicksal erleidet!*

Wase, der frei neben der Stute lief, reckte den Kopf herüber und zwickte Tatanka ins Bein, als wolle er fragen, warum nicht er geritten wurde.

»Du kommst schon noch dran«, erklärte Tatanka ihm. »Du musst deine Kräfte aufsparen, denn du wirst mit mir laufen müssen wie der Wind, damit wir sie rechtzeitig erreichen.«

Als die zwei Reiter näher kamen, überraschte Tatanka

Bear Heart, indem er auf Nez Percé sagte: »Deine Tochter hat mir bisschen von eurer Sprache beigebracht, aber ich nicht weiß genug für alle Worte, also verzeih bitte, dass ich Joshua brauche, um die Sprache des weißen Mannes zu übersetzen.«

Beide Männer waren verblüfft über seine Äußerung, denn bislang hatten sie geglaubt, er verstünde nur ganz wenig von der Sprache der Nez Percé. Bear Heart antwortete als Erster.

»Du sprichst die Nimipu-Sprache wohl. Meine Tochter muss eine gute Lehrerin sein«, sagte Bear Heart zu ihm mit dem ersten Lächeln, seit sie einander begegnet waren. »Wenn es aber in der Sprache des weißen Mannes am besten geht, kann Joshua die Worte übersetzen, die ich von ihm noch nicht gelernt habe«, erklärte er und ließ den Lakota damit wissen, dass auch er ein wenig Englisch sprach.

Tatanka erwiderte: »Einige der Pferde haben Hufeisen. Ich glaube, die Pferdediebe sind Weiße. Sie haben diesen Raubzug nicht sorgfältig geplant. Die Art, wie sie immer wieder die Richtung gewechselt haben, zeigt, dass sie mit dem Land hier nicht vertraut sind. Wie du sehen kannst, haben sie die Pferde erst nach Südwesten getrieben, ziehen nun aber wieder nach Südosten.«

Er hatte das Gefühl gehabt, zwei getrennten Trupps zu folgen, die zusammen unterwegs waren und möglicherweise Meinungsverschiedenheiten hatten. Erst vor kurzer Zeit hatte sich dieser Eindruck als richtig erwiesen.

»Es muss innerhalb der Bande Streit gegeben haben, denn mehr als die Hälfte der Männer haben sich abgesondert und sind nach Westen geritten, während die anderen mit der Herde weiter nach Südosten ziehen. Die Fährte wird wohl den Weg kreuzen, auf dem wir gekommen sind, ein gutes

Stück unterhalb von dort, wo deine Krieger die Pferde entlangführen. Wären die Räuber nicht anfangs nach Westen gezogen, wären sie uns womöglich entgegengekommen.«

Joshua fragte: »Wenn sie sich in zwei Gruppen geteilt haben, woher wissen wir dann, bei welcher der beiden Bright Heart und Meadow Lark sich befinden?«

»Die Männer, die sich losgesagt haben, taten dies wahrscheinlich, weil sie nicht mit den gestohlenen Pferden erwischt werden wollten«, antwortete Tatanka.

»Warum sollten sie die Pferde stehlen und dann abhauen?«, fragte Joshua.

»Ich glaube, sie wussten nicht, dass die anderen die Pferde stehlen wollten. Deshalb haben sie wohl Streit bekommen und sind fortgeritten. Wenn sie weg sind, um nicht mit den Pferden ertappt zu werden, wollen sie sicher auch nicht mit den Geiseln erwischt werden. Außerdem ist Bright Hearts Stute noch immer bei der Herde«, erklärte Tatanka.

»Woher weißt du das?«

»Wegen der Spuren. Sie hinterlässt einen auffälligen Abdruck des rechten Vorderhufs. Er ist stärker abgespreizt als der linke«, sagte Tatanka und zeigte auf das, was für Joshua nur aussah wie ein Gewirr sich überlappender Fährten.

»Manchmal nehme ich Sachen wahr, die ich schlecht erklären kann«, ergänzte er.

»Der Lakota hat recht. Meine Tochter ist bei der Herde. Beeilung, wir dürfen uns nicht aufhalten«, sagte Bear Heart und folgte den aufgewühlten Spuren der gestohlenen Appaloosas.

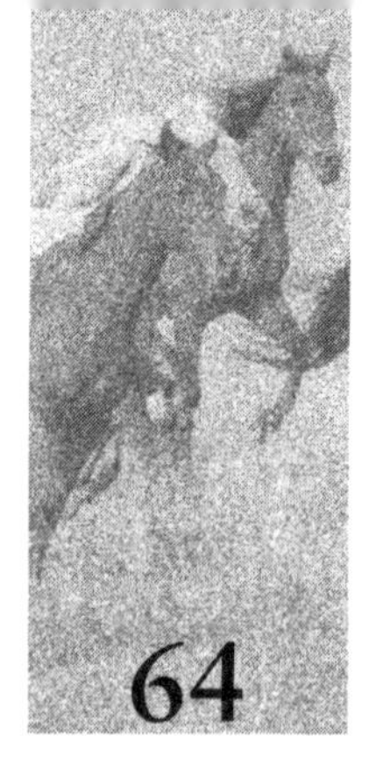

64

Weiter oben in den Bergen, hoch über dem Talkessel, in dem die Pferdediebe übernachten wollten, zogen dunkle Wolkenberge von Norden heran. Als sie sich den felsigen Berggipfeln näherten, zuckte ein Blitz über den Himmel und schlug in eine einzeln stehende Kiefer ein, die wie ein Wächter auf einer Felswand über dem Abgrund stand. Kaum war der Blitzschlag durch den majestätisch hohen Stamm geschossen, sodass Streifen der achtzig Jahre alten Rinde rauchend zu Boden sanken, zerriss auch schon ein lautes Krachen den Himmel und kündigte weitere Blitze an, die alles verschleiernde Regenschauer und noch mehr Donnergrollen mit sich brächten …

Anfangs saugten der Bodenbelag herabgefallener Nadeln und die trockene Bergerde den Regen auf. Dann rann er in die Ritzen des Felsgesteins. Schließlich strömte das Wasser die Hänge hinab, ein Tropfen verband sich mit dem nächsten, bis Furten und Schluchten sich füllten. Mächtige schlammige Sturzbäche schossen nun von den Bergen und sammelten sich zu einer tosenden Flut, die höher war als manche der Bäume, die sie entwurzelte. Das Hochwasser rauschte mit unaufhaltsamer Kraft auf den Talkessel zu, in dem die gestohlenen Pferde grasten und die beiden Gefangenen gefesselt an einem Fluss saßen, der kurz davor stand, über die Ufer zu treten.

Sobald Zed zu der Stelle hinüberging, wo Marcus ihm bedeutete, sein Zelt aufzustellen, verschob Bright Heart das Messer in ihren Händen, bis sie es mit der Rechten greifen konnte. Sie versuchte, die Riemen ihrer Fesseln durchzuschneiden, merkte aber, dass ihre Oberarme seitlich so festgebunden waren, dass sie nur die Ellbogen bewegen konnte. Unfähig, einen der Riemen um ihren Körper zu erreichen, und ohne von der auf sie zuströmenden Flut zu wissen, wollte Bright Heart die Klinge in die andere Richtung drehen, als sie ihr entglitt und aus den Händen fiel.

Schnell schloss sie die Beine und fing so das Messer, bevor es außer Reichweite fallen konnte. Da kam ihr eine Idee. Sie hob das Messer auf und zog die Knie an. Dann klemmte sie den Messergriff dazwischen, sodass die Klinge mit der Spitze nach oben zu ihr hinzeigte. Die Handgelenke zu beiden Seiten der Klinge sägte sie vor und zurück, bis der erste Riemen durchtrennt war. Als die Fessel sich dadurch gelockert hatte, konnte sie ihre Hände befreien. Dann ergriff sie das Messer und durchschnitt die Riemen, mit denen Meadow Lark und sie an den Baum gefesselt waren.

Aus Angst, man würde sie sehen, wenn sie aufstünde und davonliefe, flüsterte sie: »Lark, bleib, wo du bist.« Bright Heart streckte den Arm nach hinten und fuhr fort: »Hier! Nimm mein Messer. Wenn du deine Handfesseln durchgeschnitten hast, schleichen wir uns davon. Falls sie uns sehen, dann renn nach Norden. Wenn wir die Hügel erreichen, können wir uns dort vielleicht verstecken.«

Sie hörte die Messerklinge am Leder schaben und dann flüsterte Meadow Lark: »Ich bin frei.« Bright Heart sagte: »Ganz leise und jetzt …«, da hörte sie ein lautes Tosen und Meadow Lark rief: »Gib acht! Da kommt eine Flutwelle!«

Sie wirbelte gerade noch rechtzeitig herum, um eine Wasserwand auf sich zukommen zu sehen, die fast so hoch war wie der Baum neben ihr. Weil sie nicht glaubte, dem Wasser davonlaufen zu können, packte Bright Heart ihre Freundin am Arm und sagte: »Schnell, klettere auf den Baum. Ich stütze dich und du kannst mich dann hochziehen.«

Vornübergebeugt formte sie mit ineinander verschränkten Händen eine Trittleiter und half Meadow Lark hinauf, doch der nächste Ast war zu weit oben und außer Reichweite. Sie bereute schon ihren Entschluss, nicht davongerannt zu sein, da wurde Bright Heart beiseitegeschoben, und Zed packte Meadow Lark um die Taille. Scheinbar mit Leichtigkeit hob er sie zu den Ästen hinauf. Die Hände unter ihre Füße gestemmt schob er sie weiter empor.

Während das Wasser zu ihnen herabstürzte, grinste er Bright Heart an. Dann packte er ihr Hirschlederkleid zwischen den Schulterblättern und am Bauch, schwang sie neben sich erst nach hinten und dann nach vorn und schleuderte sie zu Meadow Lark in die Baumkrone hinauf.

Während Meadow Lark und sie weiter nach oben kletterten, sah Bright Heart bei einem Blick nach unten, wie Zed mit einem Sprung den untersten Ast erreichte. Dann zog er sich hoch. Er streckte gerade den Arm nach dem nächsten Halt aus, da traf ihn die Flutwelle und riss den Ast ab.

65

Vom Rand des Plateaus aus erfasste Tatanka die Lage auf einen Blick und trieb den Schecken voran. Der schwarzweiße Hengst raste schwer keuchend in den Talkessel hinab. Zu seiner Rechten widersetzten sich die gestohlenen Appaloosas den Reitern, die sie im Tal zusammenhalten wollten. Zu seiner Linken hörte er in der Ferne, was den Pferden Angst machte: das Tosen heranbrausenden Wassers an der Stirnseite des Beckens.

Ganz vorne stand das Zelt des weißen Anführers, aufgeschlagen neben dem Fluss, der in einer alten vulkanischen Rinne verlief. Tatanka erinnerte sich, hier vorbeigekommen zu sein, als er die Appaloosas nach Norden getrieben hatte. In dem Gehölz links der Furt waren die beiden Geiseln an den Stamm eines hohen Baumes gefesselt. Mit einem Handzeichen zu Bear Heart und Joshua hinter sich bog er in Richtung der Gefangenen ab.

Aus dem Augenwinkel sah er, wie sich die Wassermassen ins Tal hinabstürzten und auf Bright Heart zuwälzten. Als ihm gerade klar wurde, dass er niemals zu ihr gelangen konnte, bevor das Wasser sie erreichte, sah er einen riesenhaften bärtigen Mann zu Bright Heart und der anderen Geisel rennen. Bis der Riese bei ihnen ankam, hatten sie sich irgendwie befreit und versuchten, auf den Baum zu klettern.

Tatanka sah hilflos zu, wie die mächtige Wasserwand auf sie zutobte. Kurz vor dem Aufprall schob der Mann die andere Gefangene zu den Zweigen hinauf. Dann packte er Bright Heart und schleuderte sie mit unglaublicher Kraft in die Baumkrone. Mit einem Sprung erwischte er einen Ast und wollte sich hochziehen, als die Flutwelle den Baum erfasste.

Unter der Wucht des Aufpralls bog sich der Stamm und mehrere Äste brachen ab, darunter auch der, an dem sich der Riese festhielt. Bright Heart und Meadow Lark waren weiter oben, außerhalb des Wassers, doch als der Baum sich unter dem Druck krümmte, wurden sie in die Strömung getaucht und fast von den Zweigen gespült. Hätte Bright Heart ihre Freundin nicht am Arm gepackt, bevor der Baum sich wieder aufrichtete, wäre Meadow Lark von der Flut davongetragen worden.

* * *

Zwanghaft auf Reinlichkeit bedacht wollte Marcus eben die Wasserschüssel ausleeren, an der er sich gewaschen hatte, stellte sie dann aber beiseite, weil er dachte: *Ich werde das Wasser brauchen, um nach Befriedigung meiner Lust den Geruch der beiden Frauen abzuwaschen. Welch Glücksfall, dass sie gerade bei den Pferden Wache hielten.*

Er hörte etwas von außerhalb des Zeltes und hielt inne. Es klang wie ein Dröhnen von den Gipfeln her. Für einen Moment dachte er daran hinauszugehen und nachzusehen, was es war, tat das Geräusch dann aber als Wind in den Bergen ab. Er hatte dunkle Regenwolken sich zusammenbrauen sehen, bevor sie haltgemacht hatten. Außerdem hätte er sich erst etwas anziehen müssen. Es machte ihm nichts aus, wenn Zed ihn nackt sah, aber er wollte seinen ungeheuren nackten Fettarsch und seine Bauchwülste nicht vor den anderen zur Schau stellen, die sich hinter seinem Rücken über ihn lustig machen würden.

Auf einem Stapel von Schwarzhorn-Fellen ruhend verfiel er wieder in seine erwartungsvollen Fantasien über die Gefangenen: *Für Eingeborene sind sie durchaus wohlgefällig anzusehen. Soweit ihre Körper unter den primitiven Kostümen zu beurteilen waren, könnten die kleinen Wilden sich nackt als recht begehrenswert erweisen.*

Als er feststellte, dass diese Gedanken seine Vorfreude und Lust erregt hatten, ärgerte er sich, dass Zed die Frauen noch nicht zu ihm gebracht hatte. Wie immer, wenn er zornig oder enttäuscht war, würde er sich an jedwedem weiblichen Wesen abreagieren, das zufälligerweise das Pech hatte, in Reichweite seiner Peitsche zu kommen.

Als Marcus das Rauschen des Regens sich nähern hörte, stand er auf, trat an den Zelteingang und rief den Lärm übertönend: »Zedekia! Bring mir meine Abendvergnügungen, bevor sie im Regen nass werden! Wir wollen doch nicht unhöflich wirken.« Dabei öffnete er die Zeltklappe gerade noch rechtzeitig, um zu begreifen, dass er sterben musste, als die Flut in sein Zelt brauste.

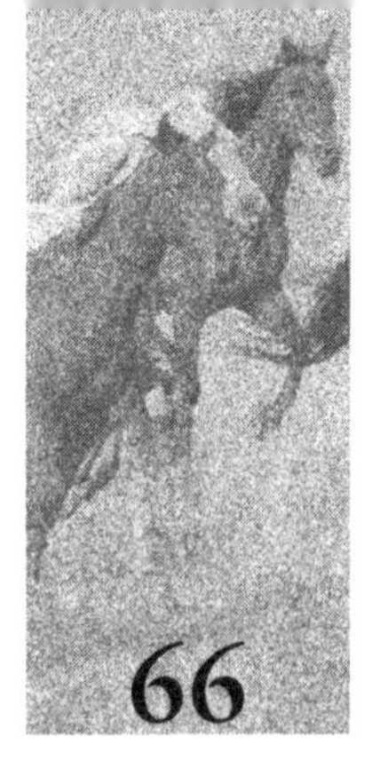

66

Drei Tage nach Verlassen des Lagers am Canyon mit den Anasazi-Ruinen durchquerten die vier Reiter ein weites, ebenes, nahezu baumloses Gletschertal und kamen zu einer Wegkreuzung. Ein Pfad verlief weiterhin talabwärts in westlicher Richtung an einem Fluss entlang, der aus einem kleinen, von einem siebzig Meter hohen Wasserfall gespeisten See entsprang. Mehrere Hundert Schritte rechts des Wasserfalls wandten sich die Spuren von Tatankas Pferdeherde nach rechts und führten in Serpentinen an der Seitenwand des Tales empor.

Ohne zu wissen, dass sich eine sieben Meter hohe Wassersäule den Talkessel oberhalb des Wasserfalls herabwälzte, hielten sie an, um ihre Pferde zu tränken.

»Wir könnten ebenso gut gleich hier übernachten«, meinte Jeremiah, als die Pferde ihren Durst an dem klaren Wasser stillten. »Ihr habt euch doch einen See gewünscht, um drin zu baden«, sagte er zu den beiden Frauen. »Hätte selbst nichts dagegen, mir den Staub von der Reise abzuspülen und ein bisschen zu schwimmen. Dir könnt's auch nicht schaden, mal unterzutauchen«, empfahl er Frenchie, der sich von seiner Schusswunde inzwischen nahezu vollständig erholt zu haben schien.

»Da hast du ausnahmsweise mal eine gute Idee, Jeremiah, aber ich finde, du solltest als Letzter reingehen, denn nachdem du gebadet hast, sieht das Wasser wahrscheinlich aus wie der ›Big Muddy‹«, antwortete Frenchie grinsend.

Jeremiah tat, als hätte er nichts gehört, und führte die Pferde neben dem See auf eine Anhöhe, die aus einer zehntausend Jahre zuvor von einem zurückweichenden Gletscher hinterlassenen Moräne bestand. Ahnungslos, dass gut tausend Meter über ihnen Bright Heart und ihre Entführer von einer Sturzflut erfasst worden waren, die nun auch auf sie zubrauste, sagte Jeremiah: »Wir lagern besser hier oben. Wenn mich die Erinnerung nicht täuscht, liegt über dem Wasserfall ein Tal, und wenn diese dunklen Wolken von vorhin sich in den Bergen zusammenziehen, könnte von dort oben reichlich Wasser herunterkommen. Darum wär es klüger, etwas erhöht zu schlafen.«

Nachdem sie den Pferden die Sättel abgenommen und rasch ihr Lager aufgeschlagen hatten, ging Tacincala wie jeden Abend Wasser holen, während Mahtowin mit der Zubereitung des Essens begann. Als sie dann aber am Fuß des Wasserfalls einen großen Fisch im See springen sah, unterbrach Mahtowin ihre Tätigkeit und holte rasch Sehne und Haken aus einer Satteltasche. Sie nahm zwei Weidenruten, die sie zum Fischen dabeihatten, und reichte Tacincala eine davon.

Jeremiah sah die beiden Frauen ohne Mokassins zum Seeufer gehen, das von denselben schwarzen Felsen umrahmt war, über die an der Oberkante des Wasserfalls die Fluten stürzten, und warnte: »Passt auf, dass ihr euch an diesen Steinen nicht schneidet. Das ist Vulkangestein.«

Die beiden Frauen hatten kaum zu angeln begonnen, als Tacincala ein Ziehen an der Leine spürte. Mit einem Ruck hatte sie den Fisch am Haken. Sie schwenkte gerade die unter dem Gewicht des Fisches gekrümmte Angelrute durch die Luft, als sie das Brausen hörte. Sie sah hoch und hörte ihre Mutter aufschreien. Da schoss auch schon eine Wasserwand, mehrmals so hoch wie sie selbst, über die Felskante.

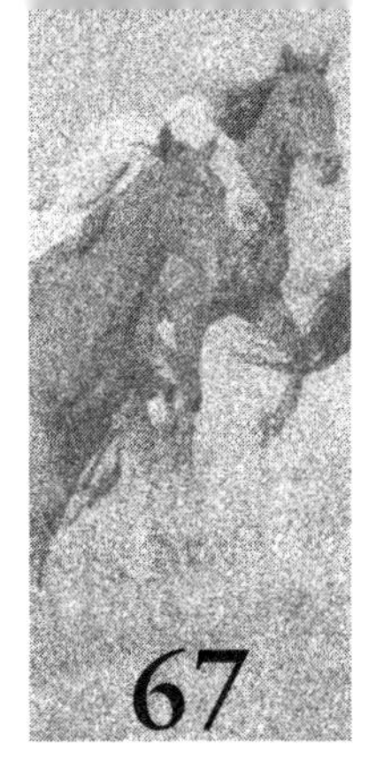

67

Bright Heart sah, wie sich vor ihr das reißende Wasser über das Zelt des weißen Mannes wälzte und es wegspülte. Dann flossen die Überreste unter ihr vorbei. Büsche und anderes Treibgut schossen im Kielwasser der Sturzflut vorüber. Gelegentlich trudelte ein entwurzelter Baum in der schlammigen Strömung und der halb untergetauchte Stamm zertrümmerte alles, was ihm in die Quere kam. Als die Sturzflut den Talkessel hinabraste, glaubte Bright Heart, in einem Wasserwirbel die Leichen von Marcus und Zed gesehen zu haben.

»Pass auf, hinter dir!«, schrie Meadow Lark und lenkte Bright Hearts Aufmerksamkeit wieder auf ihre heikle Lage in dem schwankenden Baumwipfel.

Sie drehte gerade rechtzeitig den Kopf, um einen großen Baumstamm direkt auf sich zu treiben zu sehen. Bei dem Versuch, ihm auszuweichen, merkte sie, dass ihr Hochsitz immer wackeliger wurde, je höher sie kletterte. Sie klammerten sich beide an denselben dünnen Ast, als der Stamm gegen ihren Baum prallte.

Beide waren fassungslos über die Wucht dieses Aufschlags. Die Baumkrone der Pappel schnellte mit solcher Kraft zurück, dass der Stamm entzweibrach.

Bright Heart stürzte ins kalte Wasser. Als sie sich vom ersten Schreck wieder erholte, merkte sie, dass sie sich noch immer an die Äste der Pappel klammerte. Dann sah sie, dass Meadow Lark losgelassen hatte und im Wasser trudelte. Bright Heart schrie: »Schnell, nimm meine Hand!«

Als Bright Heart ihre Freundin zu der schwimmenden Baumkrone zog, an der sie sich weiterhin festhielt, um über Wasser zu bleiben, erkannte sie an dessen merkwürdigem Winkel, dass Meadow Larks Arm verletzt war, vielleicht sogar gebrochen. Da sie wusste, dass ihre Freundin damit nicht in der Lage wäre, ans Ufer zu schwimmen, erklärte Bright Heart: »Die Strömung ist zu reißend, um das Ufer zu erreichen.«

Meadow Lark antwortete: »Du kannst es schaffen! Schwimm du und lass mich hier.«

Bright Heart stemmte sich gegen den treibenden Baum, paddelte mit den Füßen und sagte: »Halt dich fest und schieb den Baum mit der Kraft deiner Füße zum Ufer!«

Während sie sich an der Baumkrone über Wasser hielten und vergeblich versuchten, deren Kurs zu ändern, trug die Strömung sie rasend schnell auf den siebzig Meter tiefen Wasserfall zu, der – ohne dass sie dies wussten – nicht weit vor ihnen lag.

* * *

Unterhalb des Wasserfalls standen Mahtowin und Tacincala einen Augenblick wie gelähmt da und sahen über sich die gewaltige Wasserwand die siebzig Meter hohe senkrechte Felskante herabbrausen. Obwohl sie wussten, dass sie nicht entkommen konnten, ließen sie ihre Angelruten fallen und rannten.

Doch Tacincala hatte kaum einen Schritt getan, da blieb sie mit dem Fuß in einer Felsspalte hängen und stürzte.

Mahtowin hörte sie, kehrte um und half ihr auf. Erneut rasten sie los, obwohl sie wussten, dass es vor den ungeheuren Wassermassen über ihnen kein Entrinnen gab. Kurz bevor das Wasser auf sie herabprasselte, stürzten Jeremiah und Frenchie ihnen entgegen, stießen sie zurück und zerrten sie von dem schwarzen Lavagestein in den Teich unter dem Wasserfall.

Von starken Armen umschlossen, die nur Jeremiah gehören konnten, fragte sich Mahtowin Wasser spuckend und nach Atem ringend, warum er sie in den Wasserfall geschleppt hatte. Dann verstand sie: Er hatte gesehen, dass die über die Kante schießende Flutwelle weiter vorne aufkommen würde als sonst das Wasser am Fuß der Klippe. Er hatte sie unter den Arm geklemmt und war hinter die herabstürzende Wasserwand in den Teich gesprungen.

Als Mahtowin Tacincala hinter dem Vorhang tosenden Wassers nirgends sah, war sie beunruhigt. Sie rief mehrmals nach ihr, doch das Brausen der Fluten war so ohrenbetäubend, dass sie eine Antwort gar nicht hätte hören können.

Jeremiah hob sie hoch und drehte sie zur Rückwand des Teiches hin. Sie konnte nichts erkennen und wollte schon etwas sagen, als ihre Augen sich doch an die Dunkelheit gewöhnten.

Frenchie und Jeremiah hatten die Gefahr im gleichen Moment bemerkt und reagiert, als wären sie eins. Nachdem er Tacincala gepackt und in den Teich gezerrt hatte, hatte Frenchie sie nicht mehr losgelassen.

Das knappe Entkommen hatte ihnen deutlich gemacht, wie kostbar und vergänglich ihr Leben war. Seine Arme um ihre Taille und ihre um seinen Hals hielten sie einander innig umschlungen und küssten sich.

Während der Teich sich mit dem Kielwasser der Flutwelle füllte, kletterten die beiden Paare hinter der Wasserwand heraus und stiegen die Klippe hinauf. Als sie die Pferde wieder beluden, die zum Glück angepflockt worden waren, ehe die Flut kam, musste Jeremiah schreien, um sich verständlich zu machen.

»Das Wasser wird wieder sinken, wenn die Flut erst vorbei ist, aber wir bleiben ein gutes Stück trockener, wenn wir unser Lager weiter nach oben verlegen.«

Der Franzose schwang sich auf seinen Rappen und sagte: »Das war aber nicht die Art von Bad, die Frenchie im Sinn hatte«, um sie nach dem überstandenen Schrecken ein wenig aufzuheitern.

Die beiden Frauen sagten nichts. Sie waren einfach nur dankbar, noch am Leben zu sein.

Kurz darauf zog das Quartett vom Wasserfall fort und den Serpentinenweg bergauf.

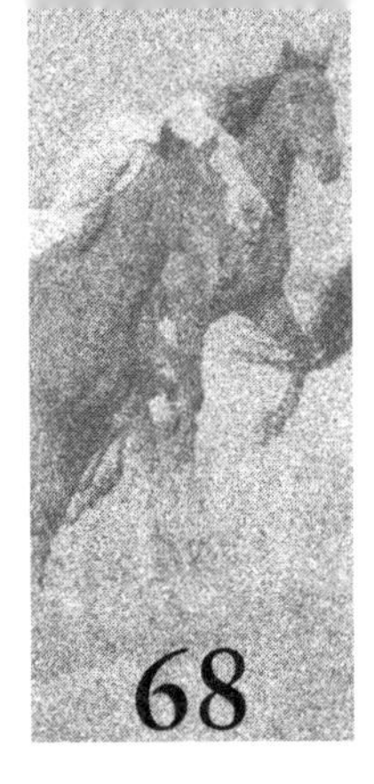

68

Tatanka sah, wie ein entwurzelter Baum in die Pappelkrone krachte, an der Bright Heart und Meadow Lark sich festklammerten, und wie diese abbrach. Als die Pappel nach vorne kippte und die beiden in den tosenden Strom warf, prallte Meadow Lark mit der Schulter auf eine große, aus dem Wasser ragende Wurzel. Sie trieb mit einem Arm rudernd in der Flut, bis Bright Heart sie wieder zur Baumkrone zog.

Sie versuchten, den Baum mit den Füßen zum gegenüberliegenden Ufer zu paddeln, und Tatanka rief ihnen zu, sie sollten in die andere Richtung rudern. Sie konnten ihn über das ohrenbetäubende Brausen des Wassers hinweg aber nicht hören. Er lenkte Wase flussabwärts, um in ihrer Nähe zu bleiben, und beobachtete, wie der Baum sich in der Strömung langsam drehte, sodass das dickere Ende vorantrieb. Bright Heart und Meadow Lark blickten nun in seine Richtung, während die Fluten sie auf ein gewaltiges Brausen zutrugen.

Er sah, wie vor ihnen die Gischt hoch in die Luft spritzte, wo die Sturzflut über den Wasserfall verschwand. Er erinnerte sich, dass dieser sehr hoch war, es war ihm aufgefallen, als er auf dem Weg nach Norden mit den Appaloosas dort vorbeigekommen war. Tatanka löste das Rosshaarseil von seinem Sattel und knüpfte rasch an jedem Ende eine armlange Schlaufe. In der Hoffnung, richtig geschätzt zu haben, glitt er vom Pferd und wollte gerade eine Schlinge um Wases Hals legen, als Bear Heart und Joshua dazukamen. Er reichte Bear Heart die Schlaufe und sagte zu dem weißen Mann: »Erklär Bear Heart, dass ich seine Hilfe brauche, damit dieses Ende des Seils mit mir auf einer Höhe bleibt, wenn ich flussabwärts treibe.«

Die andere Schlaufe legte er sich um den Kopf und die linke Schulter und hoffte, dass seine Arme dadurch nicht behindert würden, dann sprang er in die aufgewühlten Fluten. Der starke Sog der Strömung überraschte ihn. Er sorgte sich, ob er den Baum überhaupt erreichen könnte, bevor die jungen Frauen an ihm vorbeitrieben.

Bear Heart beobachtete, wie der Lakota durch den reißenden Strom schwamm, und staunte über seine kräftigen Schwimmzüge. Während Bear Heart am Ufer entlangritt, bemüht dem Seil Spiel zu lassen, merkte er, wie er den Atem anhielt und diesen Krieger namens Spirit Walker im Stillen anfeuerte.

Als Bright Heart ins Wasser geschleudert wurde, hatte Bear Heart erwartet, sie würde ans Ufer schwimmen, denn sie war eine gute Schwimmerin. Doch als er sah, dass Meadow Lark sich verletzt hatte und nicht schwimmen konnte, wusste er, dass seine Tochter niemals ihre Freundin im Stich lassen würde, um sich selbst zu retten. Zum ersten Mal in seinem Leben fühlte der Häuptling sich hilflos. Ihm war im Leben noch nichts begegnet, das er nicht hätte meistern können, bis auf eines: Er hatte nie sonderlich gut schwimmen gelernt. Bei allen Spielen in seiner Jugend hatte er sich vor anderen hervorgetan und als Krieger bei keiner Herausforderung versagt. Aber er war kein geübter Schwimmer. Nun wünschte er, er hätte sich dabei mehr Mühe gegeben.

Er wusste, was vor ihnen lag, und hatte versuchen wollen, seine Tochter schwimmend zu erreichen. Er wäre bereit gewesen, mit ihr zu sterben, wenn er sie nicht dazu hätte bringen können ihr eigenes Leben zu retten. Nun allerdings, bei dem tosenden Wasser und der reißenden Strömung erkannte er, dass all seine Pläne, Bright Heart zu retten, ganz zwecklos waren, wenn er gar nicht erst zu ihr gelangen könnte. Bear Heart trieb seinen Appaloosa am Ufer entlang und hoffte, der Lakota bekäme den Baum zu fassen, doch dann trieb jener vorbei. Gleichzeitig merkte er, wie sich das Seil spannte. Es war nicht lang genug.

Er hatte richtig geschätzt. Nur noch ein paar Schwimmzüge, dann hätte er den Baum erreicht, doch da spürte Tatanka, wie sich das Seil straff zog. Er löste die Schlaufe um seinen Kopf und packte sie mit einer Hand, während er mit den Beinen und dem anderen Arm weiterpaddelte, bis die Leine sich erneut spannte und ihn ein Stück zurückriss, während der Baum knapp außer Reichweite an ihm vorbeizog.

Als Bear Heart die Spannung des Seils spürte, trieb er seinen Appaloosa voran, um der Leine Spiel und Tatanka genug Bewegungsfreiraum zu lassen, sodass er Wasser treten konnte und schließlich doch noch einen Ast des schwimmenden Baumes zu fassen bekam. Vom Ufer aus beobachtete Bear Heart, wie sich das Seil zwischen dem treibenden Baum und dem Hals des Appaloosas straff zog und sich oberhalb des Wasserspiegels bis zum anderen Ende spannte, das der Lakota in der Hand hielt.

Tatanka hatte vorgehabt, die Schlinge Bright Heart und Meadow Lark um den Leib zu legen, sodass Bear Heart sie ans Ufer ziehen könnte, doch das Seil war nicht lang genug, um zu ihnen zu gelangen oder es an den Baum zu binden.

Er überlegte, ob Bright Heart herüberschwimmen könnte, während er Meadow Lark hinter sich durchs Wasser zog. Doch sie waren schon so nahe am Wasserfall, und er wusste weder, ob sie es schaffen würden, noch, wie gut Bright Heart schwimmen konnte. Ihm blieb nichts anderes übrig, als mit einer Hand das Seil und mit der anderen den Baum festzuhalten, in der Hoffnung, dass der Stamm durch die Strömung ans Ufer geschwenkt wurde, eine Seillänge flussabwärts von dort, wo Bear Heart das andere Ende an seinem Pferd verankert hatte.

An einem Punkt zerrte das Seil so stark am Hals des Appaloosas, dass er sich abwenden und die Hufe in den Boden stemmen musste, um nicht ins Wasser gezogen zu werden. Als Bear Heart sah, wie das Pferd um sicheren Stand rang, wusste er, dass der Lakota-Krieger es unmöglich schaffen könnte, sowohl das Seil als auch den Baum festzuhalten. Doch zu seinem und Joshuas fassungslosem Erstaunen ließ Tatanka weder das eine noch das andere von beiden los, bis der Baum ans Ufer schwang und Bright Heart ihrer verletzten Freundin mit Unterstützung ihres Vaters und Onkels ans Ufer geholfen hatte.

Als er den dicken Ast freigab, schnellte das Rosshaarseil fast auf die Hälfte der Länge wieder zusammen und der Rückstoß war so stark, dass Tatanka nach vorn gerissen wurde und kopfüber auf den schlammigen Boden fiel. Als er sich den Matsch aus dem Gesicht wischte, sagte Joshua zu ihm: »Das hätten wir nicht für möglich gehalten.«

Während er noch versuchte, sein Gesicht zu säubern, antwortete Tatanka: »Oh! Ich bin schon oft mit der Nase im Dreck gelegen.«

Bear Heart, der offenbar mehr von der Sprache des weißen Mannes verstand, als er zugab, sagte mit Lachfältchen in den Augenwinkeln: »Nein, nicht Dreck. Tatanka festhalten.«

»Tja, da wären wir dann schon zu dritt. Ich hatte auch so meine Zweifel.«

Um sich in Gegenwart ihres Vaters nicht respektlos zu benehmen, fasste Bright Heart Tatanka am Arm und führte ihn zum Wasser, wo sie ihm den Schlamm vom Gesicht wusch. Als sie glaubte, dass niemand hinsah, küsste sie ihn und sagte: »Das ist dafür, dass du Meadow Lark das Leben gerettet hast.«

»Und was ist mit dir?«, fragte er.

»Auf diesen Dank wirst du noch warten müssen, bis wir geheiratet haben.«

Dann sah sie, wie Meadow Lark ihren Arm zu bewegen versuchte, und sagte: »Oh! Wie gedankenlos von mir. Ich muss nach ihrer Verletzung sehen. Ich werde dein Messer brauchen. Meins ist in der Flut verloren gegangen.«

Er gab ihr sein Messer und meinte: »Sie kann den Arm rühren, von daher ist es wohl nichts Ernstes. Vielleicht war die Schulter durch die Prellung nur vorübergehend betäubt.«

Tatanka ging zu Wase hinüber, der dem Flusslauf gefolgt war, und reichte Bright Heart ein Stück Hirschleder aus seiner Satteltasche.

»Das kann als Verband dienen«, sagte er und saß auf.

Als Bright Heart für Meadow Larks Arm eine Tragschlinge angefertigt hatte, zügelten die drei Männer ihre Pferde bei der Herde Appaloosas.

»Wir haben Glück. Ich hätte gedacht, dass sie sich bei dem lauten Getöse der Flutwelle weiter verstreut hätten«, sagte Tatanka zu den beiden anderen.

»Diese Pferdediebe haben sie zusammengehalten, bis sie

uns gesehen haben«, sagte Joshua. »So wie die sich aus dem Staub gemacht haben, hätte man meinen können, wir hätten vierzig Krieger im Rücken. Das haben sie wahrscheinlich auch angenommen. Inzwischen sind sie bestimmt schon halb durch die Shining Mountains.«

Sie bahnten sich auf der anderen Seite ihren Weg um die Herde herum und begannen, sie den Talkessel hinaufzutreiben, da wendete Tatanka mit Wase und sagte: »Ich bin bald wieder da. Ich will etwas nachprüfen.«

Nachdem er einen weiten Bogen geritten war, sah Tatanka im schwindenden Licht vom Plateau oberhalb ihres Lagers aus acht Menschen am Feuer. Als er näher kam, merkte er, dass vier davon Frauen waren. Dann erkannte er Jeremiah und den unverwechselbaren breitschultrigen Umriss von Frenchie. Mahtowin und Tacincala standen, um ihre Hirschlederkleider zu trocknen, zusammen mit Bright Heart und Meadow Lark dicht am Feuer, während aus den beiden Kesseln, an denen sie sich zu schaffen machten, ein köstlicher Duft aufstieg.

Tatanka schwang sich von Wases Rücken, ergriff Jeremiahs Hand, während er ihn mit der anderen umarmte und sagte: »*Hau Kola!*«

»*Hau Kola*«, antwortete Jeremiah und klopfte seinem alten Freund auf den Rücken. »Hatte gehofft, dass wir dich finden, auch wenn ich mir das Wiedersehen eigentlich anders vorgestellt hatte. Haben uns unterhalten. Mein Freund Bear Heart hat uns alles erzählt, was geschehen ist.«

»Du kennst Häuptling Bear Heart? Warum hast du nichts davon gesagt?«

»Das frage ich mich auch«, warf Bright Heart ein.

»Wusste ja nicht, dass die beiden verwandt sind«, antwortete Jeremiah. »Und außerdem hast du nie seinen Namen erwähnt. Wir haben uns kennengelernt, als Bear Hearts Krieger mit einer Schar von Palouses auf die Jagd zogen, bei denen ich mich damals aufhielt. Sein Dorf habe ich nie besucht, daher war ich Bright Heart vorher auch noch nicht begegnet.«

Jeremia nickte in die Richtung, aus der Tatanka gerade gekommen war, und sagte: »Nun aber zurück zu den Pferdedieben. Schätze, du hast nachgesehen, was aus ihnen geworden ist. Was hast du gefunden?«

An alle gewandt antwortete Tatanka: »Den Spuren nach zu schließen, waren es Weiße, denn ihre Pferde waren beschlagen. Sie waren sechzehn, als sie die Pferde gestohlen und Bright Heart und Meadow Lark entführt haben. Auf halbem Weg hierher gab es mit neun Männern einen Streit und sie sind fort, nach Westen und ohne gestohlene Pferde. Sieben Männer sind bis hierher weitergezogen. Als die Flut kam, waren drei bei den Pferden. Zwei weitere stießen zu ihnen, als sie uns sahen, und haben sich aus dem Staub gemacht. Wahrscheinlich dachten sie, hinter uns käme noch Verstärkung.

Zwei Kerle hat das Hochwasser erwischt. Einer war sehr groß. Er wurde fortgespült, nachdem er Bright Heart und Meadow Lark ins Trockene geholfen hatte. Der andere war in einem Zelt, das von dem Sturzbach weggespült wurde. Ich habe gesehen, wie er den Kopf aus dem Eingang streckte, kurz bevor die Flut kam.«

»Diese beiden waren Marcus und Zed«, erklärte Frenchie. »Ich habe ihre Pferde bei der Herde erkannt. Das sind die zwei, die deine Frau umgebracht und auf mich geschossen haben.«

»Dann haben sie ihren gerechten Lohn bekommen«,

sagte Jeremiah. »Sie waren solche Scheusale, dass Mutter Erde selbst sich ihrer entledigen wollte.«

Er legte Tatanka die Hand auf die Schulter und sagte zu seinem Freund: »Nun kannst du beruhigt sein. Morning Dove wurde gerächt.«

***

Am nächsten Tag, als die neun Reiter die Appaloosas zurück ins Dorf der Nez Percé trieben, sagte Bear Heart zu seinem Schwager: »Dieser Lakota gefällt mir immer besser. Er hat meine Tochter befreit und unsere Pferde von den Atsinas zurückgestohlen; hat sie und die Pferde über die Shining Mountains gebracht; hat sie vor den Crow beschützt und deren Pferde geraubt; hat Pfeile verscheucht wie Fliegen; hat sie mit übermenschlicher Kraft aus dem Sturzbach gerettet; hat uns die geraubten Pferde zurückgegeben und mir ihr zu Ehren eine ganze Herde geschenkt; und außerdem ist meine Tochter in ihn verliebt.

Ich glaube, er gäbe einen würdigen Ehemann ab. Spirit Walker als Schwiegersohn zu haben, wäre gar nicht so übel.«

Beim Blick auf die beiden Paare, die unbefangen so dicht beisammen waren, dass man zwischen keines der beiden eine Messerklinge hätte schieben können, sagte Bear Heart mit einem seltenen Lächeln: »Ich glaube, es wird nach der Rückkehr in unser Dorf einen Hochzeitstanz geben. Nein! Es wird zwei Hochzeitstänze geben.«

Nachtrag

Okiyáka Ooyáke ging von Little Ravens Stammesgruppe der Lakota nicht wieder fort. Sie blieb bei ihnen, bis ihr Alter und ihr Gesundheitszustand sie schließlich dahinrafften. Doch sie lebte lange genug, um dem kleinen schwächlichen Jungen mit dem Hinkebein ihre Geschichten beizubringen.

Jeden Tag erklomm Little Raven auf Geheiß der Geschichtenerzählerin die hohe Felsnadel aus Vulkangestein, von der aus er sie bei ihrer Ankunft in diesem Tal zuerst erblickt hatte. Nachdem er wieder hinabgeklettert war, rannte er zu ihr, während sie bei den Pferden auf ihn wartete. Noch ehe er wieder zu Atem gekommen war, forderte sie ihn auf, ihr die Geschichte des vorangegangenen Tages zu erzählen, und brachte ihm dann eine neue bei. So ging es, bis er mit den Geschichten eins geworden war und sie ganz und gar verinnerlicht hatte.

Jedes Mal fiel es ihm beim Klettern leichter, sich an der steilen Felswand hinauf- und hinabzubewegen. Als seine Arme und Beine kräftiger wurden, probierte er immer schwierigere Routen aus und überwand schließlich steile Felsüberhänge, die sowohl Mut als auch Kraft und Geschicklichkeit erforderten.

Er merkte, dass er immer schneller rannte und manchmal recht weite Strecken, bis zu der Stelle, wo Okiyáka Ooyáke bei den weidenden Pferden wartete. Und dann, eines Tages, stellte er fest, dass er nicht mehr hinkte und auch nicht mehr klein und schwächlich war.

Es heißt, dass Okiyáka Ooyáke hundertundzehn Jahre alt wurde und noch von Little Ravens Taten als Krieger erzählte … lange vor seinem Tod am Wounded Knee.

Danke

Zahlreiche wohlwollende Freunde haben zur Vollendung dieses Buches beigetragen. Vielen Menschen bin ich für Unterstützung, Rat und Ermutigung sehr verpflichtet. All ihnen bin ich zutiefst dankbar – mehr als ich in Worte fassen könnte.

Dies gilt insbesondere für jene, die den Mittelpunkt meines Lebens bilden: meine Tochter Gerri (die all die vielen Überarbeitungen jedes Kapitels kritisch durchsah) und ihr Mann Raimund Maier; meine Tochter Natalie (die gute Ideen und französische Übersetzungen beisteuerte) und ihr Mann Fabrice; meine Enkelkinder Naomi und Alexander Berger; mein Sohn Gary Hoffmeister (der das fertige Manuskript Korrektur las); meine Schwester Adele und meine Brüder Jack und Gary Foutz; meine Tante und mein Onkel Lavina und George Crockett; und meine Frau Barbara, der dieses Buch gewidmet ist, weil sie mit stets einfühlsamen Kommentaren und liebevoller Unterstützung den Quell meines Seins darstellt.

Vielen Dank dem gesamten Mitarbeiterstab des Thienemann Verlags, vor allem dem Verleger Klaus Willberg und dem Programmleiter Stefan Wendel. Ohne ihre Unterstützung und Beratung wären »Tatanka – Das Tal des Bären« und »Tatanka – Die Rückkehr der Pferde« nicht veröffentlicht worden.

Ganz besonderer Dank gilt drei ganz besonderen Damen, ohne die aus meinem Manuskript nie ein Buch geworden wäre:

Sherry Crawford, meine wunderbare amerikanische Lektorin in Iowa, hat zur Umwandlung meines Werkes in ein brauchbares Manuskript unendlich viel beigetragen. Ihren Sachverstand, ihr Engagement und ihr fachkundiges Wissen schätze ich über die Maßen.

Carolin Böttler, meiner fabelhaften deutschen Lektorin beim Thienemann Verlag, die mein Manuskript als Erste las und »Tatanka – Das Tal des Bären« entdeckte, gilt innigster Dank. Als sie die Lektorin meines ersten Buches wurde, hielt ich das für einen unübertrefflichen Glücksfall, doch ich war im Irrtum. Nun, da sie auch die Lektorin von »Tatanka – Die Rückkehr der Pferde« war, schätze ich mich doppelt glücklich. Ihr Einsatz, ihr Interesse und ihre Unterstützung bei der Entstehung und Veröffentlichung meiner Bücher übertrifft alle Erwartungen.

Elisabeth Spang, meine hochgeachtete Übersetzerin, tut sehr viel mehr, als meine Geschichten einfach nur ins Deutsche zu übertragen. Ich finde es sehr beeindruckend, wie es ihr gelingt, das gewisse Etwas in meinen Worten zu erfassen und daraus einen wunderschönen deutschen Text zu machen. Ich schätze mich sehr glücklich, dass sie beide Bände »Tatanka – Das Tal des Bären« und »Tatanka – Die Rückkehr der Pferde« übersetzt hat. Ich habe nie auch nur den leisesten Zweifel, dass ihre Übersetzung besser ist als mein ursprünglicher Text.

All diese drei hätten eine Goldmedaille verdient. Sie haben mehr als alle anderen zur Vollendung dieses Buches beigetragen. Jegliche etwaige literarische Anerkennung gebührt ihnen.

Besonders danken möchte ich Jeff Eastman für unsere zahlreichen Diskussionen. Sein Wissen zum Thema, sein Zuspruch und seine wertvollen Anregungen haben zu jedem Kapitel unschätzbar beigetragen. Dank gilt auch Gary Bartimus und Tom Stafford, die mein Manuskript gelesen und mit konstruktiven Kommentaren hilfreich dazu beigetragen haben. Dank gilt außerdem Louella Hardin und Terry Hansen für ihre Unterstützung und Hilfe beim Schreiben.

Große Anerkennung gebührt Professor R. Baird Shuman, der so freundlich war, zu der Arbeit an meinem ersten Buch mit Zeit, Interesse, schriftstellerischer Fachkenntnis und Zuspruch so großzügig beizutragen. Seine Unterstützung hat mir auch das Verfassen des Folgebandes ermöglicht.

Mein allertiefster Dank schließlich gilt meiner sehr lieben Freundin Catherine Jones Davies. Sie ist mehr als alle anderen dafür verantwortlich, dass aus meinen niedergeschriebenen Gedanken zwei Bücher wurden. Ich könnte seitenlange Loblieder über sie schreiben. Ihre Beratung, Redaktion und kenntnisreiche Anleitung können nicht hoch genug bewertet werden. Ohne sie hätte ich es nicht geschafft. Alle Worte des Dankes wirken bei Weitem nicht ausreichend.

Glossar

Anasazi	*untergegangene indianische Kultur im ersten Jahrtausend n. Chr. im südlichen Bereich der Rocky Mountains*
Apash Wyakaikt	= Flint Necklace; Flintstein-Halskette
Ashley	William Ashley (1778–1838); *Begründer der Rocky Mountain Fur Company*
Bear Heart	Bärenherz
Big Muddy	*der große Schlammige = Mississippi*
Black Badger	Schwarzer Dachs
Blue	Blau; Blauer
Bonjour, monsieur!	Guten Tag, mein Herr!
Booshway	Verballhornung von franz. *Bourgeois (Großbürger); Angestellter einer Pelzhandelsgesellschaft, der Trapper als Fallensteller anwirbt und beaufsichtigt*
Bright Heart	Helles Herz
Broken Foot	Gebrochener Fuß
Burnt Hand	Verbrannte Hand
Carcajou	Vielfraß

Cetan Ska	= White Fox; Weißer Fuchs
Clearwater-Clan	Klarwasser-Stammesgruppe
Cliff Dwelling	Felsbehausung; *in einen Felsüberhang hineingebaute Häuser der Anasazi-Kultur*
Comes-in-the Night	Der in der Nacht kommt
Comes-Looking	Die nachschaut
Comes-Running	Der rennt
Coyote Trickster	Listiger Kojote (*Sagengestalt der Indianer*)
cúnkši	Tochter
Cunning Fox	Schlauer Fuchs
Eagle Catcher	Adlerfänger
Goes-to-the Happy-Hunting-Grounds	Der in die glücklichen Jagdgründe eingeht
Goose Shooter	Gänsejäger
Grand Lodge	Große Hütte; *Gemeinschaftshaus der Stammesgruppe*
Grey Eagle	Grauer Adler
Großes Becken	*riesige Hochebene inmitten der Rocky Mountains*
Hackamore	*gebisslose Zäumung bei Pferden; Zügel ohne Gebiss*
han	ja
hanbelachia	Visionshügel
Hau kola!	Sei gegrüßt, mein Freund!
Hawken	= Hawken Rifle; *Vorderladergewehr*
Heca Čík'ala	= Little Raven; Kleiner Rabe
hecinhskayapi	Dickhornschafe
Heyoom Moxmox	gelber Grizzly (Nez Percé)

Hides-in-the-Air	Der sich in der Luft versteckt
Hihankara	die Eulenmacherin; *eine alte Frau, die nach Vorstellung der Lakota über die Seelen der Toten richtet und manche vom Geisterpfad stößt, sodass sie auf der Erde spuken müssen*
hinu	*Klagelaut*
Hoká Hóta	= Grey Badger; Grauer Dachs
Iktomi	Listige Spinne (*Sagengestalt der Indianer*)
iniowaspe	Feuergrube in der Schwitzhütte
Injuns	*verächtlich für*: Indianer
itokagata	Süden
Kangi Wicasa	*Bezeichnung der Lakota für die Crow*
King of the Mountain Men	König der Gebirgsmänner; Jim Bridger (1804–1881)
la jolie fille	das schöne Mädchen
Laughing Badger	Lachender Dachs
ma belle femme	meine schöne Dame
ma chérie	mein Liebling
magnifique	wundervoll, großartig
Mahtowin	Bärenfrau
Mahtociqala	kleiner Bär
matánya ye	es geht mir gut
Meadow Lark	Feldlerche
Mitàpih'a	Kröte
Mond der gelben Blätter	September
Morning Dove	Morgen-Taube
Morning Star	Morgenstern

Mountain Man	Gebirgsmann; *Bezeichnung für die Trapper in den Rocky Mountains*
nagi (ki)	(ein) Geist
Nimipu	*Bezeichnung der Nez Percé für sich selb*st
Okiyáka Ooyáke	= Story Teller; Geschichtenerzählerin
pájola	Spitzkuppe
Palouses	Appaloosas
Parflèche	*Schachtel oder Beutel aus Rohhaut*
Peyote	*Kaktus, der das halluzinogene Mescalin enthält (ähnlich wie LSD); der Konsum der Droge war unter den nordamerikanischen Ureinwohnern weit verbreitet und gehört bis heute zu verschiedenen Ritualen der* Native American Church
pezuta	Medizin
pispiza	Präriehund
Plains	*weites, steppenartiges Land östlich der Rocky Mountains*
Poge hloka	*Bezeichnung der Lakota für die Nez Percé*
Pueblo	*verschachteltes Gebäude aus Stein oder Lehmziegeln*
quamash	Essbare Prärielilie (*camassia quamash*)
Rain Bird	Regenvogel
Red Squirrel	Rotes Eichhörnchen

Riverman	Flussmann; *Trapper, die auf und entlang dem Missouri und Mississippi unterwegs waren*
Roan Horse	Rotschimmel
Running Antelope	Rennende Antilope
Running Deer	Rennende Hirschkuh
Sahiyela	*Bezeichnung der Lakota für die Cheyenne*
Schwarzhorn	Prärie-Bison
She-Who-Sees-Far	Die in die Ferne sieht
Shining Mountains	Leuchtende Berge, *hier*: die Rocky Mountains
Short Bull	Kleiner Büffelstier
Singing Bird	Singender Vogel
sintéhla	Klapperschlange
son cul	sein Hintern
Spirit Walker	Geistwandler, Geistergänger
Standing Bear	Stehender Bär
šúnkawakán	Pferd
Tacincala	Rehkitz
tákoja	Enkel
Tall Stork	Großer Storch
Tatánka Nájin	= Standing Bull; Stehender Büffel
toniktuka hwo	Ist alles in Ordnung? Wie geht es dir?
Travois	*Schleppgerüst; bestehend aus zwei am Boden schleifenden Stangen, auf denen Querhölzer oder Netze befestigt sind*
Turtle-Clan	Schildkröten-Stammesgruppe
Uncí	Großmutter
wacekiyapi	Gebet, Ritual

wákan	heilig
Wakan tanka	das Heilige Geheimnis; der Große Geist
Wase	= Face Paint; Bemaltes Gesicht
wašičun (ska)	Weiße, Bleichgesichter
Wawóyuspa Tehmúng'a	= Fly Catcher, Fliegenfänger
waziyata	der weiße Riese = Winter; auch: Norden
Weasel	Wiesel
Whispering Johnson	Flüsternder Johnson
wiċahcla	mein Mann
wikmunke	Stolperfalle
wiyohiyanpata (takiya)	Osten
witkó	närrisch, verrückt
Wiyohpeyata	Westen
Wounded Knee	*Nebenfluss des White River; Schauplatz eines Massakers an über 350 Männern, Frauen und Kindern der Lakota am 29. Dezember 1890; bezeichnet das Ende des indianischen Widerstands gegen die Weißen*
wyakan	Schutzgeist (Nez Percé)
yazón	Schmerzen (Nez Percé)
Yellow Wolf	Gelber Wolf

Vor jeglicher Schriftsprache waren Geschichtenerzähler bei verschiedenen Stämmen amerikanischer Ureinwohner die einzige und wichtigste Quelle für die Berichterstattung und die Bildung der Stammesmitglieder in Bezug auf ihre Geschichte, Religion und Lebensart. Aufgabe des Geschichtenerzählers ist es, für diese Erzählungen die richtige Sprache zu finden; Aufgabe des Autors ist es, diese Erzählungen schriftlich in Worte zu fassen.

Dies ist eine erfundene Geschichte. Alle in diesem Buch geschilderten Charaktere und Ereignisse entspringen entweder der Fantasie des Autors oder wurden fantastisch verfremdet.

Von Virgil W. Foutz ebenfalls bei Thienemann erschienen:

Tatanka – Das Tal des Bären

Foutz, Virgil W.:
Tatanka – Die Rückkehr der Pferde
Aus dem Englischen von Elisabeth Spang
ISBN 978 3 522 18095 5

Umschlaggestaltung: Niklas Schütte unter Verwendung von Fotomotiven von iStockphoto.com (Nr. 6683673/John Pitcher; Nr. 1560542/P. Kruger; Nr. 1301818/D. Huss; Nr. 6634230/C. G. Baldauf; Nr. 3493570/gelungfjell)
Außentypografie: Michael Kimmerle
Innentypografie: Kadja Gericke
Schrift: Sabon
Satz: KCS GmbH, Buchholz/Hamburg
Reproduktion: immedia23, Stuttgart
Druck und Bindung: Friedrich Pustet, Regensburg

5 4 3 2 1° 09 10 11 12

www.thienemann.de